BUR

Della stessa autrice in BUR

I cento nomi
Cose che avrei preferito non dire
Il dono
Grazie dei ricordi
Il libro del domani
P.S. I love you
Un posto chiamato Qui
Se tu mi vedessi ora

Cecelia Ahern

Scrivimi ancora

BUR

ISBN 978-88-17-03382-4

Titolo originale dell'opera:
Where Rainbows End

Traduzione di Ombretta Marchetti

Prima edizione Sonzogno 2005
Prima edizione Bur 2009
Ottava edizione BUR novembre 2014

Seguici su:

Twitter: @BUR_Rizzoli www.bur.eu Facebook: BUR Rizzoli

Scrivimi ancora

A Mimmie

Parte Prima

1

A Alex

Sei invitato alla festa per il mio setimo compelanno, martedì 8 aprile, a casa mia. Ci sarà anche un prestigiatore. Puoi venire alle due del pomeriggio. La festa finisce alle cinque. Spero tanto che verrai.

La tua migliore amica, Rosie

A Rosie

Sì, mercoledì verro alla tua festta di compleanno.

Alex

A Alex

La mia festa è martedì, non mercoledì. Non puoi portare Sandy alla festa perché la mia mamma non vuole. Quel cane puza.

Rosie

A Rosie

Non m'importa un fico secco di quello che dice quella stupida di tua madre, Sandy vuole venire.

Alex

A Alex

Mia madre non è stupida, stupido sarai tu. Ti proibisco di portare quel cane. Farà scoppiare tutti i paloncini.

Rosie

A Rosie

E allora non vengo.
Alex

A Alex

Meglio.
Rosie

Cara signora Stewart,

sono appena passata da casa sua per scambiare due parole sulla festa di compleanno di mia figlia Rosie, l'8 aprile. Mi dispiace non averla trovata. Ripasserò più tardi, nel pomeriggio, così potremo parlare.

Sembra che ultimamente sia sorto un piccolo problema tra Alex e Rosie. Credo che addirittura non si rivolgano più la parola. Spero che lei mi possa chiarire come stanno veramente le cose. Rosie sarebbe davvero felice se Alex venisse alla sua festa.

Sono ansiosa di conoscere la mamma di questo simpatico giovanotto!

A presto,
Alice Dunne

A Rosie

Saro felice di venire alla tua festa di compelanno, la prosima settimana.

Grazzie pre aver invitato me e sandy.

Il tuo amico Alex

A Rosie

Grazie perla bellissima festa. Mi sono divertito un sacco. Mi dispiace che sandy a fatto scoppiare i paloncini e si è mangiata la tua torta. Aveva fame perché la mamma dice che papà si sbafa tutti gli avanzi di cucina. Ci vediamo a squola domani.

Alex

A Alex

Grazie per il regalo. Per i disastri di sandy, va tutto bene. La mamma dice che aveva comunque bisogno di un nuovo tappeto. Invece mio papà si è incavolato. Secondo lui il vecchio tappeto va ancora benissimo ma la mamma dice che adesso in casa c'è una gran puzza di cacca, e non è certo colpa del mio fratellino Kevin.

Hai visto il naso della signorina Casey? Non ho mai visto un naso così grosso. Ah ah ah.

Rosie

A Rosie

Sì, è vero. E ha anche un gran moccolo che le pende giù dal naso. È la tipa più brutta che ho mai visto. Penso che dovremmo dire alla polizia che abbiamo un'aliena per maestra e che le puzza l'alito da morire e...

Gentili signori Stewart,

gradirei avere un colloquio con voi a proposito del profitto di Alex. In particolare, vorrei parlarvi del cambiamento che ho recentemente riscontrato nel suo comportamento e anche della sua abitudine a scrivere bigliettini durante le lezioni. Vi sarei grata se voleste mettervi in contatto con la scuola per fissare un appuntamento.

Cordialmente,
signorina Casey

A Alex

Sono proprio incavolata perché non siamo più vicini di banco. Mi hanno messa vicino a quello schifoso di Steven che si infila le dita nel naso e si mangia le caccole. Mi fa vomitare. Che cosa hanno detto tuo padre e tua madre della Nasona?

Rosie

A Rosie

La mamma poco, perché continuava a ridere. Non so perché faceva così. È propio una barba stare in prima fila. Lo sapevo che la signorina Alito Pesante Casey non faceva altro che fissarmi. Devo andare.

Alex

A Alex

Tu sapevi che non AVREBBE FATTO altro che fissarti. Dici sempre sbagliato.

Rosie

A Rosie

Scusa, signorina perfettina. Come se non lo sapevo che si dice così.

Alex

Saluti dalla Spagna!

Qui il tempo è bellissimo. Fa caldo e c'è tanto sole. C'è una piscina con uno scivolo enorme. È fantastico. Ho fatto amicizia con un ragazzo che si chiama John. È molto simpatico. Ci vediamo tra due settimane. Mi sono rotto un braccio venendo giù dallo scivolo. Mi hanno portato all'opsedale. Mi piacerebbe lavorare in un opsedale come il tizio che mi ha ingessato il braccio perché aveva un bel camice bianco e aveva in mano una cartelletta e era veramente simpatico e mi ha aiutato a stare bene. Mi piacerebbe aiutare la gente a stare bene e avere un camice bianco. Il mio amico john mi ha firmato il gesso. Se vuoi puoi farlo anche tu quando ritorno a casa.

Alex

A Alex

Saluti da Londra. Il mio albergo è quello lì sulla cartolina. La mia camera è quella al settimo piano ma non puoi vedere me nella cartolina. Quando sarò grande mi piacerebbe lavorare in un albergo perché hai cioccolatini gratis a volontà e la gente è così gentile che ti mette in ordine la camera. Qui gli autobus sono tutti rossi proprio come i modellini che ti hanno regalato il Natale scorso. Parlano tutti con una voce un po' strana ma sono simpatici. Ho conosciuto una ragazza che si chiama Jane. Andiamo in piscina insieme. Ciao. Saluti da Rosie.

Ad Alex

Perché non mi hai invitato alla tua festa quest'anno? So che tutti i maschi della nostra classe ci vengono. Sei arrabbiato con me?

Rosie

Cara Alice,

sono davvero mortificata per il comportamento di Alex, questa settimana. So che Rosie è molto dispiaciuta perché non può prendere parte alla festa e perché non riesce a capire per quale motivo non sia stata invitata. Francamente non riesco a capirlo nemmeno io; ho cercato più volte di parlargli, ma temo sia impossibile entrare nella testa di un ragazzino di dieci anni.

Credo comunque che lui non possa invitarla semplicemente perché gli altri ragazzi non vogliono una ragazza alla festa. Purtroppo questa è un'età... Ti prego, dai un bacio a Rosie da parte mia. Mi sembra talmente ingiusto... Quando le ho parlato, la settimana scorsa dopo la scuola, ho visto quanto fosse addolorata.

Se sei d'accordo, una di queste sere George e io potremmo portarli fuori, tutti e due insieme.

Cari saluti,
Sandra Stewart

A Rosie

La festa non è stata niente di speciale. Non ti sei persa niente. I ragazzi sono proprio scemi. Brian ha buttato la pizza nel sacco a pelo di James, e quando James si è svegliato aveva i capelli e i vestiti impiastricciati di pomodoro e formaggio e mia madre ha cercato di lavarli ma le macchie non sono venute via e allora la madre di James ha fatto una sfuriata alla madre di Brian e mia madre era rossa di vergogna e mio padre ha detto qualcosa che non sono riuscito a sentire e la madre di James si è messa a piangere e alla fine se ne sono andati tutti a casa. Venerdì vuoi venire al cinema e poi da McDonald's? Ci porteranno mia madre e mio padre.

Alex

Ad Alex

Mi dispiace per la tua festa. Brian è proprio un cretino. Io non lo sopporto. Il suo vero nome è Brian la Lagna. Chiedo a mia madre e a mio padre se posso venire al cinema. Ehi, hai visto la gonna della signorina Casey? Somiglia a quella di mia nonna, oppure sembra che sandy ci abbia vomitato sopra e che...

Gentili signori Dunne,

desidererei fissare un incontro con voi per parlare del comportamento di Rosie negli ultimi tempi e della sua abitudine a scrivere bigliettini durante le lezioni. Potrebbe andar bene giovedì alle tre?

Signorina Casey

Alex,

i miei non mi lasciano venire al cinema, questa sera. Che barba che non siamo più vicini di banco! È una vera scocciatura. Per colpa di quella capellona di Lizzy che mi sta davanti non riesco a vedere bene la lavagna. Ma perché ci capitano sempre queste cose?

Rosie

AD ALEX
BUON SAN VALENTINO!
CHE LA TUA VITA SIA RICCA DI SESSO E...
IL TUO SESSO RICCO DI VITA!
BACI DALLA TUA AMMIRATRICE SEGRETA XXX

A Rosie

Sei stata tu a scrivere quel bigliettino?
Alex

Ad Alex

Quale bigliettino?
Rosie

A Rosie

Molto divertente. So benissimo che l'hai scritto tu.
Alex

Ad Alex

Non capisco proprio di che cosa stai parlando. Perché avrei dovuto mandarti un biglietto per San Valentino?

Rosie

A Rosie

Ah ah! Come fai a sapere che era un biglietto per San Valentino? Puoi saperlo soltanto perché me l'hai mandato tu! Tu mi *ami*, vuoi *sposarmi*.

Alex

Ad Alex

Lasciami in pace. Sto ascoltando la signora O'Sullivan. Se ci becca ancora a passarci dei bigliettini siamo fritti.

Rosie

A Rosie

Ma che ti prende? Sei proprio diventata una secchiona.

Alex

E allora? Io farò strada nella vita: andrò all'università, diventerò una donna d'affari di successo e farò un sacco di soldi... e tu no.

Rosie

2

Gentile signor Byrne,

Alex non potrà venire a scuola domani, 8 aprile, perché ha un appuntamento con il dentista.

Sandra Stewart

Gentile signorina Quinn,

Rosie non potrà venire a scuola domani, 8 aprile, perché deve fare una visita medica.

Alice Dunne

Rosie,

ci vediamo domattina alle otto e mezzo all'angolo. Ricordati di portare un cambio di vestiti. Non possiamo andarcene in giro per la città con la divisa della scuola. Sarà il più bel compleanno che tu abbia mai festeggiato, Rosie Dunne! Non riesco a credere che la stiamo passando liscia!

Alex

P.S. Aspetta e spera che ti faccia gli auguri per i tuoi sedici anni!

St. James's Hospital
10 aprile
Gentili signori Dunne,
Vi invio la fattura relativa all'intervento di lavanda gastrica cui è stata sottoposta Rosie Dunne, in data 8 aprile c.m.

Cordiali saluti,
Dr. Montgomery

Rosie,

tua madre sta di guardia alla porta come un cane feroce perciò non credo che riuscirò a vederti almeno per i prossimi dieci anni. Quella santa di tua sorella che tu ami tanto (non dirmelo!) ha accettato di passarti questo biglietto. La devi ringraziare...

Mi dispiace per l'altro giorno. Forse avevi ragione tu. Forse la tequila non è stata una gran bell'idea. A quel povero barista faranno probabilmente chiudere per averci servito. Ti avevo detto che le carte d'identità false che quel mio amico mi aveva procurato avrebbero funzionato, anche se sulla tua c'era scritto che eri nata il 31 febbraio!

Vorrei soltanto sapere se ti ricordi qualcosa di quello che è successo l'altro giorno... se sì, fammelo sapere. Stephanie mi farà avere il biglietto. È furiosa con vostra madre perché non le permette di ritirarsi dal college. Phil e Margaret hanno appena annunciato che avranno un altro bambino, e così a quanto pare sarò zio per la seconda volta. Per lo meno non mi staranno più tutti con gli occhi addosso, tanto per cambiare. Phil continua a ridere per quello che tu e io abbiamo fatto perché dice che gli ricordiamo lui dieci anni fa.

Guarisci presto, cara la mia alcolizzata! Sai, non credevo proprio che fosse possibile a un essere umano diventare così verde in faccia. Penso proprio che tu abbia finalmente trovato il tuo vero talento, cara Rosie, ah ah ah.

Alex / signor Impertinente

STO DA CANI. La testa mi martella. Non ho mai avuto un mal di testa così forte e non mi sono mai sentita tanto male in vita mia. Mamma e papà sono fuori dalla grazia di Dio. Sul serio, in questa casa nessuno mi capisce. Andranno avanti a sgridarmi per i prossimi trent'anni e mi proibiranno di vederti perché hai "una cattiva influenza su di me".

A ogni modo, non mi importa un fico secco di quello che faranno loro, tanto ti rivedrò domattina a scuola, a meno che non mi "proibiscano" di andarci, il che per me andrebbe benissimo. Non posso credere che il lunedì mattina abbiamo la bellezza di due ore di matematica. Quasi quasi preferirei un'altra lavanda gastrica. Anche per cinque volte di fila. Be', allora ci vediamo lunedì.

Oh, a proposito, per rispondere alla tua domanda: a parte che ho sbattuto la faccia sul lurido pavimento di quel pub, e a parte tutte quelle luci lampeggianti, le sirene che strillavano, le macchine che andavano a tutta birra e un gran vomitare, non ricordo nient'altro. Ma scommetto che questo è soltanto una parte di quanto è successo. C'è qualcos'altro che dovrei sapere?

Rosie

A Rosie

Sono felice di sapere che tutto va come sempre. Anche mia madre e mio padre mi stanno mettendo in croce. Mi sembra impossibile, ma io, proprio io, non vedo l'ora di andare a scuola. Lì almeno nessuno ci romperà le scatole.

Alex

Gentili signori Dunne,

a seguito dei recenti fatti incresciosi riguardanti vostra figlia Rosie, ritengo indispensabile avere al più presto un colloquio con voi, qui a scuola. È necessario discutere del suo comportamento e concertare una punizione ragionevole. Non dubito che comprenderete l'assoluta necessità di un simile provvedimento. Anche i genitori di Alex Stewart saranno presenti. L'incontro è per lunedì mattina alle nove.

Cordiali saluti,
Professor Bogarty, preside

Da: Rosie
A: Alex
Oggetto: Sospesa!

Merda! Non pensavo che quel vecchio bacucco avrebbe portato avanti la cosa e ci avrebbe sospeso! Da come l'ha messa giù dura, si direbbe che siamo dei pericolosi assassini. È proprio la più bella punizione che mi abbiano mai dato. Dovrò restarmene a letto per un'intera settimana a curarmi la sbornia invece che andare a scuola!

Rosie

Da: Alex
A: Rosie
Oggetto: È un inferno

Beata te che te la stai passando bene. Ti sto scrivendo dal posto più squallido del mondo. Un ufficio. Devo lavorare qui con mio padre per tutta la settimana, archiviando fesserie e leccando francobolli. Giuro su Dio che in vita mia non lavorerò MAI in un ufficio.

Questi bastardi non mi pagano nemmeno.

Un Alex incavolato nero

Da: Rosie
A: Alex
Oggetto: Un Alex incavolato nero

Ah ah ah ah ah ah ah... ehm... ho dimenticato quello che volevo scrivere...

Oh, sì... ah ah ah ah ah ah ah ah ah ah ah ah ah ah ah.

Con tanto affetto da una Rosie assolutamente tranquilla, comoda, al calduccio e felice che ti sta scrivendo dalla sua camera da letto.

Da: Alex
A: Rosie
Oggetto: Pigra

Me ne infischio. C'è una pupa fantastica che lavora qui in ufficio. Credo che la sposerò. E adesso chi è che ride?

Da: Rosie
A: Alex
Oggetto: Dongiovanni

E chi sarebbe?

Da una non-lesbica, e quindi NON gelosa.

Da: Alex
A: Rosie
Oggetto: A una non-lesbica

Per il momento ti chiamerò così anche se non ho la minima prova per poter dire diversamente.

Il suo nome è Bethany Williams e ha diciassette anni (una donna più vecchia!), bionda, un gran paio di tette e le gambe più lunghe che abbia mai visto.

Dal dio del sesso

Da: Rosie
A: Alex
Oggetto: Signor dio del Sesso (che squallore!!)

Dalla descrizione si direbbe una giraffa. Sono certa che sia una ragazza molto carina (bugia!). L'hai almeno già salutata o la tua futura sposa deve ancora sapere che esisti? (A parte darti documenti da fotocopiare, naturalmente.)

✉ **C'è posta per te da: Alex**

Alex: Ehilà, Rosie, ho delle notizie per te.
Rosie: Lasciami in pace, per favore. Sto cercando di concentrarmi su quello che dice il signor Simpson.
Alex: Hmm, mi chiedo perché... Non sarà per quei begli occhioni azzurri per cui voi ragazze andate matte?

Rosie: Niente affatto, Excel mi interessa sempre di più. È così eccitante. Potrei restare incollata qui per tutto il fine settimana.

Alex: Dio, stai diventando una vera barba.

Rosie: STAVO SCHERZANDO, RAZZA DI IMBECILLE! Odio questo schifo. Ho paura che il cervello mi andrà in pappa a forza di ascoltare quel tizio. A ogni modo vattene via lo stesso.

Alex: Non vuoi sentire la novità?

Rosie: No.

Alex: Be', te la dico lo stesso.

Rosie: E va bene, quale sarebbe questa grande novità?

Alex: Be', puoi rimangiarti quello che hai detto, cara mia, perché io non sono più vergine.

Alex: Rosie?

Alex: Sei ancora lì?

Alex: Su avanti, Rosie, piantala di fare la scema!

Rosie: Scusa, ma sono caduta dalla sedia e mi sono messa K.O. da sola. Ho fatto un sogno terribile in cui dicevi che non eri più vergine.

Alex: Non è stato un sogno.

Rosie: Suppongo che questo voglia dire che d'ora in avanti non porterai più le mutande.

Alex: Non ho più bisogno di mutande, ormai.

Rosie: Ma senti! E chi sarebbe questa sfigata? Ti prego non dire Bethany ti prego non dire Bethany...

Alex: Ti ho fregato! È proprio Bethany.

Alex: Rosie?

Alex: Ehi, Rosie!

Rosie: Cosa?

Alex: E allora?

Rosie: E allora cosa?

Alex: Be', di' qualcosa.

Rosie: Ma cosa vuoi che dica, Alex? Credo proprio che tu abbia bisogno di farti degli amici maschi, perché io non ti darò certo una pacca sulla spalla chiedendoti succulenti particolari.

Alex: Dimmi soltanto cosa ne pensi.

Rosie: A essere sincera, da quello che sento dire su di lei, credo sia una sgualdrina.

Alex: Ma dai, se non la conosci, non l'hai neanche mai vista. Tu chiami sgualdrina qualunque ragazza che va a letto con uno.
Rosie: Sì che l'ho vista, e comunque c'è una PICCOLISSIMA imprecisione in quello che hai detto, Alex. Io chiamo sgualdrina una che va a letto ogni giorno con una persona diversa.
Alex: Non capisco come puoi dire una cosa simile.
Rosie: Tu non capisci come io POSSA dire una cosa simile. Continui a sbagliare l'ortografia.
Alex: E piantala con 'sta storia. Me lo dici da quando avevamo cinque anni!
Rosie: Sì, proprio così, e sarebbe ora che mi dessi retta.
Alex: Oh, lascia perdere. Fa' conto che non ti ho detto niente.
Rosie: Ma Alex, sono soltanto preoccupata per te. Capisco che lei ti piace veramente, dico *soltanto* che non è il tipo di ragazza che sta con un uomo solo.
Alex: Be', adesso lo è.
Rosie: E voi due uscite insieme?
Alex: Sì.
Rosie: SÌ?????
Alex: Sembri sorpresa.
Rosie: È solo che non credevo che Bethany uscisse con i ragazzi, pensavo che andasse solamente a letto con loro.
Rosie: Alex?
Rosie: E va bene, scusa.
Alex: Rosie, devi smetterla di fare così.
Rosie: Credo che tu abbia ragione.
Alex: Ah ah.
Signor Simpson: Ehi, voi due, andate immediatamente dal preside.
Rosie: COSA? OH, NO, PROFESSORE, LA PREGO. IO STAVO ASCOLTANDO!
Signor Simpson: Rosie, non sto parlando da almeno un quarto d'ora. In questo momento dovresti essere impegnata a eseguire il compito che vi ho assegnato.
Rosie: Oh! Be', non è colpa mia. Alex ha una cattiva influenza su di me. Mi impedisce di concentrarmi.
Alex: È solo che avevo qualcosa di veramente importante da dire a Rosie e non potevo assolutamente aspettare.
Signor Simpson: Vedo, vedo, Alex. Complimenti.

Alex: Ma come... come fa a sapere cosa stavo dicendo?

Signor Simpson: Penso che voi due scoprireste un sacco di cose interessanti se di quando in quando ascoltaste quello che dico. Potreste apprendere delle notiziole davvero utili, per esempio come mantenere riservato un messaggio in modo che nessun altro possa leggerlo.

Alex: Intende dire che altri qui in classe possono leggere quello che io e Rosie ci stiamo dicendo?

Signor Simpson: Proprio così.

Alex: Oh, mio Dio!

Rosie: Ah ah ah ah ah ah ah ah ah ah ah ah ah.

Signor Simpson: Rosie!

Rosie: Ah ah ah ah ah.

Signor Simpson: ROSIE!!!

Rosie: Sì, professore.

Signor Simpson: Esci subito dall'aula.

Alex: Ah ah ah ah ah ah ah.

Signor Simpson: Anche tu, Alex.

3

Da: Rosie
A: Alex
Oggetto: Festa di Julie

Ehilà, è un po' che non ci si vede... Spero non ti sfianchino al lavoro, lì in "ufficio". Quest'estate non ci siamo visti per niente. Stasera c'è una festa a casa di Julie e mi chiedevo se ti andrebbe di venire con me. Non mi va di andarci da sola. A ogni modo, sono sicura che sei troppo occupato a fare quello che stai facendo comunque telefonami quando hai un momento libero oppure rispondimi per e-mail.

Da: Alex
A: Rosie
Oggetto: Re: Festa di Julie

Rosie, messaggio telegrafico. Sono molto occupato. Non posso uscire stasera. Ho promesso a Bethany di andare al cinema. Spiacente. Vai tu e divertiti.

Rosie, saluti dal Portogallo!

Qui fa un gran caldo. Mio padre si è preso un colpo di sole e mia madre non fa altro che starsene sdraiata vicino alla piscina, il che è una vera barba. Non ci sono molti ragazzi della mia età. L'albergo è tranquillo (è quello sulla cartolina) e, come puoi vedere, è proprio sulla spiaggia. Ti piacerebbe da morire lavorare qui! Porterò a casa una collezione di shampoo, cuffie da bagno e tutte quelle cosine che ti piacciono tanto. L'accappatoio è troppo grosso e non ci sta in valigia. Ci vediamo al mio ritorno.

Alex

Da: Rosie
A: Alex
Oggetto: Rimpatriata?

Com'è andata la vacanza? Non ho avuto tue notizie da quando sei tornato. Ti andrebbe di uscire stasera per una rimpatriata?

Da: Alex
A: Rosie
Oggetto: Re: Rimpatriata?

Mi dispiace di essere stato tanto occupato da quando sono ritornato. Ho qui i tuoi regalini. Stasera non posso uscire con te ma passerò a lasciarteli prima di andare al mio appuntamento.

Da: Rosie
A: Alex
Oggetto: Re: Rimpatriata?

Ieri sera non ti ho visto. Voglio i miei shampini, ah ah.

Da: Alex
A: Rosie
Oggetto: Re: Rimpatriata?

Questo fine settimana andrò nel Donegal. I genitori di Beth hanno una casetta laggiù. Ti porterò i regalini al ritorno.

Al mio amico più insensibile e bastardo

Ti scrivo questa lettera perché so che se ti avessi davanti mentre ti dico quello che ho da dirti molto probabilmente finirei col prenderti a pugni.

Non so più chi sei. Non riesco più a vederti. Tutto quello che ottengo da te sono quattro righe buttate giù in fretta o una e-mail telegrafica ogni tanto. So che sei molto occupato e so che ora hai Bethany ma, scusa tanto, si dà il caso che io sia la tua migliore amica.

Non hai idea di cosa sia stata questa estate. Fin da quando eravamo bambini abbiamo sempre respinto tutte le persone che avrebbero potuto diventare nostri amici perché c'eravamo soltanto io e te. Non è che non *volessimo* nessun altro, semplicemente non ne *avevamo bisogno*. Tu hai sempre avuto me. Io ho sempre avuto te. Adesso tu hai Bethany e io non ho nessuno.

Purtroppo, a quanto pare, ora non hai più bisogno di me. Mi sento come quelle persone che cercavano di diventare nostri amici. Mi rendo conto che non lo fai volutamente, come non l'abbiamo mai fatto noi nei confronti degli altri. Comunque, se mi lamento non è perché non sopporto quella là, ma perché vorrei farti capire che mi manchi molto. E anche... be'... che mi sento sola.

Ogni volta che disdici un appuntamento, va a finire che passo la serata a casa con mamma e papà a guardare la tivù. Stephanie è sempre fuori, e persino Kevin ha una vita più movimentata della mia. Dio, che depressione! Questa sarebbe dovuta essere per noi un'estate piena di divertimento. Che cosa è successo? Possibile che tu non possa essere amico di due persone contemporaneamente?

Capisco che tu abbia trovato qualcuno davvero speciale e che tra voi esista un "legame" particolarmente stretto che tu e io non potremo mai avere. Però c'è qualcosa che unisce noi due: siamo l'uno il migliore amico dell'altra. Oppure il legame che unisce due amici deve sciogliersi non appena uno dei due incontra un'altra persona? Forse è proprio così, e io non sono in grado di capirlo perché non ho ancora incontrato quella "persona speciale". Comunque non ho fretta di trovarla. Mi piacevano le cose così come erano una volta.

Fra qualche anno, quando sarò diventata famosa, tu probabilmente dirai: "Rosie: ecco un nome che non sentivo da secoli. Una volta eravamo grandi amici. Chissà che cosa starà facendo, ora; sono anni che non la vedo e che non so più niente di lei!" Sembrerà di sentire mia madre e mio padre che, durante le cene con i loro amici, parlano dei tempi andati. Nel rievocare i momenti più significativi della loro vita, nominano persone di cui io non ho mai sentito parlare. Com'è possibile che oggi mia madre non dia più nemmeno un colpo di telefono alla sua damigella d'onore di vent'anni fa? E quanto a mio padre, com'è possibile che non sappia dove abiti il suo più caro compagno di scuola?

In conclusione, io sono di questa opinione (lo so, lo so, ce n'è una sola): non voglio essere una di quelle persone che finiscono nel dimenticatoio; una persona che un tempo era *tanto* importante, *tanto* speciale, *tanto* influente e *tanto* considerata, e che anni dopo diventa un volto indistinto, un lontano ricordo. Voglio che rimaniamo migliori amici per sempre, Alex.

Se tu sei felice lo sono anch'io, davvero, ma mi sento come messa da parte. Forse il nostro momento è passato. Forse ora è tempo che tu stia con Bethany. Se è così, non mi prenderò nemmeno il disturbo di spedirti questa lettera. Ma se non ho intenzione di spedirla, perché allora la sto scrivendo? D'accordo, adesso me ne vado e strappo queste riflessioni sconclusionate.

La tua amica
Rosie

Da: Alex
A: Rosie
Oggetto: Fiorellino!

Ehi, Fiorellino, tutto bene? (Era un sacco di tempo che non ti chiamavo così!) È un po' che non ti sento. Ti mando questa e-mail perché ogni volta che telefono a casa tua, o sei in bagno o non sei in casa. Devo prenderlo come un fatto personale? D'altra parte, conoscendoti, so che se avessi qualche problema con me non ti faresti nessuno scrupolo a farmelo sapere.

A ogni modo, quando l'estate sarà finita ci vedremo ogni giorno. Saremo addirittura stufi di vederci! Non riesco a credere che questo sarà il nostro ultimo anno di scuola. È pazzesco! L'anno prossimo, a quest'ora, io starò studiando medicina e tu sarai una straordinaria direttrice d'albergo!

In ufficio il lavoro è stato frenetico. Mio padre mi ha dato una sorta di promozione e così ora ho molte più cose da fare che archiviare e mettere etichette e francobolli. (Rispondo anche al telefono.) Comunque ho bisogno di soldi e almeno così riesco a vedere Bethany ogni giorno. Come va il lavoro come capo lavapiatti al Dragon? Mi sembra incredibile che per quello tu abbia rinunciato a fare la babysitter. Avresti potuto startene tranquilla in una casa a guardare la televisione per tutta la serata invece che farti diventare le mani viola come prugne a forza di grattare via tagliolini all'uovo. Be', scrivimi per e-mail o fammi una telefonata.

Da: Rosie
A: Alex
Oggetto: Raggio di Luna

Non è perché odio Bethany che non ci vediamo più (anche se, per la verità, mi sta proprio sulle palle), è solo che credo di non andarle troppo a genio. Forse questo si potrebbe spiegare col fatto che un suo amico le ha riferito quello che ho scritto su di lei in quella famosa chat riservata (che alla fine non era poi tanto riservata) durante la lezione di informatica, l'anno scorso. Ma credo che questo tu già lo sappia. Non penso che le abbia fatto piacere essere chiamata sgualdrina, non so proprio perché... Certe donne sono veramente strane. (A proposito della lezione di informatica, sai che il signor Simpson si è sposato quest'estate? Sono disgustata. Non potrò mai più guardare Excel nello stesso modo.)

Comunque, manca poco al tuo compleanno! Finalmente raggiungerai la ragguardevole età di diciotto anni! Ti andrebbe di uscire per festeggiare la maggiore età (be', quanto meno la tua)? Fammelo sapere.

P.S. Per favore, smettila di chiamarmi Fiorellino.

Da: Alex
A: Rosie
Oggetto: 18 anni

Mi fa piacere sentire che sei viva. Stavo cominciando a preoccuparmi! Mi andrebbe di festeggiare il mio diciottesimo compleanno con te ma i genitori di Bethany hanno invitato me e i miei a cena da Hazel (che lusso...). Così ci conosceremo tutti quanti. Mi spiace, sarà per un'altra volta.

Carissimo Alex,

~~buon divertimento!~~
~~'fanculo Bethany.~~
~~'fanculo i suoi genitori.~~
~~'fanculo lo Hazel.~~
~~E 'fanculo tu.~~
~~Con affetto, la tua migliore amica Rosie~~

Da: Rosie
A: Alex
Oggetto: Buon compleanno!

E va bene. Goditi la cena da Hazel. E buon compleanno!

Da: Rosie
A: Alex
Oggetto: CATASTROFE!

Non riesco a credere che stia succedendo davvero! Stavo parlando con tua madre; l'avevo chiamata per fare quattro chiacchiere e lei mi ha dato la tremenda notizia. È la più brutta che abbia mai ricevuto! Per favore chiamami. Il tuo capoufficio continua a rispondermi che non puoi ricevere telefonate durante le ore di lavoro. LICENZIATI, signor "in vita mia non lavorerò mai in un ufficio". È terribile. Sto da cani!

4

Egregio signor Stewart,

abbiamo il piacere di comunicarle che è stato designato a ricoprire la carica di vicepresidente della Charles and Charles Co. Siamo lieti che entri a far parte della nostra azienda e attendiamo con ansia di poter accogliere lei e la sua famiglia qui a Boston.

Spero che il pacchetto contrattuale da noi proposto la trovi pienamente soddisfatto. Saremo comunque felici di soddisfare qualsiasi ulteriore richiesta lei voglia eventualmente sottoporci. Maria Agnesi, capo del personale, provvederà a contattarla telefonicamente per concordare la data d'inizio della sua collaborazione.

Siamo ansiosi di incontrarla qui nei nostri uffici.

Benvenuto nella nostra squadra!

Molto cordialmente,
Robert Brasco
Presidente Charles and Charles Co.

Da: Alex
A: Rosie
Oggetto: Re: CATASTROFE!

Quando arrivo a casa ti telefono. È proprio vero. A mio padre è stato offerto un impiego che ha l'aria di essere incredibilmente noioso... Non so bene di cosa si tratti, non prestavo molta attenzione mentre me lo spiegava.

Non riesco a capire perché debba andare fino a Boston per fare un lavoro noioso: ne può trovare un sacco qui. Può avere il mio, se vuole.

Sono proprio incazzato. Non voglio andare a Boston. Mi manca soltanto un anno di scuola. Non è certo questo il momento di partire. Non voglio andare in uno stupido liceo americano. Non voglio lasciare te.

Ne parleremo più tardi. Dobbiamo pensare alla maniera per farmi restare qui.

È un casino, Rosie.

Da: Rosie
A: Alex
Oggetto: Resta con me!

Non andare! Mamma e papà hanno detto che potresti restare a casa nostra per quest'anno! Finisci la scuola a Dublino e poi io e te potremo decidere insieme che cosa fare dopo. Ti prego rimani! Sarà semplicemente stupendo vivere sotto lo stesso tetto. Sarà proprio come quando eravamo piccoli e ci tenevamo svegli tutta la notte con i walkie-talkie! Sentivamo più il rumore delle scariche che le nostre voci, ma ci credevamo talmente in gamba! Ricordi la vigilia di Natale secoli fa, quando ci siamo messi a fare la posta a Babbo Natale? Abbiamo pianificato la cosa per settimane, disegnando schemini della strada e le piantine delle nostre case per poter tenere sotto controllo ogni angolo e non lasciarcelo scappare. Tu eri di sentinella dalle 7 alle 10 di sera, e io dalle 10 all'una. Era *previsto* che ti svegliassi per darmi il cambio, ma – sorpresa, sorpresa – non ti sei fatto vivo. Sono rimasta in piedi tutta la notte, sbraitando dentro il walkie-talkie per cercare di svegliarti! Comunque, ci hai rimesso tu. Io ho visto Babbo Natale, e tu no...

Se rimarrai con noi, Alex, potremo chiacchierare per tutta la notte! Sarebbe così divertente! Quando eravamo bambini, sognavamo di abitare insieme. Ora forse ne abbiamo l'occasione...

Parlane con i tuoi... Convincili. In ogni caso, hai diciotto anni e puoi fare quello che vuoi.

Rosie,

non volevo svegliarti, e tua madre mi ha detto che ti avrebbe consegnato lei questo biglietto. Sai che non sopporto gli addii; in ogni caso non si tratta di un addio vero e proprio, perché tu verrai molto spesso a trovarmi. Promettimelo. Mia madre e mio padre non mi avrebbero nemmeno lasciato stare con Phil, figurati con te. Non c'è stato verso di convincerli. Vogliono tenermi sott'occhio per l'ultimo anno di scuola. Mi mancherai. Ti telefono quando arrivo.

Baci,
Alex

P.S. Te l'ho detto: io *ero* sveglio, quella vigilia di Natale. È solo che le pile del mio walkie-talkie si erano esaurite... (e comunque Babbo Natale io l'ho visto. Sappilo).

Caro Alex,

buona fortuna, fratellino. Non preoccuparti, ti divertirai un sacco una volta arrivato laggiù, e io non vedo l'ora di venirti a trovare. Nonostante abbia Margaret e i bambini, è un po' come se partissi anch'io con voi. Mi mancherete molto, tutti quanti. Senza di voi non sarà più la stessa cosa. Smettila di preoccuparti per Rosie. La sua vita non andrà in pezzi soltanto per il fatto che d'ora in poi vivrete in Paesi diversi. Ma se può farti sentire meglio, ci penserò io a tenerla d'occhio; in fondo, è un po' come la mia sorellina. A proposito: se Sandy non riesce a controllare la vescica in questa casa, te la rispedisco con l'aereo.

Ci mancherete.

Phil (+ Margaret, William e Fiona)

Da: Rosie
A: Stephanie
Oggetto: Richiedesi urgentemente consiglio di sorella

Non riesco a credere che lui sia partito, Steph. Non riesco a credere che tu sia partita. Perché tutti quanti mi abbandonano? Sei sicura che non avresti potuto "ritrovare te stessa" un tantino più vicino a casa? E poi perché la Francia? Alex se ne è andato solo da qualche settimana, eppure mi sembra quasi che sia morto...

Perché ha rotto con quella sgualdrina di Bethany due settimane prima di volare al di là dell'oceano? Se fossero rimasti insieme fino all'ultimo non mi sarei riabituata ad averlo attorno. Era tornato tutto come prima, Steph. Bellissimo. Passavamo ogni minuto insieme e ci divertivamo tanto!

La settimana scorsa, Brian la Lagna ha dato una festa di addio per Alex; francamente credo che fosse soltanto una scusa per avere dai suoi genitori il permesso di dare una festa, perché lui e Alex non sono *mai* andati granché d'accordo. Per lo meno non dal famoso incidente della pizza nei capelli di James. Comunque, la Lagna ha dato la festa in casa sua e ha invitato tutti i suoi amici, e io e Alex non conoscevamo quasi nessuno! E le facce note ci erano cordialmente antipatiche, così a un certo punto ce la siamo svignata e siamo andati in città. Ricordi il locale di O'Brien dove abbiamo organizzato il party a sorpresa per il tuo ventunesimo compleanno? Be', siamo andati là e Alex ha avuto la brillante idea di mettersi accanto all'ingresso facendo finta di essere il buttafuori. (Non c'era nessuno all'ingresso perché era lunedì.)

Be', in ogni caso se l'è cavata alla grande perché come sai è piuttosto alto e muscoloso... Insomma, siamo rimasti là per ore e ore, mandando via la gente. Mi sembra che non abbia lasciato entrare nessuno. A un certo punto ci siamo stufati e siamo entrati nel locale deserto. Naturalmente, più bevevamo più diventavamo tristi per l'imminente partenza... A parte questo, la serata è stata assolutamente fantastica. Ho tanta nostalgia di tutte le ore trascorse insieme ad Alex, noi due soli.

Non puoi immaginare quanto mi senta sola a scuola, adesso.

Quasi quasi mi verrebbe voglia di buttarmi in ginocchio e pregare qualcuno di essermi amico. Patetico. Nessuno si interessa a me. In tutti questi anni non ho fatto altro che ignorare i compagni, e adesso loro non ritengono nemmeno di dovermi rivolgere la parola. Credo che qualcuno sia addirittura contento di questa situazione. I miei insegnanti, per esempio, ne sono entusiasti. Il signor Simpson mi ha preso da parte alla fine della lezione e si è congratulato per i miei recenti progressi. È una vergogna!

Alex inorridirebbe se scoprisse che mi sono messa a studiare. Se penso che le cose mi stanno andando talmente male da essere ridotta a dar retta agli insegnanti, mi sento morire. Loro sono le uniche persone che, ogni giorno, mi rivolgono la parola. Dio, che depressione!

Al mattino mi sveglio con una strana sensazione di vuoto. Sento che c'è qualcosa che non va, e mi ci vuole un po' per capire che cos'è... Poi mi viene in mente. Il mio migliore amico se n'è andato. Il mio unico amico. È stato stupido da parte mia fare affidamento su una sola persona. Adesso tutto questo si ritorce contro di me.

A ogni modo, scusa se non faccio altro che lamentarmi. Tu hai certamente i tuoi problemi a cui pensare. Raccontami un po' come se la sta cavando in Francia la mia sofisticata sorellina. Mi sembra così strano che tu sia laggiù: non hai mai sopportato le lezioni di francese. Comunque, si tratta soltanto di pochi mesi, vero? E poi tornerai qui... Papà non ha ancora mandato giù il fatto che tu abbia piantato gli studi. Non riesco a capire perché tu abbia dovuto andartene lontano per ritrovare te stessa. Non bastava che ti guardassi allo specchio?

Com'è il ristorante? Hai già rotto qualche piatto? Dovrai lavorare lì ancora per molto? C'è qualche tipo carino? Sì, c'è sicuramente; gli uomini francesi sono favolosi. Se ce n'è qualcuno che non ti interessa, mandalo da me.

Baci,
Rosie

P.S. Papà vuole sapere se hai abbastanza soldi e se hai già ritrovato te stessa. La mamma vuole sapere se mangi abbastanza. Il piccolo Kevin (è talmente cresciuto che non lo riconosceresti!) vuole sapere se gli puoi mandare un videogame o qualcosaltro. Non so bene che cosa intenda dire, perciò non farci caso.

Da: Stephanie
A: Rosie
Oggetto: Urgenti consigli da sorella a sorella

Ciao, sorellina. Non preoccuparti per Alex. Ci ho pensato e ripensato e sono arrivata alla conclusione che sia un bene che lui non sia lì con te per il tuo ultimo anno di scuola, perché in questo modo per la PRIMA VOLTA si spera che tu non verrai sospesa. Pensa come papà e mamma sarebbero orgogliosi di te. (Oh, a proposito, di' loro che sono in bolletta, che sto letteralmente morendo di fame e sono sempre alla ricerca di me stessa in un Internet caffè di Parigi.)

Ti capisco bene. Anch'io sono sola, qui. Tieni duro per quest'anno e, quando avrai finito, forse Alex sarà ritornato in Irlanda, oppure potrai tu andare in un college a Boston!

Trovati un obiettivo, Rosie; so che non vuoi sentirtelo dire, ma ti sarà di grande aiuto. Insegui il tuo sogno, qualunque sia, e vedrai che quest'anno non l'avrai speso invano. Vai a Boston, se può renderti felice. Segui un corso di gestione alberghiera come hai sempre desiderato.

Il fatto è che sei ancora tanto giovane, Rosie. Mi sembra di vederti sbuffare... eppure è così. Quello che ora ti sembra tragico, fra qualche anno non lo ricorderai nemmeno più. Hai soltanto diciassette anni. Tu e Alex avete tutta la vita per recuperare il tempo perduto. Dopotutto, le anime gemelle prima o poi si ritrovano. Quell'insipida di Bethany sembrerà non essere neanche esistita. Le ex fidanzate vengono facilmente dimenticate. I veri amici rimangono accanto a te per sempre.

Abbi cura di te. Di' a mamma e papà che li saluto e che sto ancora cercando me stessa ma che, così facendo, forse ho trovato qualcun altro. Alto, moro e affascinante...

5

Gentile signorina Rosie Dunne,

siamo lieti di comunicarle che la sua domanda di ammissione al corso di Gestione alberghiera presso il Boston College è stata accolta...

Da: Rosie
A: Alex
Oggetto: Boston, sto arrivando!

Ce l'ho fatta! Boston College, sto arrivando!!! URRÀ! La lettera è arrivata stamattina, e io sono al settimo cielo! Non muoverti, signor Stewart, perché finalmente ti raggiungerò. Sarà semplicemente fantastico, anche se non frequenteremo lo stesso college. (Harvard è un po' troppo raffinato per i miei gusti!) Ma in fondo è un bene perché non credo che possiamo permetterci il lusso di essere sospesi di nuovo... Mandami una e-mail o telefonami al più presto. Ti chiamerei io ma, come sai, dopo l'ultima bolletta mio padre ha messo il blocco alle telefonate intercontinentali. Mamma e papà sono orgogliosi di me: stanno chiamando tutti i parenti per dar loro la notizia. Sperano che io sia la prima dei loro figli che va al college e che si laurea. Mio padre non fa che raccomandarmi di non "andarmene alla ricerca di me stessa" come ha fatto Stephanie. A proposito, pare che Steph non tornerà a casa tanto presto. Ha conosciuto uno chef o qualcosa del genere al ristorante dove lavora come cameriera, ed è ufficialmente "innamorata".

Il telefono non ha smesso di suonare un attimo: tutti volevano congratularsi con me! Ti giuro, Alex, è un gran casino! I nostri vicini, Paul e Eileen, mi hanno mandato un mazzo di fiori, un pensiero davvero gentile. La mamma sta facendo i preparativi per una festicciola, stasera: giusto qualche panino, qualche salatino e cose del genere. Kevin è felice che io me ne vada, così potrà essere ancora più coccolato di prima. Mi mancherà quel marmocchio, anche se non mi parla mai. E mi mancheranno ancora di più papà e mamma; comunque per ora siamo tutti talmente elettrizzati dalla novità da non renderci conto che fra poco io non vivrò più qui. Credo che me ne accorgerò veramente solo il giorno in cui partirò, nel frattempo continuiamo a festeggiare!

P.S. Un giorno potrei dirigere un albergo e tu potresti essere il medico che salva la vita agli ospiti che io avveleno nel mio ristorante, proprio come avevamo progettato. Oh, sta andando tutto alla perfezione...

Da: Alex
A: Rosie
Oggetto: Re: Boston, sto arrivando!

Queste sono notizie *fantastiche*! Anch'io non vedo l'ora di vederti! Harvard non è molto lontana dal Boston College (be', per lo meno non saremo separati da un oceano... Riesci a credere che mi hanno accettato a Harvard? Quei cervelloni forse avevano voglia di divertirsi un po'). Sono troppo eccitato per scrivere... Sbrigati a venire. Quando arrivi?

Da: Rosie
A: Alex
Oggetto: Settembre

Prima di settembre non se ne parla. Sarò lì soltanto pochi giorni prima dell'inizio del semestre, perché ho talmente tante cose da sistemare che nemmeno te lo immagini!

A fine agosto ci sarà il grande ballo per la fine della scuola.

Ci verrai? Sarebbero tutti felici di rivederti, e poi io ho bisogno di qualcuno che mi accompagni! Ci divertiremo un sacco e romperemo le scatole ai professori, proprio come ai vecchi tempi... Fammi sapere.

Da: Alex
A: Rosie
Oggetto: Re: Festa della scuola

Ma certo che verrò alla festa. Non me la perderei per niente al mondo!

DOVE 6??? STO ASPETTANDO ALL'AEROPORTO. IO E PAPÀ SIAMO QUI DA ORE. HO CERCATO DI CHIAMARTI A CASA E SUL CELLULARE. NON SO DOVE ALTRO CERCARTI. È TUTTO OK?

CIAO ROSIE. HO APPENA RICEVUTO IL TUO MESSAGGIO. TI HO MANDATO 1 E-MAIL X SPIEGARTI. PUOI LEGGERLA IN AEROPORTO?
ALEX

Da: Alex
A: Rosie
Oggetto: Scusa!

Rosie, mi dispiace tanto. Che giornata da incubo! Hanno fatto un gran casino con il volo. Non so bene che cosa sia successo, fatto sta che quando sono andato a ritirare il biglietto il mio nome non risultava nell'elenco. È tutto il giorno che sono in aeroporto per cercare di imbarcarmi su un altro aereo. Sono tutti completi perché la gente sta rientrando dalle vacanze, gli studenti tornano a casa e così via. Sono in lista d'attesa, ma finora non ci sono novità. Sto girovagando in attesa di un volo. Un vero incubo.

Da: Rosie
A: Alex
Oggetto: Volo domani

Papà sta parlando con l'impiegata alla biglietteria della Air Lingus. Dice che c'è un volo da Boston domattina alle 10.10. Ci vogliono cinque ore per arrivare qui, quindi dovrebbe atterrare intorno alle 3 del pomeriggio, il che significa, dato che noi siamo cinque ore avanti, alle 8 di sera. Potremmo venirti a prendere all'aeroporto e andare direttamente alla festa. O forse preferisci passare prima da casa mia? Non puoi metterti lo smoking sull'aereo, lo spiegazzeresti tutto. Che ne pensi?

Da: Alex
A: Rosie
Oggetto: Re: Volo

Per me va bene. Non importa se saremo in ritardo, basta che riesca ad arrivare. Andrò a vedere se riesco a prendere quel volo.

Da: Alex
A: Rosie
Oggetto: Re: Volo

Rosie, cattive notizie. Il volo è al completo.

Da: Rosie
A: Alex
Oggetto: Re: Volo

Merda. Sto pensando. Che cosa posso fare? A quanto pare, riusciremo ad averti qui qualsiasi altro stramaledetto giorno tranne domani. Qualcuno lassù non vuole proprio che tu prenda quell'aereo. Non sarà mica un segno?

Da: Alex
A: Rosie
Oggetto: Colpa mia

È colpa mia. Avrei dovuto controllare di nuovo alla compagnia aerea, ieri. Si raccomandano sempre di confermare i voli, ma chi lo fa? Mi rendo conto di averti rovinato la serata ma, ti prego, vai lo stesso alla festa. Hai ancora tutto un giorno per trovare qualcuno che ti accompagni. Fai un sacco di fotografie per me, e divertiti. Rosie, mi dispiace tanto.

Da: Rosie
A: Alex
Oggetto: Re: Colpa mia

Non è colpa tua. Certo, sono delusa... ma solo un po'. Comunque cerchiamo di essere realistici, in fondo non è la fine del mondo. Fra poco più di un mese sarò a Boston, e allora potremo vederci OGNI GIORNO! Vedi di farti rimborsare il biglietto. Ci divertiremo un sacco. Adesso devo darmi da fare per cercare un uomo...

Da: Alex
A: Rosie
Oggetto: Caccia all'uomo

Ci sei riuscita a trovare l'uomo?

Da: Rosie
A: Alex
Oggetto: Trovato

Che domande! Certo che l'ho trovato! È un insulto: come ti permetti anche solo di dubitarne?

Da: Alex
A: Rosie
Oggetto: Uomo del mistero

E chi è?

Da: Rosie
A: Alex
Oggetto: Uomo segreto

Non sono affari tuoi.

Da: Alex
A: Rosie
Oggetto: Uomo invisibile

AH! Non hai trovato nessuno!! Lo sapevo!

Da: Rosie
A: Alex
Oggetto: Bel fusto

Sì che l'ho trovato.

Da: Alex
A: Rosie
Oggetto: Nessun uomo

Non ci credo.

Da: Rosie
A: Alex
Oggetto: Uomo sì

E invece sì.

Da: Alex
A: Rosie
Oggetto: Quale uomo?

E CHI È?

Da: Rosie
A: Alex
Oggetto: Quasi un uomo

Brian.

Da: Alex
A: Rosie
Oggetto: Brian?

BRIAN CHI? BRIAN LA LAGNA?

Da: Rosie
A: Alex
Oggetto: Re: Brian?

Forse...

Da: Alex
A: Rosie
Oggetto: AH! AH!

Ah ah ah ah ah ah, vai al ballo della scuola con Brian la Lagna? Sei proprio ridotta alla canna del gas!

Brian, che quando avevi sei anni ti ha tirato su la gonna davanti a tutti nel cortile per mettere in mostra le tue mutandine? Quel Brian che ti hanno appioppato come compagno di banco in seconda elementare, che ogni giorno per pranzo si ingozzava di panini imbottiti di pesce e si infilava le dita nel naso mentre mangiavi i tuoi panini? Quel Brian che ci seguiva ogni giorno da scuola fino a casa cantando "Rosie e Alex là sull'albero S-I B-A-C-I-A-N-O"? Al che tu ti mettevi a piangere e non mi rivolgevi più la parola per una settimana? Quel Brian che alla festa d'addio per la mia partenza ha rovesciato la birra sul tuo bel top nuovo di zecca? Quel Brian che ti sta sullo stomaco più di chiunque altro al mondo e che è stata l'unica persona che hai odiato cordialmente durante tutta la scuola? E adesso vai al ballo finale della scuola *con Brian*?

Da: Rosie
A: Alex
Oggetto: No, l'altro Brian

Sì, Alex, *quel* Brian. E adesso ti pregherei di smetterla di mandarmi e-mail mentre mia madre mi sta pettinando per cercare di rendermi presentabile. Oltretutto, ha letto quello che mi hai scritto e vuole farti sapere che Brian la Lagna non mi tirerà su la gonna, stasera.

Da: Alex
A: Rosie
Oggetto: Occhialoni d birra

In ogni caso, divertiti! Posso suggerirti di metterti degli "occhialoni da birra", stasera?

Da: Rosie
A: Alex
Oggetto: Re: Occhialoni da birra

Gli occhialoni da birra andranno benissimo e stai pur certo che me li metterò! Brian è l'unico che sono riuscita a raccattare all'ultimo minuto, grazie a te. Tutto quello che dovrò fare sarà stare accanto a lui per le foto, così mamma e papà avranno un bel ricordo della loro bambina che va alla festa della scuola tutta in ghingheri con un uomo in smoking. I tavoli sono da dieci posti, così non sarò nemmeno costretta a parlare con lui durante la cena. Sei contento, Alex?

Da: Alex
A: Rosie
Oggetto: Re: Occhialoni da birra

Certo che no. Anzi, vorrei essere lì. Non fare niente che io non farei...

Da: Rosie
A: Alex
Oggetto: Re: Occhialoni da birra

Be', allora posso fare quasi tutto. Bene. I capelli sono a posto, e adesso devo finire di prepararmi. Domani ti farò sapere com'è andata.

Da: Alex
A: Rosie
Oggetto: Ballo della scuola

Com'è andato il ballo ieri sera? Sicuramente adesso stai godendoti i postumi della sbronza. Aspetterò tue notizie fino a domani, ma non intendo aspettare oltre! Voglio sapere *tutto*!

Da: Alex
A: Rosie
Oggetto: Ballo della scuola

Hai ricevuto la mia ultima e-mail? Continuo a chiamare ma non mi rispondi. Che cosa ti succede? Spero tu sia indaffarata a fare i preparativi per venire qui!

Per favore, sbrigati a rispondermi!

Steph: Rosie, smettila di evitare Alex e raccontagli come è andato il ballo. Sta tempestando di e-mail persino me, domandandosi che cosa sia successo, e non sarò certo io a dirglielo! Quel povero ragazzo è rimasto tagliato fuori e muore dalla voglia di sapere cosa ti è capitato.

Rosie: Be', non sarò certo io a raccontargli tutto.

Steph: Ah ah.

Rosie: Non c'è niente da ridere.

Steph: A me invece sembra proprio comico. Andiamo, ormai sono passate tre settimane!

Rosie: Sei sicura che siano già tre settimane?

Steph: Sì, perché?

Rosie: Merda.

Rosie si disconnette.

Da: Alex
A: Rosie
Oggetto: Ci sei?

Rosie, ci sei? Hai problemi con la posta elettronica? Per favore, rispondi. Devi prendere l'aereo il più presto possibile, altrimenti perderai l'inizio della sessione.

Da: Alex
A: Rosie
Oggetto: Rosie, per favore!

Sei arrabbiata con me? Mi dispiace per non essere potuto venire al ballo della scuola, ma credevo che avessi capito. Le cose con Brian la Lagna non possono essere andate poi tanto male, no? Che cosa hai combinato in tutto questo mese? Dai, è ridicolo. Perché non risponde mai nessuno al telefono di casa tua quando chiamo?

Rispondimi!
Alex

Cara Alice,

salve, sono Alex. Ti scrivo per sapere se Rosie sta bene. Non ho più avuto sue notizie e, a dirti la verità, sono un po' preoccupato. È strano non sentirla per così tanto tempo. Ogni volta che telefono a casa vostra, trovo la segreteria. Avete ricevuto i miei messaggi? Forse siete tutti partiti. Ti prego, fammi sapere che cosa sta succedendo e di' a Rosie di chiamarmi.

Cari saluti,
Alex

Cara Sandra,

Alex ci ha tempestato di messaggi per tutta la settimana ed è terribilmente in ansia per Rosie. So che a tua volta ti preoccupi per il fatto che lui sia in pena per Rosie, quindi ti scrivo per informarti della situazione...

Da: Alex
A: Rosie
Oggetto: Non vieni più a Boston?

Oggi mia madre mi ha detto che non vieni più a Boston. Ti prego, spiegami che cosa è successo. Sono molto preoccupato. Ho fatto qualcosa di sbagliato? Sai bene che per te ci sono sempre quando hai bisogno di me.

Qualunque cosa sia, Rosie, io capirò e sarò sempre pronto ad aiutarti. Ti prego, fammi sapere che cosa sta succedendo.

Sto diventando matto, qui. Se non ti metterai in contatto con me, prenderò un aereo per l'Irlanda per venire io da te.

Baci,
Alex

Da: Stephanie
A: Rosie
Oggetto: Sto arrivando

Rosie, tesoro, non ti preoccupare. Fai un bel respiro e cerca di stare tranquilla. Ogni cosa accade per un motivo ben preciso. Forse è questa la strada giusta per te, e Boston probabilmente non lo era. Sto prenotando un volo e arriverò a casa al più presto. Tieni duro, sorellina.

Baci,
Stephanie

Gentile signorina Rosie Dunne,

con riferimento alla Sua recente lettera, il Boston College accusa ricevuta della Sua rinuncia al corso di quest'anno.

Cordiali saluti,
Robert Withworth

ROSIE, NON POSSO CREDERE CHE TU ABBIA PRESO QUESTA DECISIONE. SAI CHE NON SONO D'ACCORDO. VENGO LÌ COME AVEVO GIÀ PROGETTATO. SPERO CHE VADA TUTTO BENE X TE.

Da: Rosie
A: Alex
Oggetto: Aiuto!

Oddio, Alex, che cosa ho fatto?

6

Alex,

è stato bello rivederti. Ti prego, stammi vicino: in questo momento ho veramente bisogno di tutti i miei amici. Grazie per essermi stato di sostegno la settimana scorsa. A volte credo che senza di te impazzirei.

La vita è strana, non ti pare? Proprio quando credi di aver calcolato tutto, quando finalmente cominci a fare progetti, ti senti elettrizzato e credi di sapere quale strada prendere, proprio allora quella strada devia, i punti di riferimento cambiano, il vento si mette a soffiare in un'altra direzione, il nord diventa improvvisamente sud, l'est diventa ovest, e ti senti perduto. È talmente facile smarrire il cammino, perdere l'orientamento.

Non ci sono sicurezze nella vita, ma di una cosa sono certa: bisogna sempre fare i conti con le conseguenze delle proprie azioni.

Certe cose le devi portare fino in fondo.

Io mi do sempre per vinta, Alex. Che cosa ho mai dovuto fare nella vita che fosse veramente necessario? Ho sempre avuto la possibilità di scegliere, e ho sempre preso la strada più facile – *noi* abbiamo sempre scelto la strada più facile. Qualche mese fa, il pensiero di dover affrontare due ore di matematica il lunedì mattina o lo scoprirmi un enorme foruncolo sul naso mi sembravano problemi insormontabili.

Fra poco avrò un bambino. Un bambino! E quel bambino ci sarà il lunedì, il martedì, il mercoledì, il giovedì, il venerdì, il sabato e la domenica. Non avrò più fine settimana liberi. Non più tre mesi di vacanza. Non potrò più prendermi un giorno di libertà, darmi malata o farmi scrivere la giustificazione dalla mamma. Sarò io la mamma. Vorrei poter scrivere la giustificazione a me stessa.

Sono spaventata, Alex.

Rosie

Da: Alex
A: Rosie
Oggetto: Bambino

No, non si tratta di due ore di matematica il lunedì mattina. Sarà qualcosa di molto più emozionante. Due ore di matematica il lunedì mattina sono una noia: ti fanno dormire, ti fanno venire il mal di testa. Imparerai molte più cose da questa esperienza di quante non possa insegnarti una lezione di matematica.

Io sarò qui, ogni volta che avrai bisogno di me. Il college può aspettare, Rosie; adesso hai un compito ben più importante.

Sono sicuro che te la cavi benissimo.

Da: Rosie
A: Alex
Oggetto: Re: Bambino

Tu sei sicuro che me la CAVERÒ benissimo. Attento all'ortografia, signor Stewart!

Da Alex
A Rosie
Oggetto: Re: Bambino

Rosie, ti stai già comportando come una madre... Te la caverai benissimo. Riguardati.

✉ **C'è posta per te da: Alex**

Alex: Se non sbaglio mi avevi promesso di badare a lei in mia assenza, Phil.

Phil: Ti avevo avvertito che se non era in grado di controllare la sua vescica, l'avrei mandata fuori. In giardino starà benissimo.

Alex: Non il cane. Sto parlando di Rosie.

Phil: Che cos'ha Rosie?

Alex: Smettila di fingere di non saperlo. Ho sentito che papà e mamma te ne parlavano per telefono.

Phil: E cosa ne dici?

Alex: Tutti non fanno che chiedermelo, e io non ne ho idea. È strano. Rosie è incinta. E ha soltanto diciott'anni. Riesce a malapena a badare a se stessa, figuriamoci a un bambino. Fuma come una ciminiera e si rifiuta di mangiare verdura. Rimane alzata fino alle quattro del mattino e dorme fino all'una del pomeriggio. Ha preferito andare a fare la lavapiatti alla rosticceria cinese prendendo molti meno soldi di quelli che le offrivano i vicini per fare la babysitter perché non sopportava le complicazioni. Probabilmente non ha mai cambiato un pannolino in vita sua. Tranne quando era piccolo Kevin, penso non abbia mai tenuto in braccio un neonato per più di cinque minuti. E cosa ne sarà del college? E il lavoro? Come diavolo farà a cavarsela? Come potrà conoscere qualcuno? Come potrà farsi degli amici? Si è intrappolata da sola in una vita che è sempre stato il peggiore dei suoi incubi.

Phil: Rosie imparerà, Alex, dammi retta. I suoi genitori le sono vicini, no? Non sarà sola.

Alex: I suoi sono fantastici ma saranno al lavoro tutto il giorno, Phil. Rosie è una ragazza intelligente, lo so. Eppure, anche se lei cerca di convincere me, non sono sicuro sia altrettanto convinta che, quando cominceranno i pianti e gli strilli, non avrà la possibilità di restituire il bambino. Se soltanto avessi preso quell'aereo e fossi riuscito ad andare al ballo della scuola...

Cara Stephanie,

lascia che ti aiuti a ritrovare te stessa. Lascia che le parole di saggezza di tua sorella, che ti vuole bene e ti rispetta profondamente e non desidera altro che la tua felicità, piovano su di te e ti inondino di consapevolezza. Ti prego, ascolta questo mio consiglio. Non rimanere mai incinta. O *enceinte*, come dite laggiù. Osserva bene questa parola, pronunciala ad alta voce, familiarizza con lei, ripetila nella tua mente e impara a evitarla, sempre.

Meglio ancora, non fare mai sesso, anche se mi rendo conto che sarebbe come cercare di eliminare completamente i numeri dispari.

Dammi retta, Steph, la gravidanza non è piacevole. Non mi sento affatto un tutt'uno con la natura, non irraggio magici segnali di maternità, sono solamente grassa. E gonfia. E stanca. E malandata. E mi domando che cosa diavolo farò quando questa creaturina sarà nata e starà lì a fissarmi.

Radiosa un cavolo. Repressa è la parola giusta. Alex ha cominciato una vita elettrizzante al college, i miei compagni di liceo scoprono quello che il mondo ha da offrire loro; io invece mi limito a dilatarmi di minuto in minuto e non faccio che domandarmi in che guaio mi sono cacciata. Mi rendo conto che è soltanto colpa mia, ma sento che mi sto perdendo qualcosa di estremamente importante. Sono andata con la mamma a uno di quei corsi di preparazione al parto dove ti insegnano come si deve respirare. Tutt'attorno a me non ci sono che coppie, tutti di almeno una decina d'anni più vecchi di me. La mamma ha cercato di farmi parlare con loro, ma credo che nessuno sia interessato a fare conoscenza con una diciottenne appena uscita dal liceo. Mi sento come quando ero piccola, e ai giardinetti la mamma mi incitava a fare amicizia con gli altri bambini e poi mi consolava dicendomi di non prendermela perché loro erano soltanto gelosi di me. Erano mesi che io e lei non ridevamo così tanto.

Non mi è permesso fumare e il medico dice che devo cominciare a mangiare come si deve. Sto per diventare madre eppure la gente mi parla come fossi una bambina.

Con tanto affetto,
Rosie

Egregio signor Stewart,

sono lieta di invitarla al battesimo della mia splendida bambina, Katie, il 28 c.m. Comprati un vestito e cerca di essere presentabile una volta tanto, visto che sei il padrino.

Baci,
Rosie

Da: Alex
A: Rosie
Oggetto: Battesimo

È stato fantastico rivederti. Sei splendida! E non sei PER NIENTE grassa! La piccola Katie è una bambina di poche parole ma io ne sono già perdutamente innamorato. Ho persino avuto la tentazione di rubarla e portarmela a Boston.

No, è una bugia. In realtà avevo tanta voglia di rimanere a Dublino. Sono stato quasi tentato di non prendere quell'aereo. Boston mi piace, e mi piace molto studiare medicina. Ma non è casa mia. Casa mia è Dublino. Essere di nuovo assieme a te mi è sembrata la cosa più naturale del mondo. Ho nostalgia della mia migliore amica.

Qui ho conosciuto gente fantastica, ma non sono cresciuto con loro giocando a guardie e ladri nel giardino di casa. Non li sento amici veri. Non gli ho dato calci negli stinchi, non sono stato alzato tutta la notte con loro alla vigilia di Natale, non mi sono appeso agli alberi fingendo di essere una scimmia, non ho giocato all'albergo e non ho riso come un matto mentre gli facevano la lavanda gastrica. È proprio difficile dimenticare esperienze del genere.

Comunque, mi pare di essere stato rimpiazzato nel tuo cuore. Adesso la piccola Katie è tutto il tuo mondo. E non è difficile capirne il perché. Io l'ho adorata persino quando mi ha vomitato sul vestito (nuovo e costosissimo). Deve pur voler dire qualcosa. È incredibile quanto ti assomiglia. Ha i tuoi stessi sfavillanti occhi azzurri (prevedo guai!), gli stessi capelli nerissimi, il tuo stesso nasino. Il suo sederino, però, è un filino più piccolo di quello della mamma. Sto scherzando!

Mi rendo conto che in questo momento sei molto indaffarata ma, nel caso avessi bisogno di una pausa, puoi sempre raggiungermi e rilassarti un po'. Fammi sapere quando vuoi venire: l'invito è sempre valido.

Capisco che questo per te è un momento difficile da un punto di vista finanziario, perciò io e i miei potremmo contribuire alle spese di viaggio. Anche mia madre e mio padre ne sarebbero felici. Hanno già tappezzato tutta la casa con le fotografie di te e di Katie al battesimo.

Oltretutto, c'è qualcuno che desidero farti conoscere quando vieni qui. È una mia compagna di college. Si chiama Sally Gruber ed è di Boston. Credo che voi due andreste molto d'accordo.

Il college è molto più duro di quanto pensavo. C'è un sacco da studiare; un sacco da leggere. Non riesco ad avere una mia vita di società. Mi aspettano quattro anni qui ad Harvard, poi da cinque a sette anni di internato in chirurgia; perciò conto di essere abilitato a esercitare la professione come medico specialista (qualunque sia la specializzazione che sceglierò) più o meno quando avrò cent'anni.

Ti racconto come si svolge la mia giornata qui. Mi sveglio alle cinque e studio. Vado al college, torno a casa e studio. Ogni giorno. Non ho molto altro da raccontare. È fantastico che io e Sally siamo compagni di corso. Lei riesce ad attenuare il senso di terrore che mi assale ogni mattina al pensiero di dover affrontare un'altra giornata di studio, studio e soltanto studio. È dura, ma in fondo non c'è bisogno che lo venga a raccontare a te. Sono sicuro che il mio compito è molto più facile del tuo, in questo momento. E adesso me ne vado a dormire; sono distrutto. Sogni d'oro a te e alla piccola Katie.

Nota bene:

Non far saltare Katie sulle ginocchia dopo che ha mangiato.

Non allattarla vicino a un campo di calcio.

Non inalare mentre le cambi il pannolino. Anzi, lascia che tua madre o tuo padre o chiunque altro le cambino il pannolino ogni volta che lo desiderano.

Non passare con la carrozzina vicino alla nostra vecchia scuola, con il rischio di essere vista dalla signorina Nasona Alito Pesante Casey.

Non ridere quando Katie va a gambe all'aria mentre tenta di fare i suoi primi passi.

Non cercare di fare conversazione con i nostri vecchi compagni di scuola che hanno tutta la vita davanti, perché sarebbe molto frustrante per te.

Smettila di piangere quando Katie piange.

Bonjour Stephanie!

Come va la mia bellissima sorella? Sei seduta in un caffè a bere *café au lait*, indossi un basco e una maglietta a righe e puzzi di aglio, senza dubbio! Be', chi dice che gli stereotipi sono morti e sepolti?

Grazie per il regalo che hai mandato a Katie. La tua figlioccia dice che le manchi molto e ti manda un mucchio di versettini biascicati e di bacini umidicci. O almeno credo che sia questo il senso dei suoi strilli e dei suoi vagiti. Francamente non riesco a capire da dove salti fuori tutto quel fiato. È la cosina più piccola e fragile che abbia mai visto, tanto che a volte ho persino paura di tenerla fra le braccia, ma poi improvvisamente spalanca la bocca e si scatena l'inferno. Il dottore dice che è soggetta alle coliche. Io so soltanto che non la smette un momento di strillare.

È stupefacente che un affarino tanto piccolo possa essere *tanto* puzzolente e rumoroso. Credo che dovrebbe entrare nel Guinness dei Primati per essere la cosa più puzzolente, rumorosa e minuscola che esiste. Che madre orgogliosa sarei!

Sono stanca morta, Stephanie. Mi sembra di essere una zombie. Riesco a malapena a leggere le parole che sto scrivendo (a proposito, scusa per la banana spiaccicata in fondo alla pagina: piccolo incidente durante la colazione). Katie non fa che piangere e urlare, tutta la notte. Io ho eternamente mal di testa. E vado girando senza sosta per la casa come un robot, raccattando orsetti di peluche e giocattoli su cui inciampo continuamente. È imbarazzante portare a spasso Katie, perché dovunque ci troviamo lei non fa che strillare e io ho paura che la gente pensi che la stia sequestrando o che sia una madre snaturata. Sono sempre gonfia come un pallone. Indosso unicamente tute spartane. Ho un sedere smisurato. La pancia è tutta una smagliatura e questa ciccia floscia non ne vuole sapere di andarsene, anche se non le risparmio ogni possibile maledizione. Ho dovuto eliminare tutti i miei top all'ombelico. Ho i capelli talmente secchi che sembrano paglia. Ho delle tette GIGANTESCHE. Non sembro più io. Non mi sento più me stessa. Mi sembra di avere vent'anni di più.

Dopo il battesimo, non sono più uscita di casa. Non ricordo l'ultima volta che sono andata fuori a bere qualcosa. Non ricordo l'ultima volta che un rappresentante dell'altro sesso mi ha guardata (a parte le persone che, nei bar, mi spiano con occhio feroce quando Katie attacca a strillare). Non ricordo nemmeno l'ultima volta che mi sia importato qualcosa di un'occhiata lanciatami – o non lanciatami – da un rappresentante dell'altro sesso. Credo di essere la madre peggiore del mondo. Ho l'impressione che, quando Katie mi guarda, si renda conto che non ho la minima idea di quello che sto combinando.

Adesso sta facendo i primi passi, il che significa che devo continuare a correre di qua e di là gridando: "NO! KATIE, NO! Katie, non toccare! NO! Katie, la mamma ha detto NO!" Non credo si preoccupi molto di quello che pensa la mamma. Credo invece sia una bambina che sa quello che vuole e si dà da fare per ottenerlo. Tremo al pensiero degli anni dell'adolescenza! Il tempo corre talmente in fretta... Prima ancora che me ne accorga, lei sarà già grande e fuori di casa. Forse allora potrò riposarmi un po'. Ma in fondo questo è quello che pensavano anche mamma e papà.

Poveri mamma e papà, Steph. Mi sento un verme. Sono stati davvero fantastici con me. Devo loro moltissimo, e non mi riferisco soltanto ai soldi. Ma c'è una cosa che mi tormenta. Loro mi danno aiuto economico e sostegno morale, e ogni settimana cerco di rimborsare, per quanto mi è possibile, le spese per il mantenimento mio e della bambina, ma sembra che non basti mai, e tu conosci bene la situazione, Steph: le condizioni economiche della nostra famiglia non sono mai state particolarmente floride. Non so proprio come farò a uscire di casa e lavorare e badare a Katie. Papà e io durante la settimana andiamo in giro a parlare con dei tizi per vedere di mettermi in lista per un alloggio. La mamma continua a ripetere che posso rimanere con loro, ma capisco che papà sta soltanto cercando di aiutarmi a ottenere un po' di indipendenza.

La mamma è favolosa. Katie la adora. E le dà retta. Se la mamma dice: "NO, KATIE!" Katie sa che si deve fermare. Quando lo dico io, ride e va avanti come se niente fosse. Quando riuscirà a considerarmi una vera madre?

Alex ha conosciuto una tale, a Boston: ha la mia stessa età e tanto cervello da potersi permettere di studiare medicina ad Harvard.

Ma sarà *veramente* felice, mi domando io? Adesso devo andare. Katie sta piangendo.

Scrivimi presto.

Baci,
Rosie

A Rosie

Sono felice che Katie stia bene. Le fotografie che mi hai mandato per il suo terzo compleanno sono bellissime. Le ho messe in cornice e ora troneggiano sulla mensola del caminetto. Mamma e papà sono stati contentissimi di vederti quando sono venuti a Dublino il mese scorso. Non smettono di parlare di te e Katie.

Siamo tutti orgogliosi di te per aver messo al mondo una creatura assolutamente perfetta.

Spero tu abbia passato bene il tuo ventiduesimo compleanno. Mi dispiace di non essere potuto venire a festeggiare con te, ma qui al college è un periodo frenetico. Dal momento che è il mio ultimo anno, ho un casino di lavoro da fare. Ho una gran fifa degli esami. Se mi vanno male, non so proprio che cosa farò. Sally mi ha chiesto di te. Anche se non vi siete mai incontrate, le sembra di conoscerti per tutto quello che le ho raccontato dei nostri vecchi tempi.

Alex

Ad Alex

La dentizione di Katie non è stata poi tanto difficile.

Presto andrà all'asilo.

Oggi ha detto cinque nuove parole.

Questo fine settimana mio padre ha compiuto cinquantadue anni e noi ci siamo voluti rovinare e siamo andati a cena da Hazel, dove credo tu sia andato con quella sgualdrina di Bethany e i suoi genitori ricconi, tanti anni fa, per il tuo diciottesimo compleanno. È stato fantastico potermi finalmente lasciare andare senza Katie. Avevo assunto una babysitter, e Dio che bello, come mi sono rilassata...

Rosie

Da: Alex
A: Rosie
Oggetto: (nessuno)

Ma dai, Rosie! Sei proprio una delusione! Farai meglio a prepararti qualcosa di più piccante da raccontarmi la prossima volta!

Da: Rosie
A: Alex
Oggetto: Bambina di tre anni

Nel caso non lo sapessi, ho una bambina di tre anni che mi rende piuttosto difficile fare cose tipo uscire e bere fino a ubriacarmi, altrimenti mi sveglierei il mattino dopo con un terribile mal di testa e con Katie urlante che ha bisogno di me e NON di una mamma che se ne sta con la testa infilata dentro il water.

Da: Alex
A: Rosie
Oggetto: Scusa

Rosie, mi dispiace. Non volevo sembrarti insensibile. Volevo soltanto ricordarti che anche tu hai bisogno di goderti un po' la vita. Abbi cura di te stessa e non soltanto di Katie. Mi spiace di averti ferita.

Da: Rosie
A: Stephanie
Oggetto: Un attimo di sfogo

Oh, Stephanie. A volte mi sembra di essere prigioniera tra le pareti di questa casa. Adoro Katie. Sono felice di aver preso la decisione di diventare madre, ma sono stanca. Sono al limite della sopportazione. Sempre.

E mi sento così nonostante mamma e papà mi diano una mano. Non so proprio come farò a cavarmela da sola. Ma prima o poi dovrò decidermi. Non posso certo rimanere qui con loro vita natural durante. Anche se lo vorrei tanto.

E poi non vorrei che Katie dipendesse troppo da *me* quando sarà più grande. Naturalmente voglio che sappia che io sono sempre qui per lei e che il mio amore è incondizionato. Lei però ha bisogno di essere indipendente.

E anch'io ho bisogno di essere indipendente. Credo sia tempo di crescere, Steph. Non ho fatto altro che posticipare le cose, le ho evitate per troppo tempo. Presto Katie comincerà la scuola. Te lo immagini? È successo tutto talmente in fretta! Mia figlia incontrerà persone nuove e comincerà la sua nuova vita, e io la mia me la sono lasciata alle spalle. Ho bisogno di rimettermi in sella e di smetterla di sentirmi così afflitta per me stessa. La vita è dura; e allora? È dura per tutti, non credi? E chiunque dica che è facile, è un bugiardo.

Il fatto è che si è creata una distanza pazzesca tra me e Alex perché ho l'impressione di vivere in un mondo talmente differente dal suo da non riuscire più a trovare un solo argomento di conversazione comune. E pensare che un tempo eravamo capaci di stare svegli a parlare per un'intera nottata. Lui mi telefona una volta alla settimana: io ascolto quello che gli è capitato e cerco di evitare di lanciarmi nell'ennesimo racconto delle imprese di Katie. La verità è che non ho nient'altro da dire, e mi rendo conto che la gente si stufa. Chissà, forse in un tempo lontano sono stata anch'io una persona interessante.

A ogni modo, ho deciso di andare a Boston. Vedrò finalmente da vicino che tipo di vita avrei potuto avere se Alex avesse preso quell'aereo e fosse venuto lui al ballo della scuola assieme a me invece di... be', tu sai chi. Ora potrei avere un diploma. Potrei essere una donna in carriera. So che sembra sciocco attribuire la responsabilità di quanto è successo al mancato arrivo di Alex al ballo della scuola, ma se lui fosse venuto io non ci sarei andata con Brian. Non sarei andata a letto con Brian e non ci sarebbe nessun bambino. Credo di dover pensare a quello che avrei potuto essere per capire e accettare quello che sono.

Con affetto,
Rosie

7

Stephanie,

tesoro, sono la mamma. Puoi metterti in contatto con Rosie e scambiare due parole con lei? È ritornata da Boston una settimana prima del previsto e sembra turbata, ma non c'è verso di farle dire perché. Temevo che sarebbe accaduta una cosa del genere. Credo si sia resa conto di essersi lasciata scappare una grande opportunità. Vorrei soltanto che riuscisse a vedere il lato positivo di quello che ha adesso. Vuoi per favore metterti in contatto con lei? Le fa sempre tanto piacere sentirti.

A presto, tesoro mio,
mamma

C'è posta per te da: Steph

Steph: Ehi, perché non rispondi?
Steph: So che ci sei, Rosie. Lo vedo che sei entrata in rete.
Steph: E va bene, ti tampinerò finché non mi risponderai.
Steph: Ehi, ci seiiiiiii?
Rosie: Ciao.
Steph: Oh, finalmente! Perché ho la sensazione di essere ignorata?
Rosie: Mi dispiace, ero troppo stanca per parlare con qualcuno.
Steph: Be', per questa volta ti perdono. Va tutto bene? Com'è andato il viaggio a Boston? È bello come sembra dalle fotografie che Alex ci ha mandato?
Rosie: Sì, è un posto fantastico. Alex mi ha portata a vedere un

sacco di cose. Non ho avuto un minuto di respiro mentre ero laggiù. È stato veramente molto gentile con me.

Steph: Mi sembra il minimo. E dove siete andati?

Rosie: Mi ha fatto visitare il Boston College, così ho potuto vedere come sarebbe stato studiare lì: è un posto magico, bellissimo, e il tempo era splendido...

Steph: Be', sembra fantastico. Mi sembra di capire che ti è piaciuto.

Rosie: Sì, mi è piaciuto. È persino meglio che nelle fotografie che avevo visto mentre facevo domanda d'iscrizione. Sarebbe stato un bel posto dove studiare...

Steph: Ne sono sicura. E dove stavi?

Rosie: Stavo a casa dei genitori di Alex. Vivono in una zona molto elegante, non come qui da noi. La casa è deliziosa: è evidente che il padre di Alex sta facendo un sacco di quattrini.

Steph: E cos'altro avete combinato? Sono sicura che hai qualcosa di eccitante da raccontarmi. Quando si tratta di voi due non c'è mai un minuto di monotonia.

Rosie: Be', siamo andati a fare il giro dei negozi, Alex mi ha portata a vedere una partita dei Red Sox a Fenway Park e io non avevo la minima idea di cosa stessero facendo in campo, ma mi sono mangiata un ottimo hotdog; poi siamo andati in alcuni locali... Mi spiace, ma non ho niente di interessante da raccontarti, Steph...

Steph: Ehi, è senz'altro più interessante di quello che ho fatto io in un'intera settimana, credimi! E allora, come sta Alex? Che aspetto ha? Non lo vedo da anni. Mi chiedo se riuscirei a riconoscerlo!

Rosie: Stava benissimo. Ha già preso un leggero accento americano, anche se dice di no. Comunque è sempre il solito vecchio Alex. Adorabile. Mi ha viziata per un'intera settimana, non mi ha mai lasciato pagare niente, mi ha portata fuori ogni sera in un posto nuovo. È stato bello sentirsi libera per un po'.

Steph: Ma tu sei libera, Rosie.

Rosie: Sì, lo so. È solo che a volte mi sembra di non esserlo. Laggiù mi sentivo come se non avessi una sola preoccupazione al mondo. Era tutto meraviglioso, e ho avuto la sensazione che ogni muscolo del corpo si distendesse nel preciso momento in cui sono atterrata. Non ridevo così da anni. Mi sentivo proprio come una ventiduenne, Steph. Era tanto tempo che non mi sentivo così. Potrà sembrare strano, ma mi sono sentita come la Rosie che sarei potuta essere. Ero contenta di non dover badare a qualcun altro mentre camminavo per strada. Non mi venivano i soliti cinquanta attacchi di cuore al giorno perché Katie non si trova più o perché ha ingoiato qualcosa. Non dovevo tuffarmi in mezzo alla strada e afferrarla appena in tempo prima che una macchina la investisse. Mi piaceva non dover correggere la pronuncia a nessuno o minacciare qualcun altro. Mi piaceva poter ridere a una battuta senza che qualcuno mi tirasse per la manica domandandomi spiegazioni. Mi piaceva fare una conversazione tra adulti senza essere interrotta per accogliere festosamente e applaudire un insulso balletto o l'apprendimento di una nuova parola. Mi piaceva essere soltanto me stessa, Rosie, e non "mamma"; mi piaceva parlare di argomenti che mi interessano, andare in posti che desideravo visitare senza dovermi preoccupare che Katie toccasse qualcosa o si mettesse qualcos'altro in bocca o facesse i capricci perché ha sonno. Non è terribile?

Steph: No, non è affatto terribile, Rosie. È bello avere del tempo per se stessi, ma è anche bello essere di nuovo qui con Katie, non ti pare? E se era tutto così meraviglioso, laggiù, perché sei a casa prima del tempo? Non dovevi ritornare che fra una settimana. È successo qualcosa?

Rosie: Non vale la pena di parlarne.

Steph: Su andiamo, Rosie. Lo capisco subito quando hai qualcosa che ti rode. Avanti, dimmelo.

Rosie: Era semplicemente arrivato il momento di partire, Steph.

Steph: Tu e Alex avete litigato.

Rosie: No. È troppo imbarazzante da spiegare.

Steph: Perché? Che cosa vuoi dire?

Rosie: È solo che una sera ho dato spettacolo.

Steph: Non dire stupidaggini. Sono sicura che Alex non ci ha fatto caso. Non ha fatto altro che vederti dare spettacolo per tutta la vita.

Rosie: No, Steph, questa volta è stato diverso. Credimi. Non si è trattato delle solite imprese "alla Rosie e Alex". È che mi sono fatta avanti con lui, e il giorno dopo avrei voluto sprofondare.

Steph: CHE COSA? Vuoi dire che... *che tu e Alex avete...*

8

Rosie: Calmati, Stephanie!
Steph: Non ci riesco! È troppo assurdo! Tu e Alex siete come fratello e sorella! Alex è praticamente il mio fratellino! Non puoi averlo fatto!
Rosie: STEPHANIE! NON L'ABBIAMO FATTO!
Steph: Oh!
Steph: E allora cos'è successo?
Rosie: Be', mi riesce difficile raccontartelo adesso, cara signora Iperreattiva.
Steph: Piantala di prendermi per i fondelli, e parla!
Rosie: E va bene. So di avere fatto una stupidata e mi sento tremendamente in imbarazzo, perciò non darmi addosso...
Steph: Vai avanti...
Rosie: Be', ecco, è molto più innocente di quanto tu creda, ma è ugualmente imbarazzante. Ho baciato Alex.
Steph: *Lo sapevo!* E poi che cosa è successo?
Rosie: Lui non mi ha restituito il bacio.
Steph: E ci sei rimasta male?
Rosie: Sì, ci sono rimasta male.
Steph: Oh, Rosie, mi dispiace tanto... Ma sono sicura che Alex ci ripenserà. Probabilmente era soltanto scioccato. Sono certa che lui prova gli stessi sentimenti per te!! Dio, è talmente eccitante! L'ho sempre saputo che un giorno o l'altro qualcosa doveva accadere fra voi due.
Rosie: Da quando sono tornata a casa sono rimasta sdraiata sul letto a fissare il soffitto, cercando di capire cosa mi sia venuto in mente. Forse è stato qualcosa che ho mangiato a farmi agire in modo frivolo e impulsivo. Oppure è per qualcosa che ha detto lui e che io ho probabilmente frainteso. Sto cer-

cando di convincere me stessa che si è trattato di qualche cosa di ben più profondo che non soltanto il silenzio di quell'istante a trasformare i miei sentimenti.
In un primo momento avevamo così tanto da dire che ci interrompevano a vicenda. E ridevamo, come matti. Poi di botto abbiamo smesso, ed è calato il silenzio. Un silenzio strano, confortante. Che cosa diavolo poteva essere?
Era come se il mondo avesse improvvisamente smesso di girare. Come se la gente intorno a noi fosse scomparsa. Tutto dimenticato. Era come se nel mondo intero quei pochi minuti fossero stati creati soltanto per noi, e noi non potessimo fare altro che guardarci l'un l'altra. Era come se lui vedesse il mio volto per la prima volta. Sembrava confuso, ma anche divertito. Proprio come mi sentivo io. Perché io me ne stavo seduta su quel prato con il mio migliore amico Alex, e avevo davanti a me il viso e il naso e gli occhi e le labbra del mio migliore amico Alex, ma mi parevano differenti. Così l'ho baciato. Ho colto al volo l'occasione e l'ho baciato.

Steph: Accidenti! E lui che cos'ha detto?

Rosie: Niente.

Steph: Niente?

Rosie: No. Assolutamente niente. Mi fissava e basta.

Steph: E come fai a sapere che non provava quello che provavi tu?

Rosie: Proprio in quel momento, Sally è arrivata salterellando. La stavamo aspettando per uscire tutti insieme. Era eccitata. Voleva sapere se Alex mi aveva raccontato la novità. In un primo momento lui sembrava assente. Allora lei l'ha guardato e gli ha detto: "Alex, tesoro, hai dato a Rosie la bella notizia?" Lui si è limitato a battere le palpebre, e allora Sally lo ha stretto tra le braccia e me l'ha detto. Stanno per sposarsi. E così me ne sono tornata a casa.

Steph: Oh, Rosie.

Rosie: Ma che cosa diavolo voleva dire quel silenzio?

Steph: Da come lo descrivi, sembra qualcosa che piacerebbe anche a me. È stato bello?

Rosie: Molto.

Phil: Che tipo di silenzio?
Alex: Strano.
Phil: D'accordo, ma che cosa intendi per "strano"?
Alex: Insolito, non normale.
Phil: Sì, ma è stato piacevole o imbarazzante?
Alex: Piacevole.
Phil: Ed è una cosa imbarazzante?
Alex: Sì.
Phil: Perché?
Alex: Sto per sposare Sally.
Phil: E con Sally ci sono mai stati "silenzi" del genere?
Alex: Be', sì...
Phil: Anche tra me e Margaret. Ma, vedi, non sei obbligato a parlare sempre.
Alex: No, è stato *diverso*, Phil. Non è stato semplicemente un silenzio, è stato... oh, non lo so.
Phil: Per la miseria, Alex.
Alex: Lo so, sono in un bel casino.
Phil: D'accordo, allora non sposare Sally.
Alex: Ma io sono innamorato.
Phil: E Rosie?
Alex: Non ne sono sicuro.
Phil: Allora non vedo dove sia il problema. Se tu fossi innamorato di Rosie e indeciso riguardo a Sally *allora* saresti nei guai. Sposa Sally e dimentica quel fottuto silenzio.
Alex: Una volta ancora hai fatto chiarezza nella mia vita, Phil.

Cara Rosie,

sono veramente dispiaciuto per quanto è accaduto. Non avresti dovuto partire da Boston così presto; avremmo potuto parlarne con calma... Mi spiace non averti detto di Sally prima del tuo arrivo, ma volevo aspettare che la vedessi, che la conoscessi... Non volevo parlartene per telefono. Forse avrei dovuto.

Ti prego, non allontanarti da me. Sono settimane che non ti sento. È stato bello rivederti. Ti prego, scrivimi presto.

Baci, Alex

Ad Alex, o dovremmo dire al dottor Alex!
CONGRATULAZIONI!
DATTI SOLO UNA BELLA PACCA SULLA SPALLA...
CE L'HAI FATTA!! NON NE DUBITAVAMO!
Congratulazioni per esserti laureato ad Harvard, caro genio!!
Ci dispiace di non essere state presenti.
Baci, Rosie e Katie

✉ **C'è posta per te da: Alex**

Alex: Rosie, volevo che fossi la prima persona a sapere che ho deciso di diventare cardiochirurgo!

Rosie: Fantastico! Si guadagna bene?

Alex: Rosie, non è una questione di soldi.

Rosie: Da dove vengo io, è *unicamente* una questione di soldi. Sarà perché io non ne ho. Lavorare part-time alla Andy Manomorta Paperclip non si può certo definire remunerativo.

Alex: Be', nel mio mondo invece si tratta unicamente di salvare delle vite. Sul serio, che cosa pensi della mia scelta? Ho la tua approvazione?

Rosie: Hmm... Il mio migliore amico, un cardiochirurgo. Hai la mia approvazione.

Da: Alex
A: Rosie
Oggetto: Grazie!

L'ultima volta che ci siamo parlati ho dimenticato di ringraziarti per il biglietto che tu e Katie mi avete mandato. È una delle poche cose che ho qui nella nuova casa. Sally e io ci siamo trasferiti qualche settimana fa. Tu e Katie sarete le benvenute in qualunque momento. Per la piccola sarà la prima occasione di prendere un aereo per venire a trovare il suo padrino a Boston! C'è un bel parco proprio di fronte a casa mia con un campo giochi per bambini. Katie ne sarà entusiasta.

L'appartamento è microscopico, ma comunque ho sempre turni lunghissimi in ospedale, e ci sto davvero poco. Sono condannato a rimanere una vita qui al Boston Central Hospital prima di potermi veramente definire un cardiochirurgo. Nel frattempo, mi danno quattro soldi e mi schiavizzano a tutte le ore.

Be', adesso basta parlare di me. In questi giorni, mi sembra di non fare altro. Ti prego, scrivimi e dimmi come ti vanno le cose. Non voglio che ci sia nessun imbarazzo, tra noi.

Fatti sentire,
Alex

Ad Alex

Buon Natale!

Che questi giorni di festa siano ricchi di gioia e amore per te e per tuoi cari.

Baci da Rosie e kAtIe.

Per Rosie e Katie

BUON ANNO!

Possa questo nuovo anno portarvi divertimento, amore e felicità.

Baci,
Alex e Sally

Cara Stephanie,

non te l'immagini nemmeno la cartolina d'auguri che ho ricevuto questa mattina. Quasi quasi mi veniva da vomitare. Ero tutta indaffarata a rimettere a posto l'incredibile baraonda che mamma e papà avevano combinato per la loro solita festa di Capodanno, quando 'sta cartolina ha fatto la sua trionfale apparizione sullo zerbino dell'ingresso. Mi meraviglia che non sia stata accompagnata da uno squillo di tromba! Ta-ta-ta! Per annunciare l'arrivo di una penosa cartolina! (A proposito, anche zio Brendan era alla festa, e come al solito cercava di guardarmi dentro la scollatura. Ha chiesto un sacco di te... Dio, com'è viscido.) A occhio e croce ci saranno stati dieci milioni di bottiglie che rotolavano sul pavimento quando sono scesa al pianterreno, e sono quasi inciampata su una scatola di Trivial Pursuit (ebbene sì, era una di quelle sere). C'erano quegli stupidi cappellini di carta sparpagliati in tutto il salotto: pendevano dai lampadari, languivano nel sugo del piatto da portata e avevano un aspetto ben poco invitante. Dalle castagnole di Natale ridotte in pezzi spuntavano fuori quegli orribili e insulsi giochini assolutamente inutilizzabili, come le piccole torce tascabili grandi come un'unghia o i puzzle da due pezzi o poco più, buttati tra gli avanzi di cibo. *C'era un caos incredibile!*

Insomma, Steph, quando mamma e papà uscivano noi davamo feste *scatenate*, ma per lo meno evitavamo di comportarci da animali... Come se non bastasse, hanno gridato e cantato (be', hanno *cercato* di cantare) e ballato (o meglio hanno battuto i piedi sul pavimento in una sorta di rituale da psicopatici) *per tutta la notte*. La povera Katie era terrorizzata dal frastuono (in questo non sembra certo mia figlia) e non ha fatto altro che piangere, così le ho permesso di venire a dormire nel mio letto, e lei mi ha tirato almeno una decina di gomitate in faccia. Finalmente verso le sei o le sette del mattino se ne sono andati; stavo per prendere sonno quando sono stata svegliata in malo modo da un mostriciattolo che saltava su di me e chiedeva insistentemente da mangiare.

Quello che sto cercando di farti capire è che non ero proprio dell'umore adatto per accogliere quel che mi era stato lasciato sulla soglia di casa. Avevo un tremendo mal di testa, ero esausta, e dopo aver ripulito la baraonda al pianterreno (il che è giusto perché, dopotutto, sono in casa di mamma e papà, e loro mi permettono di restare senza pagare l'affitto, quindi non mi sembra il caso di lamentarmi) volevo soltanto un po' di pace, di silenzio e di riposo.

Ma è arrivata la cartolina.

Sulla parte anteriore c'era una deliziosa fotografia di Alex e Sally avvolti nei loro caldi cappotti e cappelli e guanti eccetera. Si trovavano in un parco ammantato di neve e abbracciavano... un pupazzo di neve. Proprio così: uno stupidissimo pupazzo di neve.

Sembravano così disgustosamente felici! Due piccoli, felici cervelloni di Harvard. Bah! Che te ne pare di una che manda una fotografia di se stessa e del proprio ragazzo intenti a costruire un pupazzo di neve? Molto, molto, molto squallido. Ecco cosa ne penso io. E come se non bastasse, la mandano a me!!! Cha faccia tosta! Io avrei dovuto mandarle una fotografia di me e di... di me e... di George (il vigile ausiliario, l'unico con cui a quanto pare ho occasione di scambiare due parole in questo periodo), fuori al freddo che saltiamo nelle pozzanghere. Una cosa del genere a loro non sarebbe apparsa senza senso?

Oddio, sto vaneggiando. Mi dispiace. Devo andare prima che Katie si scoli il vino rimasto nelle bottiglie sparse per casa.

Oh, a proposito! È stato fantastico conoscere finalmente Pierre. È un ragazzo veramente simpatico. Voi due dovreste venire a casa più spesso. È stato divertente poter parlare con gente della mia età, tanto per cambiare.

Felice anno nuovo. Ma chi avrà inventato una simile fesseria?

Baci dalla tua festante e felice sorellina Rosie.

A Rosie

Buon compleanno!

Benvenuta nel club dei ventiseienni! È arrivata tra noi la vecchia Rosie!

Scrivimi più spesso!

Baci, Alex

A ALEX

SEI IVNITATO ALLA FESTA PER IL MIO SETIMO COMPLEANNO. CI SARA ANCHE UN MAGHO. NON VEDO L'ORA. LA FESTA COMINCIA ALE 2 E FINISCE ALLE 5.

BACI KATIE

Cara Katie,

mi spiace di non poter venire alla tua festa di compleanno. Vedrai che il mago vi farà divertire un mondo. Avrai talmente tanti amici attorno che non ti accorgerai nemmeno che io non ci sono.

C'è molto lavoro in ospedale, e non mi permettono di prendermi una vacanza. Io ho detto che era la tua festa, ma loro non mi hanno dato retta!

Comunque, ti ho mandato un regalino che spero ti piacerà. Buon compleanno, Katie.

Abbi cura della tua mamma al posto mio. È una persona molto speciale.

Tanti baci a te e alla mamma.

Alex

Ad Alex

Grazzie per il regalo. La mia mamma ha gridato quando ho aperto il pacchetto. Non avevo mai avuto un medaglione portaritratti. Le fotografie tua e della mamma sono piccolissime.

Il mago era bravo ma il mio migliore amico Toby ha detto che sapeva che era un trucco e ha fatto vedere a tutti dove quello là nascondeva le carte. Quell'uomo non è stato contento e si è arrabiato molto con Toby. La mamma si è messa a ridere come una matta e credo he il mago era arrabiato anche con lei. A Toby piace molto la mia mamma.

Ho avuto un sacco di bellissimi regali, ma Avril e Sinead mi hanno fatto uguale. Presto io e la mamma ce ne andremo in una casa tutta nostra. La nonna e il nonno mi mancheranno moltissimo e so che la mamma è triste perché la ho sentita piangere ieri sera a letto.

Ma non andremo a abitare molto lontano. Si può prendere l'autobus per andare da casa nostra a casa dei nonni. Non ci vuole molto e siamo più vicini a tutti i negozi della città così possiamo anche andarci a piedi.

La casa è molto più piccola di quella dove abitiamo adesso. La mamma mi fa ridere la chiama la scatola da scarpe! Ci sono due camere e una picolissima cucina. Appena il posto per mangiare e guardare la tivù. Abbiamo un balcone molto carino ma la mamma non mi permetterà di stare lì da sola.

Si può vedere il parco. La mamma dice che il parco è il nostro giardino e che noi abbiamo il giardino piu grande del mondo!

La mamma ha detto che per i muri della mia camera posso scegliere il colore che voglio. Credo che la dipingerò di rosa, o di viola, o di azzurro. Toby dice che la dovremmo dipingere di nero. Lui è propio buffo.

La mamma ha un nuovo lavoro. Lavora soltanto qualche giorno la settimana così a volte può venirmi a prendere a scuola e altre volte non può. Io gioco con Toby finché lei non arriva a casa. La sua mamma lo accompagna e lo viene sempre a prendere perché i grandi dicono che noi siamo ancora troppo piccoli per prendere l'autobus da soli. Credo che alla mamma non piace molto il suo lavoro. È sempre tanto stanca e piange. Ha detto che preferirebbe essere ancora a scuola e fare due ore di fila di matematica. Non capisco bene cosa vuole dire. Io e Toby odiamo la scuola ma lui mi fà sempre ridere. La mamma dice che è stufa di dovere andare continuamente dalla mia maestra la signorina Casey. La nonna e il nonno dicono che è buffa. La signorina Casey ha il naso più grosso del mondo. Lei odia me e Toby. Non le piace nemeno la mamma, credo, perché quando si vedono litigano sempre.

La mamma ha una nuova amica. Lavorano nello stesso palazzo ma non nello stesso ufficio. Si sono incontrate fuori al freddo perché devono fumare all'aperto. La mamma dice che erano secoli che non aveva un'amica così. Si chiama Ruby e è molto simpatica. Mi piace quando viene a trovarci. Lei ela mamma ridono sempre. Mi piace quando Ruby è qui perché allora la mamma non piange.

C'è un bel sole adesso a dublino.

Qualche volta io e la mamma siamo andate a Portmarnock Beach. Prendiamo il pulman che è sempre pieno di gente in costume da bagno e mangia gelati e sente la musica molto alta. A me mi piace andare al piano di sopra del pulman. Mi siedo davanti e faccio finta di guidare e alla mamma piace guardare fuori dal finestrino il mare lungo la strada. Sto imparando a nuotare. Ma in mare devo tenere i bracciali. La mamma dice che vorrebbe vivere sulla spiagia. Dice che le piacerebbe abitare in una conchiglia!

Quando vieni a trovarci? La mamma dice che stai per sposarti con una ragazza che si chiama Bimbo. Che nome buffo!

Baci,
Katie

9

✉ **C'è posta per te da: Ruby**

Ruby: Ehi, tu! Buon lunedì.
Rosie: Oh, fantastico. Rimani lì... vado a prendere lo champagne.
Ruby: Che cos'hai fatto questo fine settimana?
Rosie: Adesso te lo racconto! È tutta la mattina che *muoio* dalla voglia di dirtelo; è talmente eccitante! Non ci crederesti *mai*; io...
Ruby: Mi sembra di cogliere un certo sarcasmo. Lasciami indovinare: hai guardato la tivù.
Rosie: Ecco a voi Ruby... e i suoi poteri medianici. Ho dovuto mettere il volume al massimo per coprire le grida scatenate della deliziosa coppia qui accanto. Un giorno o l'altro si ammazzeranno. Non vedo l'ora. La povera Katie non capiva cosa stesse succedendo e così l'ho mandata da Toby.
Ruby: Insomma, è possibile che certa gente non capisca il significato della parola DIVORZIO?
Rosie: Ah ah. Certo, per te è una parola magica.
Ruby: Mi farebbe piacere che tu non ti prendessi gioco di un periodo sconvolgente della mia vita che mi ha lasciata emotivamente a pezzi.
Rosie: Fammi il piacere! Il giorno in cui hai ottenuto il divorzio è stato il più *felice* della tua vita. Hai comperato lo champagne più caro, ci siamo sbronzate, siamo andate per locali e tu hai sbaciucchiato l'uomo più brutto del mondo.
Ruby: Be', ciascuno vive il dolore a modo suo...
Rosie: Hai finito di trascrivere quelle fesserie che ci ha dato Andy Manomorta?
Ruby: No, e tu?

Rosie: No.
Ruby: Perfetto. Per premio ci concederemo una pausa caffè. Davvero, non dovremmo darci da fare così. Ho sentito dire che è molto pericoloso. Portati le sigarette, io le ho dimenticate.
Rosie: D'accordo. Ci vediamo di sotto fra cinque minuti.
Ruby: Oddio, un appuntamento galante. Com'è eccitante! È un pezzo che io e te non ne abbiamo uno.

✉ **C'è posta per te da: Ruby**

Ruby: Dove diavolo sei? Ti ho aspettata per mezz'ora giù in caffetteria! Ho dovuto farmi forza e mangiare *due* muffin al cioccolato e *anche* una fetta di torta di mele.
Rosie: Mi dispiace. Andy Manomorta non mi ha lasciata uscire.
Ruby: Dio, che negriero! Dovresti fare reclamo in direzione perché licenzino quello stronzo.
Rosie: Ma è lui la direzione.
Ruby: Oh, è vero.
Rosie: Be', a voler essere oneste, Ruby, lui sarà anche uno stronzo, ma ci eravamo prese una pausa già un'ora fa... Ed era la terza in meno di tre ore...
Ruby: Stai diventando come LORO!
Rosie: Ah ah. Devo dar da mangiare a mia figlia.
Ruby: Anch'io.
Rosie: Tuo figlio mangia benissimo da solo, Ruby.
Ruby: Lascia stare il mio piccino. È il mio bambino e io gli voglio un bene dell'anima.
Rosie: Piccino... ha diciassette anni.
Ruby: Sì, ed è grande abbastanza per avere un figlio suo, se dobbiamo seguire i tuoi standard...
Rosie: Be', starà bene finché non dovrà andare al ballo della scuola con il ragazzo più insignificante e più brutto del mondo. Così non sarà costretto a bere fino a sbronzarsi per cercare di illudersi che quel ragazzo è bellissimo e divertente e... il resto lo sai.
Ruby: Stai cercando di dirmi che mio figlio potrebbe avere una relazione gay al ballo della scuola?

Rosie: No! Stavo solamente dicendo che...
Ruby: Oh, so benissimo quello che volevi dire, ma io penso che il mio povero tesoro sia proprio il tipo che le ragazze potranno amare soltanto se prima si saranno scolate fiumi di alcool.
Rosie: RUBY!! Non puoi parlare così di tuo figlio!!
Ruby: E perché no? Io gli voglio un sacco di bene ma, benedetto ragazzo, non ha il dono della bellezza come sua madre. Vabbè, e tu, quando ti decidi a uscire con *qualcuno*, *uno qualunque*?
Rosie: Ruby, non voglio più parlare di questo argomento. Tutti quelli che hai cercato di appiopparmi sono stati un completo disastro! Non so e non voglio sapere dove li trovi, tipi del genere, e comunque dopo l'ultimo fine settimana stai sicura che non andrò mai più da Joys. E poi... senti chi parla! Quando è stata l'ultima volta che sei uscita con un uomo?
Ruby: Questo è un altro discorso! Io sono una donna di dieci anni più vecchia di te che ha dovuto affrontare un difficile divorzio da un bastardo egoista, e ho un figlio di diciassette anni che comunica con me a monosillabi e grugniti. Certe volte penso che sia figlio di un gorilla (a dire il vero, è proprio così). Non ho tempo per un uomo!
Rosie: Be', nemmeno io.
Ruby: Rosie, tesoro, tu hai ventisei anni; hai ancora dieci anni di vita da godere prima che sia troppo tardi. Dovresti uscire e divertirti e smetterla di portare sulle spalle tutto il peso del mondo; quello è compito mio. E smettila di aspettare quello là.
Rosie: Aspettare chi?
Ruby: Aspettare Alex.
Rosie: Non so proprio di che cosa tu stia parlando! Io *non* sto aspettando Alex!
Ruby: Certo che lo stai aspettando, bella. Deve proprio essere un tipo fuori dal comune, perché a quanto pare nessuno riesce a competere con lui. Ed è proprio questo che fai ogni volta che conosci qualcuno: fai il confronto. Non dubito che sia un amico favoloso e che ti dica sempre cose dolci e meravigliose. Ma non è qui. È lontano mille miglia, lavora

in un ospedale grande e importante e abita in un elegante appartamento con la sua elegante fidanzata dottoressa. Non credo proprio che stia pensando di abbandonare quella vita di punto in bianco per tornare da una madre single che vive in un minuscolo appartamento e fa uno schifoso lavoro part-time in una ditta di fermagli e graffette assieme a un'amica pazzoide che le manda e-mail in continuazione. Perciò piantala di aspettare e datti una mossa. Vivi la tua vita.

Rosie: Io non sto aspettando.
Ruby: Rosie...
Rosie: Devo tornare al lavoro.

Rosie si disconnette.

A Rosie e Katie Dunne

Shelly e Bernard Gruber sono lieti di invitarvi al matrimonio della loro figlia, Sally, con Alex Stewart.

Da: Stephanie
A: Rosie
Oggetto: Re: Per nessuna ragione al mondo andrò a quel matrimonio!

Sono proprio infuriata per la tua ultima lettera! Non puoi non andare al matrimonio di Alex! È assolutamente impensabile!

Stiamo parlando di *Alex*! Alex, il ragazzo che dormiva nel sacco a pelo sul pavimento di casa tua, il ragazzo che s'infilava di nascosto in camera mia, leggeva il mio diario e curiosava nel mio cassetto della biancheria! Il piccolo Alex che rincorrevi per strada sparandogli con una banana! Alex che è stato tuo compagno di banco per dodici anni!

Lui era accanto a te quando è nata Katie. Ti è stato di sostegno, nonostante fosse di sicuro molto difficile accettare l'idea che la piccola Rosie, che aveva dormito nel sacco a pelo sul pavimento di casa sua, stava avendo un *bambino*.

Vacci, Rosie. Festeggia con lui. Prendi parte alla sua felicità.

Condividi questa gioia assieme a Katie. Cerca di essere felice. Per favore! Sono certa che in questo momento Alex ha bisogno di te. È un grande passo per lui, e vuole accanto la sua migliore amica. Impara a conoscere Sally, perché ora lei è una persona molto importante nella vita di Alex. Esattamente come lui ha imparato a conoscere Katie, la persona che più conta per te. So che non vuoi sentirtelo dire ma, se non andrai, pregiudicherai seriamente quello che è stato ed è ancora uno dei più forti legami di amicizia che io abbia mai visto.

So che sei ancora imbarazzata per quanto è accaduto qualche anno fa a Boston, ma frena l'orgoglio e vai a testa alta! Andrai al matrimonio perché Alex *vuole* che tu sia là per *lui*; andrai al matrimonio perché *hai bisogno* di essere là per *te stessa*.

Decidi per il meglio, Rosie.

Cara Rosie,

ciao, come va? Senza dubbio hai ricevuto la nostra bellissima partecipazione. Sally ci ha messo circa tre mesi a sceglierla. Non so perché, ma sembra che un biglietto color crema con il bordo dorato sia di gran lunga diverso da un biglietto bianco con il bordo dorato... Ah, voi donne...

Non so se sia il caso di preoccuparmi, ma sembra che la madre di Sally non abbia ancora ricevuto la tua risposta. Comunque so benissimo di non dovere aspettare una risposta da te, perché *do per scontato* che verrai!

Il motivo per cui ti scrivo e non ti telefono è che intendo darti il tempo di riflettere su quello che voglio chiederti. Io e Sally saremmo felici di avere Katie come damigella. Dovremmo avere conferma al più presto in modo che Sally e Katie possano scegliere il vestito.

Chi mai avrebbe pensato che sarebbe successa una cosa del genere, Rosie? Se dieci anni fa qualcuno ci avesse detto che tua *figlia* avrebbe fatto la damigella al mio *matrimonio*, avremmo pianto dal ridere. Anche se io e Sally ci abbiamo messo un bel po' a decidere di sposarci per via degli orari assurdi dei medici che condizionano la nostra vita!

Quanto alla seconda domanda che ti voglio fare, sono sicuro che avrai bisogno di pensarci su un bel po'. Tu sei la mia migliore amica, Rosie; non c'è bisogno di dirlo. Qui non ho veri amici, per me nessuno è importante quanto te, quindi non ho un testimone. Vuoi essere tu la mia testimone? Vuoi stare al mio fianco sull'altare? So che in quel momento avrò bisogno di averti accanto! E sono certo che mi organizzeresti una fantastica festa di addio al celibato, meglio di chiunque altro qui!

Pensaci e fammi sapere. E dimmi di sì!

Baci a te e a Katie.

Alex

✉ **C'è posta per te da: Rosie**

Rosie: Non ci crederai.
Ruby: Hai un appuntamento.
Rosie: No, è ancora più incredibile. Alex mi ha chiesto di fargli da testimone alle nozze.
Ruby: Non credo che questo significhi che tu starai alla sua sinistra, in chiesa.
Rosie: Be', no... alla sua destra.
Ruby: E suo fratello?
Rosie: Farà il cerimoniere o qualcosa del genere.
Ruby: Cavoli! E così si è proprio deciso, eh?
Rosie: Sì. Pare proprio di sì.
Ruby: Credo che dovresti smetterla di aspettarlo, tesoro.
Rosie: Lo credo anch'io.

10

Il mio discorso da testimone.

Buona sera a tutti. Mi chiamo Rosie e, come potete vedere, Alex ha deciso di andare contro la tradizione chiedendo a me di fargli da testimone alle nozze perché, come dice, io sono sempre stata la persona più importante per lui. Però, tutti noi sappiamo che oggi non sono io la persona più importante per lui, ma Sally.

Io potrei definirmi la sua "migliore amica", ma credo che anche questo titolo non si possa più attribuire a me. Spetta a Sally.

Ciò che *non* appartiene a Sally è l'infinita serie di ricordi di Alex bambino, di Alex adolescente e di Alex quasi uomo che sono certa lui preferirebbe dimenticare ma di cui ora vi parlerò. (A questo punto dovrebbero ridere.)

Conosco Alex da quando aveva cinque anni. Il primo giorno di scuola sono arrivata con mezz'ora di ritardo, in lacrime e con il naso rosso. (A questo punto quasi certamente Alex esclamerà: "Sai che novità!") Mi hanno ordinato di sedermi all'ultimo posto accanto a un ragazzino che puzzava, col moccio al naso e i capelli arruffati, sempre imbronciato, che rifiutava di guardarmi e di parlarmi. L'ho odiato.

So che anche lui mi odiava: mi dava calci sotto il banco e diceva alla maestra che copiavo i suoi compiti. Siamo stati vicini di banco per dodici anni, lamentandoci dei professori e dei nostri rispettivi innamorati, desiderando essere più grandi, più saggi e liberi dalla scuola, sognando una vita in cui non avremmo avuto due ore di fila di matematica il lunedì mattina.

Ora Alex ha fatto molta strada, e io sono davvero fiera di lui. Sono felice che abbia trovato in ~~questa antipatica e senza cervello~~ Sally la migliore compagna e la migliore amica.

Alziamo i calici e brindiamo tutti al *mio* migliore amico Alex e alla sua nuova migliore amica, compagna e moglie, Sally, e auguriamo loro un futuro ricco di fortuna e felicità.

Ad Alex e Sally!

O QUALCOSA DI SIMILE. CHE NE PENSI, RUBY?

✉ **C'è posta per te da: Ruby**

Ruby: Bah, che pizza! Ne saranno tutti entusiasti. Buona fortuna, Rosie. Niente lacrime e NON bere.

Cara Rosie,

saluti dalle Seychelles! Rosie, ti ringrazio tanto per la settimana scorsa! Mi sono divertito un mondo. Non avrei mai creduto di godermela tanto il giorno del mio matrimonio, ma grazie a te è stata una giornata incredibilmente divertente. Non preoccuparti: probabilmente nessuno si è accorto che hai seguito la cerimonia in stato di ebbrezza (avranno forse notato qualcosa durante il tuo discorso, che comunque è stato molto spassoso), e non credo che il prete sia rimasto turbato più di tanto quando ti è venuto il singhiozzo proprio nel momento in cui stavo per pronunciare il sì!

Non ricordo quasi niente della notte di addio al celibato, ma mi hanno detto che è stato un successone. I ragazzi non smettono di parlarne. Temo che Sally sia un tantino seccata per aver dovuto sposare un tizio con un solo sopracciglio, e non m'importa di quello che dicono gli altri: sono sicuro che la responsabile sei tu! Tutte le fotografie del matrimonio riprendono la parte sinistra della mia faccia. Pazienza! Comunque per Sally quello è il mio lato migliore. A differenza di te che dici che è la nuca.

È andato tutto benissimo, vero? Temevo che sarei stato un fascio di nervi per tutta la giornata, ma tu mi hai fatto ridere talmente tanto da allentare la tensione. Non avremmo dovuto sghignazzare come matti mentre scattavano le foto, e dubito che riusciremo a trovare un'istantanea decente che non ritragga la mia faccia e la tua deformate dal ridere. I parenti di Sally ti hanno trovata fantastica. A essere sinceri, non erano entusiasti all'idea che avessi una donna per testimone, ma mio suocero ha detto che sei stata grande. È vero che gli hai fatto buttar giù un bicchierino di tequila?!

Mia madre e mio padre sono stati felici di rivedere te e Katie. Sono contento che Katie si è messa il medaglione che le ho regalato per il suo compleanno. È carino. Mia madre ha detto che lei è precisa identica a te quando avevi sette anni. Credo che in un certo qual modo abbia voluto illudersi che *eri* tu e che io avevo di nuovo sette anni. Quanto ha pianto quel giorno! I miei non hanno fatto altro che ripetere quanto eri bella con quel vestito! Era come se la sposa fossi tu!

Eri veramente bellissima, Rosie. Credo di non averti mai vista prima con un vestito da donna (non da quando avevi l'età di Katie). Be', forse ti avrei vista indossarne uno se fossi riuscito a venire al ballo della scuola tanti anni fa. Dio, ma mi senti? Sembro un vecchio che rivanga il passato!

Tutti hanno detto che il tuo discorso è stato brillante. Credo che i miei amici si siano un po' innamorati di te. Ma non provarci: non avrai i loro numeri di telefono. A proposito, Rosie, tu sei stata il mio testimone quel giorno, e sei tuttora la mia migliore amica. E lo sarai sempre. Volevo che lo sapessi.

Finora la vita a due va bene. Siamo sposati soltanto da dieci giorni e abbiamo avuto, vediamo... dieci battibecchi. Ah ah. Qualcuno deve avermi detto che questo fa bene al matrimonio... e così non mi preoccupo. Il posto in cui stiamo passando la luna di miele è favoloso, il che mi conforta perché ci costa una fortuna. Alloggiamo in una piccola costruzione di legno tipo palafitta. È bellissima. Il mare è di un colore verde-turchese così trasparente che si possono vedere i pesci sotto il pelo dell'acqua. Un vero paradiso; tu ne saresti entusiasta. *Questo* è l'albergo in cui dovresti lavorare, Rosie. Immagina che il tuo ufficio sia la spiaggia...

A essere sinceri, mi piacerebbe tanto poltrire sulla spiaggia e bere cocktail tutto il giorno, ma Sally deve sempre avere qualcosa da fare, perciò non passa un minuto senza che mi trascini in acqua, o mi ritrovi a volare appeso a uno strano congegno.

Non mi sorprenderebbe se decidesse di pranzare sott'acqua mentre facciamo immersioni.

A ogni modo, ho comperato dei regali per te e per Katie e spero ti siano arrivati tutti interi! Da queste parti le conchiglie sono considerate una specie di portafortuna, e ricordo quanto ti piaceva raccoglierle sulla spiaggia quando eravamo bambini. Ora, quelle più belle potrai portarle al collo.

Be', ora sarà meglio che smetta. A quanto pare non accade di frequente che uno spedisca cartoline mentre si trova in viaggio di nozze; meno che mai che scriva un romanzo per lettera (questo almeno è quanto dice Sally); perciò devo proprio andare. Credo che abbia in mente qualcosa di folle tipo fare sci d'acqua trainata da un delfino.

Che Dio mi aiuti, in che razza di guaio mi sono cacciato!

Baci,
Alex

P.S. Mi manchi!

C'è posta per te da: Ruby

Ruby: Dalla finestra ti ho vista arrivare... Che cosa diavolo ti sei messa al collo? Sono conchiglie?
Rosie: Portano fortuna.
Ruby: Oh, capisco. E hai già avuto qualche colpo di fortuna?
Rosie: Stamattina non ho perso l'autobus.
Ruby: Fantastico!
Rosie: Oh, piantala!

Rosie si disconnette.

Da: Rosie
A: Ruby
Oggetto: Non ci crederai mai

Ti mando per fax una lettera che Sally ha scritto a Katie. Fammi sapere che cosa ne pensi.

Cara Katie,

ti ringrazio per aver accettato di fare la damigella al mio matrimonio. Tutti ti hanno trovata bellissima. Sembravi una principessina.

Io e Alex siamo in vacanza in un posto chiamato Seychelles, proprio dove la tua mamma vorrebbe vivere. Dille che è un posto splendido, caldo e con tanto sole, e falle vedere la fotografia che ritrae me e Alex sdraiati sulla spiaggia, così anche lei potrà vedere com'è bello qui. Siamo molto felici e molto innamorati.

Ti mando anche una fotografia con te, Alex e me il giorno del matrimonio, così potrai metterla in cornice e appenderla in casa. Spero ti piaccia.

Telefonaci presto.

Baci,
Sally

✉ **C'è posta per te da: Ruby**

Ruby: Sembra quasi che quella puttanella stia facendo pipì attorno al suo uomo per marcare il territorio.

Rosie: E manda una lettera a una bambina di sette anni??!!

Ruby: Be', ovviamente sapeva benissimo che la lettera sarebbe finita nelle tue mani. È crudele, d'accordo. Ma non farti impressionare da lei. Sta solo cercando di farti sapere chi è adesso la donna nella vita di Alex. Comunque, mi domando perché. Hai fatto qualcosa perché si sentisse minacciata?

Rosie: Assolutamente no! Ci mancherebbe altro!

Ruby: Rosie...

Rosie: E va bene, magari si sarà sentita un filino minacciata perché al matrimonio Alex e io ci siamo divertiti molto più di lei.

Ruby: Tombola!

Rosie: Sì, ma noi due ci comportiamo sempre così, Ruby. Non era flirtare, non era niente. Era solamente felicità. E poi per tutto il giorno lei non ha nemmeno accennato un sorriso. Non ha fatto altro che tenere il broncio.

Ruby: D'accordo, ti credo, ma altri milioni di persone probabilmente no. Comunque non reagire, ignora quella lettera.

Rosie: Non ti preoccupare, non risponderò. Mi dispiace soltanto che quella stupida non abbia avuto il buon senso di lasciare mia figlia fuori dalle sue insicurezze.
Ruby: Katie starà benissimo, è una ragazzina intelligente. Proprio come la sua mamma.

Cara Sally,

grazie per la tua lettera. Sono felice che il mio vestito ti sia piaciuto, ma io al posto tuo mi sarei messa un vestito carino come quello della mia mamma, nel giorno del mio matrimonio. Hanno detto tutti che stava benissimo accanto allo smoking di Alex. Erano così belli insieme, non ti pare? Ho fatto vedere alla mamma e a Toby (il mio migliore amico) la fotografia con te e Alex sulla spiaggia e Toby ha detto che spera che la scottatura che ti sei presa non bruci troppo. È proprio una gran brutta scottatura.

Per ora è tutto. Adesso devo andare perché fra poco arriverà il nuovo amico della mamma. Di' ad Alex che io, la mamma e Toby lo salutiamo.

Baci da Katie XXX

11

Da: Alex
A: Rosie
Oggetto: Innamorato segreto

Siamo tornati dalla luna di miele. Tu, furbetta, non mi hai mai parlato di questo nuovo amico! Sally non vedeva l'ora di dirmelo, e mi è sembrata una cosa molto carina. Non mi ero accorto che Katie e Sally si scrivessero, e tu?

A ogni modo, perché non hai detto una parola su questo tizio, al matrimonio? Di solito mi racconti tutto. E allora, forza! Che aspetto ha? Come si chiama? Dove l'hai conosciuto? Somiglia a qualcuno? Che lavoro fa? Spero che guadagni un sacco di quattrini e che si comporti bene con te, altrimenti vengo lì e lo strozzo.

Dovrò venire a Dublino per conoscere il tipo e per accertarmi che sia degno dell'approvazione del tuo migliore amico. Comunque, voglio sapere tutto nei minimi particolari (magari non proprio *tutti* i particolari).

Ciao, Stephanie,

ti scrivo per sapere come stai, tesoro, e per darti una bella notizia. Sono certa che Rosie non te l'ha ancora detto, perché vuole tenere segreta la cosa, ma ha conosciuto qualcuno! Siamo tutti molto contenti. E lei sembra felice: quegli occhioni azzurri non sono più così tristi e ha riacquistato la sua abituale vivacità. Proprio come la Rosie che conoscevamo.

Insomma, ieri Rosie l'ha portato qui a casa per cena, e devo ammettere che è un uomo davvero affascinante. Si chiama

Greg Collins ed è funzionario di banca presso la AIB di Fairview.

È un po' più alto di Rosie e ha un bel viso. Direi che è sulla trentina, ed è assolutamente meraviglioso con Katie. Hanno passato la giornata a prendersi in giro, erano proprio buffi. Come sai, è stato difficile per Rosie conoscere qualcuno che le piacesse veramente, dovendo nello stesso tempo tenere presente che questo tale avrebbe dovuto anche andare a genio a Katie. Io però non faccio che ripeterle che non deve scendere a compromessi: troppo spesso si è rassegnata ad accettare di frequentare qualcuno solo perché questo qualcuno piaceva a Katie. In ogni modo, come ti ho detto, Katie adora Greg. Sono felice che finalmente Rosie abbia incontrato una brava persona.

Be', e il tuo lavoro come va? Indaffarata come sempre? Non darti da fare troppo in quel ristorante, tesoro; hai anche bisogno di goderti la vita. Tuo padre e io stavamo pensando di prenderci una breve vacanza per venirti a trovare: andrebbe bene per te? Facci sapere quando sei libera. Saluta Pierre da parte nostra. Non vedo l'ora di rivederti.

Baci,
mamma

Da: Rosie
A: Alex
Oggetto: Re: Innamorato segreto!

Oddio, il mio piccolo segreto è svelato, ormai, grazie a Katie e alla sua linguaccia!

Be', non ho detto niente di Greg (si chiama così) al tuo matrimonio perché in quel periodo non uscivamo ancora insieme. Ci siamo conosciuti al Dancing Cow (è una lunga storia!) poco prima che partissi per Boston, e lui mi ha chiesto il numero di telefono e anche di uscire, ma io ho rifiutato. Poi probabilmente mi sono lasciata prendere dall'entusiasmo al tuo matrimonio, perché quando sono ritornata l'ho chiamato e gli ho chiesto io di uscire!

Oh, Alex, mi ha offerto pranzi da favola! Mi ha portata in

ristoranti di cui avevo soltanto letto nelle riviste, ed è incredibilmente romantico. Be', mi hai raccomandato di non fornirti *tutti* i particolari, quindi non ti racconterò del nostro fine settimana in campagna... Comunque volevi sapere tutto di lui perciò, ecco qua: ha trentasei anni, lavora in banca a Fairview. Non è molto alto (è più o meno come me), non è che sia proprio basso, ma... ecco, se stesse in piedi accanto a te, tu avresti una magnifica vista della sua testa dall'alto. Ha i capelli color sabbia e bellissimi occhi azzurri.

Quando viene, porta sempre dei regalini a Katie; so che non dovrebbe farlo, ma adoro vederla coccolata, soprattutto perché non si può dire che io sia stata in grado di farlo in tutti questi anni. Non posso credere di avere finalmente conosciuto un uomo a cui non importi che io abbia una figlia; tutti gli altri mi guardavano come se fossi malata quando glielo dicevo, e immediatamente s'inventavano un impegno improrogabile piantandomi in asso al tavolo del ristorante. E non posso credere che Katie e io ci siamo finalmente trovate d'accordo sullo stesso uomo. Lei sembrava preferire (per me) solo i tipi giovani e carini, quelli che probabilmente piacciono... a lei. Però bisogna essere realistici. Non posso permettermi il lusso di essere esigente!! Secondo mia figlia, il mio compagno ideale era uno che giocasse con lei tutto il tempo, che facesse smorfie e boccacce e parlasse come un buffone, e indossasse vestiti coloratissimi, di quelli che si vedono in tivù il sabato mattina.

A ogni modo, forse l'ho trovato. È molto generoso, premuroso, gentile, e credo di essere stata fortunata ad averlo incontrato. Può darsi che non durerà per sempre, comunque in questo momento sono felice, Alex. Mi rendo conto di essere stata una vigliacca negli ultimi... non so... dieci anni, più o meno, ma ora ho capito che io e Katie siamo una squadra e che se un uomo non è disposto a voler bene a tutte e due può anche andarsene al diavolo.

Credo di aver incontrato l'uomo giusto. Incrociamo le dita.

P.S. Noto che non parli più dell'Irlanda come di casa tua. Il tuo cuore ormai è a Boston.

Da: Alex
A: Rosie
Oggetto: Ooh, Rosie è innamorata!

Oooooh! Rosie sembra proprio innamorata!

Di un funzionario di banca che frequenta locali tipo il Dancing Cow? Che genere di funzionario di banca (che genere di uomo, se è per questo) può mai andare al Dancing Cow? D'accordo, a quanto pare tu e la tua amica Ruby siete completamente uscite di testa, perciò non dovrei aspettarmi niente di più da te. Ma non lo so... non sono ancora convinto che questo tizio sia l'uomo giusto per te.

E devo dire che mi sono sentito un tantino offeso dal tuo ultimo messaggio. Che cosa intendi dire con la frase "Ho finalmente conosciuto un uomo a cui non importa che io abbia una figlia"?

Io credo di essere sempre stato un sostegno per te e Katie; anzi, sicuramente lo sono stato. Appena posso vengo a trovarvi, vi invito nei vostri ristoranti preferiti e porto dei regali alla mia figlioccia.

Be', ora sarà meglio che vada. Ho fatto doppio turno in ospedale e sono stanco morto.

Da: Rosie
A: Alex
Oggetto: Grazie signor Sostegno

Be', grazie, signor Sostegno, per essere così felice per me. Nel caso non l'avessi notato, tu e io non siamo legati sentimentalmente. Certo, tu sei un amico meraviglioso (sollecito e generoso), ma non sei qui con me ogni giorno. Sono certa che capisci che trovare un amico e trovare un compagno sono due cose ben diverse. Tu mi accetti così come sono, nel bene e nel male; alcuni uomini non lo fanno.

Tu però non sei qui.

Ecco, è tutto. Spero che la tua vita matrimoniale vada a gonfie vele!

C'è posta per te da: Ruby

Ruby: Che cosa ha detto Katie a Sally?!
Rosie: Lo so, è pazzesco, vero? E ha scritto quella lettera dopo che ero uscita *solo una* volta con Greg!
Ruby: Diavolo! Deve proprio avere un debole per lui per spiattellarlo in giro tanto presto. Oh, bene! Forse così Sally non penserà più che tu voglia mettere le tue sudice zampe su suo marito.
Rosie: E chi se ne importa? Io ho il mio Greg!
Ruby: Oddio, mi sento male! Voi due siete diventati come quelle coppie nauseanti che io e te non potevamo soffrire. Vi state comportando come adolescenti al primo amore; ho paura che dovrò trovarmi una nuova amica single per non dover fare quella che regge il moccolo, la prossima volta che usciamo.
Rosie: Sei proprio una bugiarda! L'altra sera non facevi che ridere come una pazza con tutti quei tipi. Eri al centro dell'attenzione!
Ruby: Be', una ragazza fa quello che può... A ogni modo, devi avermi intravisto soltanto nelle rare occasioni in cui staccavi le labbra da quelle di Greg. A proposito... quel tipo mi ha telefonato ieri sera, perciò pensavo di...

C'è posta per te da: Greg

Greg: Ciao, splendore. Come ti va?
Rosie: Oh, ciao! Mah, al solito... meglio ora, comunque!
Ruby: Ehi! Sei ancora lì o sei stata assalita da Andy Manomorta?

Rosie: Scusa, Greg, aspetta un secondo. Sono in linea anche con Ruby.
Greg: Ma voi due lavorate, qualche volta?
Rosie: Abbastanza per evitare di essere licenziate.
Greg: Proverò a chiamarti più tardi.
Rosie: No, dai! Non essere sciocco! Sono capacissima di porta-

re avanti due conversazioni contemporaneamente. Oltretutto, ho voglia di chattare un po' con te, e se lo dico a Ruby si incavolerà ancora di più con me perché sto diventando una di *loro*...

Greg: E chi sono "loro"?

Rosie: Quelle coppie che se ne stanno sempre da sole.

Greg: Oh, *loro*! Certo, che stupido...

Rosie: Scusa, Ruby, sono in linea anche con Greg. Abbi pazienza qualche minuto.

Ruby: Ma voi due non riuscite a vivere l'uno senza l'altra per qualche ora?

Rosie: No!

Ruby: Oh, mi manca la mia Rosie! Chi sei tu e che cosa hai fatto alla mia amica mangiauomini?

Rosie: Non preoccuparti, Rosie è sempre qui; sta soltanto prendendosi una pausa meritata. E allora, che cosa stavi dicendo di quel tizio che hai incontrato l'altra sera?

Ruby: Ah, sì. Si chiama Ted (io lo chiamo Teddy Bear perché è proprio un orsacchiotto); è un po' sovrappeso, ma d'altra parte lo sono anch'io, perciò chi se ne frega? Possiamo rimbalzare l'uno sull'altra. Fa il camionista e sembra un tipo gentile perché ha continuato a offrirmi da bere, il che lo ha messo ai primi posti nella mia scala degli Uomini Passabili. E soprattutto è stato l'unico a non ignorarmi al pub.

Rosie: Oh, sai come va quando conosci qualcuno: vuoi sapere *tutto*.

Ruby: Io non voglio affatto sapere tutto di Ted... Semplicemente non voglio che mi mandi al diavolo.

Rosie: E allora, Greg, che cosa fai stasera?

Greg: Rosie, mia cara, sono tutto per te! Perché non ci prendiamo una bottiglia di vino e qualcosa in rosticceria e ce ne stiamo a casa? Magari potremmo prendere un DVD per Katie.

Rosie: Sì, è una splendida idea! E Katie sarà felicissima di vederti.

Ruby: Secondo te dovrei chiamarlo io?
Rosie: Chiamare chi?
Ruby: TED!
Rosie: Oh, sì, naturalmente! Chiedigli di uscire. Posso far venire Kevin per stare con Katie e così potremmo uscire tutti e quattro insieme. Ho sempre desiderato farlo!
Ruby: Per favore! Beata innocenza dei giovani inesperti! Ted e Greg non hanno assolutamente niente in comune. Sono come il diavolo e l'acquasanta: un funzionario di banca e un potenziale rapinatore di banche. Si odierebbero cordialmente e si creerebbe un'atmosfera imbarazzante: nessuno direbbe una parola, si sentirebbero soltanto le nostre bocche masticare in un silenzio assordante, come in una di quelle assurde torture cinesi; rifiuteremmo tutti il dessert, salteremmo il caffè e, dopo aver pagato, usciremmo sentendoci finalmente sollevati e ripromettendoci di non incontrarci mai più.
Rosie: Che ne dici di venerdì prossimo?
Ruby: Venerdì va bene.

Greg: Spero che Ruby si trovi bene con noi, dopo l'altra sera; ci eravamo come isolati dal mondo.
Rosie: Non essere sciocco! Ruby non ci ha fatto caso. Ha conosciuto un tizio che si chiama Teddy Bear. Oh, a proposito, sei libero venerdì sera per uscire a cena insieme con loro due? Sempre che trovi una babysitter per Katie.
Greg: Uscire a cena con Ruby e un tizio che si chiama Teddy Bear? Sembra interessante.

Rosie: Greg è libero per venerdì sera a cena.
Ruby: Perfetto, ma non ho ancora chiesto a Ted. Che cosa ha detto Alex di te e Greg *innamorati*?
Rosie: Be', non gli ho raccontato che ero *innamorata*, Ruby! Greg e io non ce lo siamo ancora detto! Alex mi ha scritto una strana mail in cui dice di ritenere Greg una sorta di scherzo della natura e di sentirsi offeso perché non lo consi-

dero un valido sostegno per me e Katie. Per la verità, era una sorta di tirata confusa, ma non ne terrò alcun conto perché aveva appena finito di fare la notte all'ospedale ed era molto stanco.

Ruby: Ah ah.

Rosie: Cosa vorresti dire?

Ruby: Che è proprio come sospettavo. È geloso.

Rosie: Alex *non* è geloso!

Ruby: Alex è geloso della tua relazione con Greg; si sente minacciato.

Greg: Allora, a che ora ti devo chiamare stasera? Alle sette o alle otto?

Rosie: No, Alex *non* è geloso della mia relazione con Greg! Perché dovrebbe? È sposato con la perfetta graziosa piccola Sally – felicemente, potrei aggiungere (per lo meno a quanto dice Sally) – *e* a dimostrazione ho una deliziosa fotografia di loro due sdraiati sulla spiaggia con un'aria *decisamente* cotta. Gli ho dato l'opportunità di far parte della vita mia e di Katie, e lui ha scelto di rimanere mio amico: ormai mi sono abituata all'idea. Va tutto bene. Ora ho una relazione con Greg; lui è una persona meravigliosa, e non considero *assolutamente più* Alex da quel punto di vista! E questo è tutto quello che ho da dire sull'argomento, grazie! Ho chiuso con Alex, lui non ha interesse per me e ora io sono innamorata di Greg! Ecco tutto!

Greg: Be'... ti ringrazio per mettermi a parte di tutto questo, Rosie. Non puoi sapere quanto sia elettrizzato nell'apprendere che non sei "*assolutamente più*" innamorata di un tale di nome Alex, per dirla come molto eloquentemente ti sei espressa tu.

Rosie: Oddio, Ruby! Ho appena mandato a Greg il messaggio che era destinato a te!! CAZZO! CAZZO! GLI HO DETTO CHE *SONO INNAMORATA* DI LUI!!!!

Greg: Ehm... Rosie... il messaggio... è arrivato ancora a me. Mi dispiace...

Rosie: Oh...
Ruby: Oh, cosa?

12

Rosie: Cazzo, questa è senza dubbio la cosa più imbarazzante che mi sia mai capitata, NON si discute!!!

Ruby: E che ne dici di quando siamo andate in quel locale e tu avevi quel vestito bianco senza niente sotto e ti hanno rovesciato addosso dell'acqua e il vestito è diventato completamente trasparente?

Rosie: Sì, è stato piuttosto imbarazzante, lo ammetto.

Ruby: E quella volta al supermarket? Quando hai preso per mano un'altra bambina e te la stavi trascinando via in macchina mentre Katie era rimasta dentro e piangeva come una disperata?

Rosie: La mamma della bambina non ha piantato grane e ha ritirato la denuncia.

Ruby: E che mi dici della volta...

Rosie: E va bene, ma adesso basta, grazie! Forse non è proprio stata *la* cosa più imbarazzante, comunque, nella mia scala delle figuracce, è ai primi posti, tra i classici di tutti i tempi. Il momento imbarazzante numero uno rimane senza dubbio la volta in cui ho baciato Alex.

Ruby: Ah ah ah ah ah ah ah ah.

Rosie: E piantala, tu dovresti semmai tirarmi su di morale.

Ruby: Ah ah ah ah ah ah ah ah.

Rosie: Che gioia avere delle amiche che ti sono di conforto! Adesso devo andare. Andy Manomorta mi sta guardando di traverso da sopra gli occhiali con quella montatura così incredibilmente sexy, neanche fosse un professore a scuola.

Ruby: Forse vuole che tu faccia la brava scolara.

Rosie: Be', è in ritardo di qualche anno per questo. Credo invece che abbia voglia di uccidermi. Sta dilatando le narici e sbuffa rumorosamente.

Ruby: Ha le mani sul tavolo?

Rosie: Oh! Ruby, piantala!

Ruby: Piantala cosa? Non crederai che lo chiamino Andy Manomorta per niente, vero?

Rosie: Odio gli open space. Lui mi può vedere da qualsiasi punto della stanza, e può anche guardarmi le gambe sotto la scrivania. Oddio! Adesso mi sta guardando le gambe.

Ruby: Devi venire via da quell'ufficio. Non è salutare per te.

Rosie: Lo so. Mi sto dando da fare, ma non posso andarmene fino a che non trovo un altro posto, e non è facile. A quanto pare, non importa a nessuno che tu abbia lavorato come segretaria presso una ditta di fermagli e graffette.

Ruby: Strano... Eppure sembra un lavoro talmente eccitante.

Rosie: Mio Dio! Adesso ha spostato la sedia per avere una visuale migliore. Stai in linea un minuto mentre gli mando un messaggio. Ne ho abbastanza!

Ruby: No, non farlo!

Rosie: Perché no? Non farò altro che mandargli un messaggio molto educato pregandolo di smetterla di guardarmi perché mi distrae mentre cerco di lavorare.

C'è posta per te da: Rosie

Rosie: Piantala di guardarmi le tette, razza di pervertito.

Rosie: Ecco, Ruby, gli ho mandato il messaggio.

Ruby: Bene, e lui ti licenzia. Andy Manomorta non vede di buon occhio le ragazze sfrontate che si difendono da sole.

Rosie: Ma che vada a farsi fottere! Non può licenziarmi per questo!

Gentile signorina Rosie Dunne,

siamo spiacenti di informarla che la Andy Sheedy Paperclip & Co. ritiene di non avere più bisogno della sua collaborazione. Questo significa che il prossimo mese il suo contratto non verrà rinnovato come stabilito in precedenza.

Lei ha comunque diritto a rimanere presso la Andy Sheedy Paperclip & Co. fino alla fine del corrente mese.

La Andy Sheedy Paperclip & Co. la ringrazia per il lavoro da lei svolto per l'azienda in questi anni e le augura buona fortuna per il futuro.

Cordiali saluti,
Andy Sheedy
titolare della Andy Sheedy Paperclip & Co.

C'è posta per te da: Rosie

Rosie: Ti ho mandato la lettera per fax. L'hai letta?

Ruby: Ah ah ah ah ah ah ah.

Rosie: Sai una cosa? Più la leggo, più sono felice di andarmene. Il nome Andy Sheedy Paperclip & Co. è tutto un programma, non ti pare? Mi domando chi abbia scritto la lettera per lui, visto che sono io la sua segretaria e sarebbe stato compito mio. Probabilmente l'ho fatto e non me ne sono nemmeno accorta. Be', e allora che ne pensi?

Ruby: Che questo è il modo migliore per andarsene. Rosie Dunne, in questo palazzo passerai alla storia come la donna che ha detto ad Andy Manomorta di andare a farsi fottere. Spargerò la voce, Rosie; il tuo licenziamento non sarà stato vano. Mi mancherai! E dove pensi di andare?

Rosie: Non ne ho la più pallida idea.

Ruby: Perché non cerchi un lavoro in un albergo? È da quando ti conosco che non fai altro che parlare di alberghi.

Rosie: Lo so. Sono un tantino ossessionata dagli alberghi. Prima che nascesse Katie tutto quello che desideravo era gestire un albergo. Non credo che ormai sia più possibile, ma tutti noi abbiamo bisogno di sognare. Di sperare che sia possibile ottenere qualcosa di più di quanto abbiamo.
Forse è l'arredamento imponente a darmi un senso di sicurezza negli alberghi, come quei vasi enormi ad altezza d'uomo, e i divani che non entrerebbero nel mio salotto e

nella mia cucina messi insieme. Nelle hall mi sento come Alice nel Paese delle Meraviglie. Almeno ho un mese per trovare un altro impiego. Non sarà poi così difficile. Dovrò scrivere il mio curriculum vitae.

Ruby: Non dovresti metterci molto.

Da: Rosie
A: Alex
Oggetto: Il mio curriculum è ok?

Allegato: CV.doc

Ti prego, ti prego, ti prego, aiutami con il curriculum o la mia povera bambina e io moriremo di fame. Come posso fare apparire tutti i miei merdosi lavori un po' più interessanti? Aiuto! Aiuto! Aiuto!

Da: Alex
A: Rosie
Oggetto: Re: Il mio curriculum

Allegato: CV.doc

Come puoi vedere (dal documento allegato) ho lavorato al tuo curriculum. Quello che mi hai mandato era praticamente perfetto, certo, ma io ho sistemato la grammatica e alcuni errori di ortografia... Sai quanto sono bravo in ortografia!

A proposito, Rosie, tu non hai fatto un "lavoro merdoso", come lo hai gentilmente definito. Non credo tu capisca quanto è impegnativo quello che fai. Sei una mamma *single* a tempo pieno che lavora come segretaria personale di un uomo d'affari di successo. Io ho soltanto modificato qualche termine; non ho assolutamente alterato la verità. Quello che hai fatto giorno dopo giorno è incredibile. Quando torno a casa dal lavoro, io sono talmente distrutto che crollo; riesco a malapena a provvedere a me stesso, figuriamoci a un'altra persona.

Non sottovalutarti, Rosie. Non minimizzare quello che fai. Quando andrai ai colloqui, presentati a testa alta e convinciti che sei una che ce la mette tutta (quando vuoi). Hai il dono di essere benvoluta dalle persone con le quali lavori (tranne quella volta a scuola in cui dovevamo fare un lavoro di gruppo sui pianeti, e tu disegnasti degli omini su Marte e delle donnine su Venere proprio sulla tavola di Susie Corrigan e tutti se ne andarono in segno di protesta, piantandoci in asso e costringendoci a rifare tutto da soli. Cosa diavolo abbiamo noi due messi insieme per farci odiare così) Sei meravigliosa, bellissima, sveglia e intelligente, e se tu sapessi qualcosa di malattie cardiovascolari ti assumerei io.

Ti suggerisco di aggiungere che avevano accettato la tua domanda di ammissione al Boston College, il che fa un certo effetto, e vedrai che tutto andrà alla grande. Sii te stessa e loro saranno entusiasti di te.

Ancora una cosa. Ti raccomando di cercare un impiego che ti piaccia veramente, questa volta. Rimarresti sorpresa nel constatare quanto sia più facile saltare giù dal letto la mattina se stai andando a fare qualcosa che non ti fa venire voglia di buttarti giù dal tetto dell'autobus (ero un po' preoccupato quando ho ricevuto la tua e-mail). Che ne dici di cercare finalmente un posto in un albergo? Lo desideri fin da quando hai alloggiato all'Holiday Inn di Londra, quando avevi sette anni, ricordi?

Datti da fare e fammi sapere come va.

13

Da: Alex
A: Rosie
Oggetto: Visita a Boston?

Sto rubando qualche minuto di pausa tra una "lobotomia" e l'altra per mandarti una e-mail telegrafica. Come va con la ricerca del lavoro? Ti rimane una settimana prima che Andy Manomorta ti sbatta fuori dal suo impero della graffetta, perciò hai ancora tutto il tempo. Se per allora non avrai trovato qualcosa di interessante, posso spedirti un assegno per aiutarti ad andare avanti per un po' (ma solo se *vuoi* il mio aiuto).

Vorrei tanto potermene andare a casa subito e infilarmi a letto: sono stanco! Ho fatto doppio turno, quindi domani non dovrò insanguinarmi le mani; ho la giornata libera, che delizia... Il problema è che, quando arrivo a casa, Sally si sta preparando a uscire per il suo turno. La nostra vita di relazione non si può certo definire intensa – be', a meno che per vita di relazione non si intenda parlare con le persone agonizzanti che continuano ad arrivare in ospedale. Scusa, non era divertente.

Sono proprio sfinito. Sally e io non riusciamo a passare molto tempo insieme, e nei rari momenti in cui siamo liberi tutti e due siamo sempre talmente stanchi da sentirci sul punto di svenire.

Mi è venuta un'idea. Se vieni qui con Katie e quel tale Comesichiama, mi prenderò qualche giorno di ferie, così potremo andare a visitare dei bei posti, uscire a mangiare, divertirci, e io *dormirò*. In più conoscerò finalmente Comesichiama. Queste ultime settimane sono state uno schifo; ho un gran bisogno della tua comicità come diversivo. Compi la magia, Rosie Dunne, e fammi fare quattro risate.

Da: Rosie
A: Alex
Oggetto: Rosie è qui!

Ciao, derelitto. Non temere, Rosie è qui! Mi dispiace che ultimamente le cose ti siano andate di merda. Credo che di quando in quando la vita giochi di questi scherzi: a un certo punto tutto ti va male, e proprio quando senti che non riuscirai più a riprenderti, ecco che le cose si appianano. Fino ad allora, mio caro amico, cercherò di farti ridere raccontandoti alcune cose della mia vita.

Ecco qua: prima di tutto, tu hai un'influenza davvero nefasta su di me. Dopo aver letto quel capolavoro che era il mio curriculum e la tua mail, mi sono sentita talmente motivata e su di giri che mi sono messa la tuta, la fascetta in testa, le polsiere e le scarpe da jogging (be', non proprio da jogging) e ho girato di corsa tutta Dublino, come una donna investita di una missione.

Sei un mostro. Mi hai fatto sentire come fossi in grado di raggiungere qualsiasi obiettivo, come fossi padrona del mondo (non permetterlo *mai* più), e ho cominciato a lasciare il mio curriculum in tutti gli alberghi in cui avrei sempre desiderato lavorare, ma ai quali non ho mai osato presentare domanda. Vergognati per avermi dato la forza di farlo, perché quella forza è ben presto svanita e mi sono ritrovata a dover affrontare un milione di colloqui con gente con la puzza sotto il naso che odiavano me e la mia faccia tosta per aver anche solo *pensato* di poter lavorare per loro.

Vediamo, di quale imbarazzante incontro potrei parlarti, tanto per cominciare? Hmm... ho una scelta così vasta! Be', cominciamo con il più recente, va bene?

Ieri ho avuto un colloquio per un impiego alla reception del Two Lakes Hotel. Sai, quell'albergo di lusso in centro? La facciata del palazzo è tutta di vetro; gli enormi lampadari a goccia che scintillano all'interno si vedono a chilometri di distanza. Di notte, l'edificio sembra in fiamme tanto è luminoso. Il ristorante è all'ultimo piano, e da lì si può ammirare l'intera città. È veramente bellissimo.

Ma è anche uno di quei posti in cui un tizio (anzi, un vero e proprio gentleman) con indosso una specie di mantella e un cappello a cilindro sta fermo sulla soglia e sceglie chi far entrare e chi no. Mi ci saranno voluti dieci minuti soltanto per entrare. Non voleva darmi ascolto, continuava a ripetere che sarei dovuta essere un'ospite dell'albergo. Ma diciamoci la verità: come fa uno a diventare ospite dell'albergo se non gli permettono nemmeno di varcare la soglia? A ogni modo, alla fine ho messo piede nella hall, e per un pelo non sono scivolata sul lucidissimo pavimento di marmo tirato a cera.

C'era un tale silenzio che si sarebbe potuto sentire cadere uno spillo. Sul serio: la ragazza della reception ha *veramente* fatto cadere uno spillo. E io l'ho sentito. Be', per la verità l'albergo non era *del tutto* silenzioso: dal salone giungevano le note di un pianoforte; al centro della hall zampillava una fontana, ma erano tutti suoni estremamente rilassanti. C'erano persino quei mobili giganteschi che mi piacevano tanto da bambina... Enormi specchi, giganteschi lampadari, porte larghe come l'intera parete del mio appartamento. Nel mettere il piede sul tappeto ho temuto di rimbalzare fino al primo piano, tanto era soffice.

Per il colloquio mi hanno fatto accomodare al tavolo più lungo che abbia mai visto. All'altro capo sedevano due uomini e una donna – almeno così mi è sembrato, perché erano talmente lontani che riuscivo a vederli a malapena (avevo quasi voglia di chiedere loro di passarmi il sale).

Ho pensato che avrei dovuto cercare di dimostrare interesse per l'azienda, proprio come mi avevi consigliato tu, così ho chiesto da cosa traesse origine il nome dell'albergo, perché non mi risultava che ci fossero laghi in quella zona della città. I due uomini hanno cominciato a ridere e si sono presentati: Bill e Bob Lake. Erano i proprietari. È stato molto imbarazzante.

Sono andata avanti ripetendo quello che mi avevi raccomandato di dire: che mi piace il lavoro di squadra, che sono disponibile, che sono molto interessata all'attività di gestione, che sono una grande sgobbona e sento sempre il dovere di svolgere i compiti che mi vengono assegnati e di portare a termine quello che ho cominciato. Poi ho blaterato per un'ora o suppergiù sul fatto che ho un debole per gli alberghi fin da piccola e che ho sempre desiderato fare un lavoro del genere. (Be', il vero sfizio sarebbe *alloggiare* in una di quelle meraviglie, ma tutti e due sappiamo che una cosa del genere non me la potrei permettere.)

Dopo di che quelli rovinano tutto, chiedendomi scempiaggini tipo: "Ci dica, Rosie, nel periodo in cui ha lavorato presso la Andy Sheedy Paperclip & Co. quali esperienze ha maturato che le possano tornare utili qui al Two Lakes?"

Dimmi tu se sono domande da fare.

Be', adesso devo proprio andare perché Katie è appena tornata da scuola con le ginocchia sbucciate, e non ho ancora preparato il pranzo.

Da: Alex
A: Rosie
Oggetto: Two Lakes Hotel

È un peccato che tu sia stata costretta a scappare. Mi stavo proprio godendo la tua e-mail. Sono felice di sentire che i colloqui stanno andando tanto bene. Mi hai veramente tirato su di morale!

Muoio dalla voglia di sapere che cosa hai risposto a quella domanda.

Da: Rosie
A: Alex
Oggetto: Re: Two Lakes Hotel

Alex, ma è ovvio!

Graffette! Loro si sono messi a ridere e così mi sono tolta dai pasticci.

Ok, devo andare. Katie mi sta tirando in faccia i disegni cha ha fatto a scuola. A proposito, ha fatto anche il tuo ritratto... Sembri leggermente calato di peso.

Te lo scannerizzo...

Gentile signorina Rosie Dunne,

siamo lieti di informarla che abbiamo deciso di affidarle l'incarico di capo receptionist presso il Two Lakes Hotel.

Vorremmo aggiungere che siamo felici di averla con noi, alla luce del brillante colloquio da lei sostenuto la scorsa settimana. Lei ci ha dato l'impressione di essere vivace, intelligente e sveglia.

Siamo orgogliosi di assumere persone dalle quali noi stessi vorremmo essere accolti in un albergo e siamo fiduciosi che il sorriso che lei ha risvegliato in noi verrà suscitato anche nei clienti dell'hotel al loro arrivo al banco della reception. Siamo felici di averla nella nostra squadra e confidiamo in una lunga e fruttuosa collaborazione negli anni a venire.

La preghiamo di mettersi in contatto con Shauna Simpson della reception per prendere accordi sulla sua divisa.

Molto cordialmente,
Bill e Bob Lake
titolari

P.S. Le saremmo grati se volesse portare con sé quelle famose graffette: le nostre scorte di materiale per ufficio sono scarse!

✉ **C'è posta per te da: Rosie**

Rosie: Dio, Ruby, mi sembra incredibile di avere finalmente dei capi *come si deve*. Credo che le cose si stiano finalmente mettendo a posto.

Ruby: Eccola che ricomincia a tirarsi addosso la iella. Non imparerà mai...

Da: Rosie
A: Stephanie
Oggetto: Congratulazioni

Che felicità sapere che tu e Pierre vi siete fidanzati! Lo so che abbiamo già parlato per ore al telefono ieri sera, ma volevo anche mandarti questa mail. Congratulazioni! A proposito, hai avuto notizie di Kevin ultimamente? Non mi chiama né mi scrive mai (credo abbia paura che gli chieda di farmi ancora da babysitter).

Nella mia vita sta succedendo qualche cosa di incredibile: ho un uomo che mi ama e che amo, sto per cominciare a lavorare nell'albergo dei miei sogni, Katie è splendida, sana e allegra, e io mi sento finalmente una brava mamma. Sono felice. Vorrei godermi questa felicità e assaporare fino in fondo questo momento fortunato, ma c'è qualcosa che sotto sotto mi tormenta. C'è una vocina che mi sussurra: "È tutto troppo perfetto". Sembra quasi la quiete prima della tempesta.

È così che deve essere una vita normale? Finora non ho avuto nient'altro che problemi. Di solito le cose non vanno mai come vorrei. Ho sempre dovuto lottare, e piangere, e lamentarmi, e non per avere quel che desideravo, ma semplicemente quel che *poteva andare*.

Invece adesso non è qualcosa che "può andare", è assolutamente perfetto; è quello che volevo. Volevo sentirmi amata da qualcuno, volevo che Katie la smettesse di domandarsi se il fatto di non avere un papà come tutti gli altri bambini fosse colpa sua, volevo avere la sensazione che io e lei non eravamo sole, ma che qualcun altro ci avrebbe accettato nella sua vita, volevo sentirmi importante, sentirmi *qualcuno*, sapere che se chiamavo in ufficio per avvertire che ero malata avrebbero *sentito la mia mancanza*. Non volevo più sentirmi dispiaciuta per me stessa, e ci sono riuscita.

Le cose stanno andando alla grande. Sono in pace con me stessa, e non ci sono per niente abituata. Questa è una nuova Rosie Dunne. La Rosie giovane e disorientata non c'è più. Ora comincia la fase due della mia vita...

Parte Seconda

14

Gentile signorina Dunne,

vorrei scambiare quattro chiacchiere a proposito del peggioramento nella condotta di Katie.

Le potrebbe andare bene mercoledì dopo le lezioni? Mi troverà a scuola. L'indirizzo lo conosce.

Signorina Casey

A Katie

Cosa vuol dire che tua madre si è messa a ridere?

Toby

Da: Rosie
A: Alex
Oggetto: Informazioni sul volo

Ehilà! Allora, il nostro volo n. EI4023 atterra alle 13.15. Io sarò quella che esce dagli arrivi trascinandosi da una parte un uomo con i capelli ritti per il terrore e dall'altra una ragazzina in iperventilazione, e che contemporaneamente spinge con i piedi una ventina di valigie. (Greg odia volare, Katie è talmente eccitata che ho paura possa esplodere da un momento all'altro, e per finire, dato che non riuscivo a decidere cosa portare con me, ho buttato in valigia il mio intero guardaroba.)

Sei sicuro che Sally sappia in che guaio si è cacciata consentendo a me e alla mia strampalata famiglia di stare da voi?

Da: Sally
A: Alex
Oggetto: Re: Soggiorno di Rosie

Certo che c'è qualcosa che non va, Alex. Non potevi scegliere un momento peggiore per invitarla e lo sai.

Da: Alex
A: Rosie
Oggetto: Re: Informazioni sul volo

Sally non ha assolutamente nessun problema. Non vedo l'ora di rivedere te e Katie e di conoscere Comesichiama. Vi aspetterò agli arrivi.

Caro Alex,

grazie infinite per la vacanza! Mi sono divertita un mondo. Boston è ancora più bella di quanto ricordassi e sono felice di non essere dovuta ritornare precipitosamente a casa per l'imbarazzo, come la volta scorsa... Katie è entusiasta e non fa altro che parlare di te!

Anche Greg si è trovato molto bene. Sono felice che tu l'abbia finalmente conosciuto e che abbia potuto constatare che la sua faccia non è sempre di quel colore verdastro che aveva quando è sceso dall'aereo. È stato fantastico avere finalmente i miei due uomini preferiti nello stesso Paese, anche se non nella stessa stanza! E allora, che ne pensi di lui? Ha ottenuto l'approvazione del mio migliore amico?

Insomma, tutto è andato nel migliore dei modi, a parte il fatto che tua moglie mi odia cordialmente. Io però non me la prendo, Alex. Lo accetto e basta. In fondo non fa altro che rendere ufficiale e confermare quello che ho sempre pensato: per qualche misteriosa ragione ogni tua ragazza o moglie sarà invariabilmente portata a odiarmi. Pazienza. Non ci faccio più caso.

Spero soltanto che mi permetterà di vedere tuo figlio o tua figlia quando nascerà. Ecco qualcos'altro che non avrei mai immaginato accadesse! Alex Stewart sta per diventare papà! Ogni volta che ci penso, mi scappa da ridere. Che Dio aiuti quel bambino che avrà te come padre! Scherzo, naturalmente. Non sto più nella pelle! Non posso credere che tu me lo abbia tenuto segreto per mesi. Vergognati!

A proposito, mi spiace che Katie abbia rovesciato la sua bibita sul vestito nuovo di Sally. Non so proprio che cosa le abbia preso: di solito non è così maldestra. Le ho chiesto di scrivere una lettera di scuse a Sally. Spero tanto che non ci odi ancora di più.

Comunque, le mie poche settimane di relax sono finite; ora si torna alla realtà. Lunedì comincio una nuova vita. Da sempre desidero lavorare in un albergo, ma avevo accantonato questo sogno come tutti gli altri. Spero solo che non sarà una delusione. Ma la nuova Rosie cerca di pensare positivo...

C'è una cosa che ho dimenticato di dirti. Greg ha chiesto a me e a Katie di andare ad abitare da lui. Non so cosa fare. Ora come ora le cose stanno andando veramente bene tra noi, ma non è a me che devo pensare. A Katie, Greg piace moltissimo, adora stare assieme a lui (forse non era così evidente a Boston perché era troppo felice di vedere te), ma non sono sicura che sia pronta per un cambiamento tanto radicale. Non sono neanche due anni che abitiamo per conto nostro, e stiamo ancora imparando a conoscerci. Non sono sicura che sradicarla *di nuovo* sia la cosa giusta. Tu che ne pensi?

Be', forse sarà meglio chiederlo a lei. E se poi rifiutasse? Dovrei dire a Greg: "Scusa... io ti amo e tutte le altre belle cose, ma la mia bambina di otto anni non vuole venire a vivere con te"? Devo dire a Katie: "Mi dispiace, si cambia casa"? Devo fare quello che vuole lei? Certo non posso fare quello che voglio *io*, perché ci sono di mezzo altre due persone. Oddio, dovrò pensarci su ancora un po'.

Grazie ancora per avermi offerto l'opportunità di riprendere fiato. Ne avevo veramente bisogno. Mi assicurerò che Katie scriva la lettera a Sally.

Baci,
Rosie

Cara Rosie,

benvenuta al suo primo giorno al Two Lakes. Spero che tutti l'abbiano aiutata a sistemarsi. Mi dispiace di non averla accolta personalmente, ma al momento mi trovo negli Stati Uniti per gli ultimi preparativi del nostro nuovo Two Lakes Hotel di San Francisco.

Nel frattempo Amador Ramirez, il vicedirettore, sarà a sua disposizione per fornirle tutte le indicazioni necessarie. Nel caso ci fossero problemi me lo faccia sapere.

Di nuovo benvenuta!
Bill Lake

C'è posta per te da: Ruby

Ruby: Ti ricordi di me?
Rosie: Scusami, Ruby, è solo che non passo più molto tempo al computer come prima. È un po' difficile fingere di lavorare, qui.
Ruby: Ti do un mese di tempo...
Rosie: Grazie per l'incoraggiamento; è sempre molto gradito.
Ruby: Nessun problema. Allora come va con Greg?
Rosie: Fantastico, grazie.
Ruby: Non vi odiate ancora?
Rosie: No, non ancora.
Ruby: Ti do un mese di tempo...
Rosie: E grazie anche per questo.
Ruby: Sto solo facendo il mio dovere di amica. Ci sono novità?
Rosie: Sì. Finora l'ho detto soltanto ad Alex, e tu non sei autorizzata a spifferarlo in giro.
Ruby: Oh, fantastico! Queste sì che sono parole intriganti. Forza, racconta.
Rosie: Be', ecco, qualche settimana fa, tornata dal lavoro, Greg mi ha preparato una cena deliziosa, la tavola era apparecchiata, le candele accese, la musica in sottofondo...
Ruby: Va' avanti...
Rosie: Be', mi ha chiesto di...
Ruby: Di sposarti!

Rosie: No, non proprio, mi ha chiesto se ero interessata a trasferirmi da lui.
Ruby: Interessata?
Rosie: Sì.
Ruby: Ha detto proprio così?
Rosie: Sì, mi pare. Perché?
Ruby: E lo trovi romantico, vero?
Rosie: Be', si è dato un gran daffare per preparare la cena, per apparecchiare la tavola e...
Ruby: Gesù, ma tu lo fai ogni giorno, Rosie. Non credi che più che altro abbia l'aria di una proposta d'affari?
Rosie: In che senso?
Ruby: Se volessi aprire un conto corrente cointestato con Teddy, direi: "Teddy, saresti interessato ad aprire un conto cointestato?" Se volessi trasferirmi da Teddy, non direi: "Teddy, saresti interessato a vivere insieme?" Capisci che cosa voglio dire?
Rosie: Io credo che...
Ruby: Non è quello il modo di affrontare la questione. E che mi dici del matrimonio? Ha detto qualcosa in proposito? E ha parlato di Katie? Se vi sposate, sarà disposto ad adottarla? Avete parlato di queste cose?
Rosie: Be', veramente... no, non abbiamo affatto parlato di matrimonio. Comunque, mi sembrava che tu fossi contro il matrimonio.
Ruby: Certo che lo sono, ma non sono io quella che si vuole sposare e che ha una relazione con un uomo che non ne vuole sapere. Il problema è tutto lì.
Rosie: Non ho mai detto che volevo sposarlo.
Ruby: Perfetto, se tutti e due avete delle riserve sul matrimonio, andate pure a vivere insieme. Mi pare un'idea fantastica!
Rosie: Sentimi bene, non ricordo di avere sentito qualcuno dire che Greg non vuole sposarmi, e comunque questo è proprio quello che tu e Teddy state facendo!
Ruby: Io sono già stata sposata, e anche Teddy. Nessuno di noi ha intenzione di affrontare un nuovo matrimonio. Io ci sono già passata, mentre tu sei appena all'inizio.
Rosie: Non ha importanza, perché gli ho risposto che non ero ancora pronta a trasferirmi da lui. Questo è il momento sba-

gliato: sto cercando di abituarmi al mio nuovo lavoro e Katie si sta ancora ambientando nel nuovo appartamento. Devo lasciar passare ancora un po' perché mia figlia si adatti alla situazione. È stato un cambiamento radicale per lei.

Ruby: Questo non fai altro che ripeterlo.

Rosie: E allora?

Ruby: Ormai abiti in quell'appartamento da più di un anno, e lavori da qualche settimana; ho visto Katie e l'ho trovata benissimo, Rosie, è felice. Si è adattata al "cambiamento radicale". Credo che sia *tu* a doverti adattare.

Rosie: Adattarmi a *cosa*?

Ruby: Alex è sposato ormai, Rosie. Lascia perdere e pensa a essere felice.

Rosie si disconnette.

Steph: Perché Greg non ti ha chiesto di sposarlo?

Rosie: Non credevo dovesse farlo.

Steph: Ti sarebbe piaciuto che te lo chiedesse?

Rosie: Tu mi conosci, Steph: se qualcuno si mettesse in ginocchio e me lo proponesse (magari in riva al mare con un dolce sottofondo musicale), mi piacerebbe. Sono un'inguaribile romantica.

Steph: Sei delusa perché ti ha chiesto di trasferirti da lui e non di sposarlo?

Rosie: Be', suppongo che anche se mi avesse proposto di sposarlo sarei andata a vivere con lui, quindi non mi sento il cuore spezzato. Mi ritengo fortunata ad avere conosciuto un uomo come Greg.

Steph: Andiamo, Rosie! Non sei soltanto "fortunata" ad avere incontrato Greg. Tu *meriti* di essere felice. È giusto desiderare di più di quanto ci viene offerto.

Rosie: Vado a vivere con lui. Faremo un passo alla volta.

Steph: Se questo può renderti felice.

Rosie: *Allora*, se le cose saranno ancora perfette tra noi come lo sono adesso, mi aspetto di vedere la casa traboccante di rose e illuminata dalle candele.

Cara Sally,

mi dispiace di avere rovesciato l'aranciata sul tuo vestito nuovo quando siamo venute a trovarvi. È solo che quando ti ho sentita criticare il vestito nuovo della mia mamma ci sono rimasta così male che il succo d'arancia ti è finito addosso. È proprio come dicevi tu ridendo alla tua amica, il giorno dopo, mentre le raccontavi di quando la mia mamma ha avuto me: gli incidenti capitano.

Mi auguro che il tuo vestito non rimanga macchiato, visto quanto ti è costato. Spero che prima o poi verrai a trovarci nella nostra nuova casa. Noi ci trasferiamo da Greg. L'appartamento è molto più grande del tuo. Ci siamo così divertiti a Boston quando la mamma e Alex si sono fatti le nuove fototessere per il mio medaglione. Li conserverò tutti e due insieme per sempre lì dentro.

Baci,
Katie

P.S. Il mio amico Toby ti saluta e voleva dirti che quando si è rovesciato il succo d'arancia sulla camicia della divisa la macchia non è più venuta via. La sua mamma ha dovuto buttare via la camicia. Anche quella era bianca ma, fortunatamente per Toby, la camicia non era costosa come il tuo vestito.

✉ C'è posta per te da: Alex

Alex: Ciao, che cosa stai facendo?

Phil: Ho girato per ore alla ricerca dei tubi di scappamento originali della Ford Mustang del 1968. E credi che sia riuscito a trovare le placchette originali e i sedili di pelle bicolore della Corvette del 1978?

Alex: Ehm... no?

Phil: Proprio così, ma non credo che tu voglia ascoltare i miei problemi. Com'è andata la visita di Rosie? Ci sono stati altri silenzi?

Alex: Oh, piantala, Phil.

Phil: Ah ah. Com'è il suo ragazzo?

Alex: È OK. Niente di speciale. Non è certo il tipo di persona che vedo bene accanto a Rosie.
Phil: Non sei tu, intendi dire.
Alex: Non è questo che voglio dire. È che lui non è esattamente quello che si dice "l'anima della festa".
Phil: Dovrebbe esserlo?
Alex: Per Rosie, sì.
Phil: Magari ha un'influenza calmante su di lei.
Alex: Forse. È un tipo educato e cordiale, ma non parla molto di se stesso. Non riuscivo proprio a capirlo. È uno di quei tipi che sembra non abbiano un'opinione su niente. Era sempre assolutamente d'accordo su qualsiasi cosa dicevano gli altri. È difficile farsi un'idea su di lui. Sally invece si è trovata molto bene.
Phil: Allora può darsi che avesse semplicemente qualche problema con te.
Alex: Grazie, Phil, tu sai sempre trovare il modo di farmi sentire meglio.
Phil: Non è per questo che parli con me di tutti i problemi della vita?
Alex: Sì. Come stanno Margaret e i bambini?
Phil: Benissimo. Maggie pensa di essere di nuovo incinta.
Alex: Gesù, un altro?
Phil: Sono un uomo prolifico, Alex.
Alex: Buono a sapersi, Phil.

Alex si disconnette.

Da: Alex
A: Rosie
Oggetto: Vai a vivere con Greg?

E così vai a vivere con Greg. Questa settimana Sally ha ricevuto una lettera da Katie, ma non mi ha permesso di leggerla. Mi ha soltanto detto che ora c'è intesa tra loro. Ne sono felice. Qualunque cosa significhi.

Per rispondere alla tua domanda su Greg, sì, è un tipo simpatico ma... non è proprio il tipo di persona con la quale pensavo ti saresti sistemata; è molto calmo e riservato. E anche molto più vecchio di te. Quanti anni ha... trentasette? E tu ne hai ventisette. Sono ben dieci anni, Rosie. Come ti sentirai quando lui sarà vecchio e decrepito e tu sarai ancora giovane e bella? Come potrai guardarlo in quegli occhi spenti e lacrimosi, baciare quelle labbra raggrinzite, secche e screpolate? Come potrai passare le tue mani su quelle gambe piene di vene varicose e correre nei prati mano nella mano costantemente in pensiero per il suo cuore malato?

Sono cose di cui ti dovresti preoccupare, Rosie.

✉ **C'è posta per te da: Rosie**

Rosie: Sei per caso sotto l'effetto di qualche droga?
Alex: Solo le pilloline rosa...
Rosie: Sei un medico, sai quello che fai. D'accordo, ho capito da questa risposta mi-sforzo-di-essere-spiritoso-ma-dico-sul-serio che Greg non ti piace. Be', se devo dire la verità, io non posso sopportare Sally! Ta-ta!! Io odio Sally e tu odi Greg. Adesso sappiamo che non possiamo tutti volerci bene. La prossima settimana, Katie e io andremo a stare da Greg. Tutto va che è una meraviglia. Siamo felici e beati. Non sono mai stata così innamorata in vita mia, bla bla bla. E adesso piantala di rompere e fattene una ragione. Greg non se ne andrà. Hai qualcosa da dire?

Alex si disconnette.

Cari Rosie, Katie e Greg,
Buon Natale e Felice Anno Nuovo!
Baci da Alex, Sally e il piccolo Josh.

Per Alex, Sally e Josh
I nostri più sinceri auguri di Buon Anno!
Con affetto,
Katie, Rosie e Greg.

15

Ciao, sorellina,

smettila di preoccuparti! Mi metti in agitazione! Rosie, per l'ultima volta, fra amici è perfettamente normale che non si vada d'accordo con i rispettivi partner. La sorella di Pierre mi fa diventare matta, ma questo c'entra come i cavoli a merenda. Comunque, non ha senso che tu e Alex non vi rivolgiate più la parola.

Il vostro problema è di essere troppo sinceri. È assolutamente impensabile per me dire a una persona che mi è amica, così come se niente fosse, "io odio tuo marito o tua moglie"; e se mi azzardo anche solo ad accennare a Pierre quanto sia noiosa sua sorella, subito lui mi salta in testa e prende le sue parti. Non ci sarà mai qualcuno abbastanza perfetto per il tuo migliore amico, Rosie. Alex probabilmente pensa che tu sia molto più in gamba di Greg, e tu pensi la stessa cosa di Sally. Sally e Greg non sono stupidi: probabilmente intuiscono la situazione. Greg sa benissimo che Alex è stato l'uomo più importante della tua vita (e sa anche che un tempo eri cotta di lui, il che non semplifica le cose), e Alex si rende conto di essere stato rimpiazzato. E così sia Greg sia Alex tendono a sentirsi un tantino in concorrenza l'uno con l'altro. È del tutto naturale.

A ogni modo, smettila di farti venire il mal di testa per queste sciocchezze; telefonagli, mandagli una e-mail, scrivigli, insomma serviti del mezzo che usate di solito per comunicare. A proposito: se Pierre non ti piace, non m'importa. Io lo amo, perciò le tue opinioni tientele per te!

Mandami le tue misure. E non barare, Rosie. È per il tuo vestito da damigella d'onore, e se fingi di pesare dieci chili di meno e l'abito non ti va bene... ti costringerò a metterlo lo stesso perché non posso permettermi il lusso di comperarne un altro. Preferisci rosso vivo o rosso vino? Fammelo sapere.

Baci,
la tua esperta della Posta del Cuore

P.S. A proposito, mi fai il favore di chiamare tu Alex per dirgli che lui e sua moglie sono invitati al matrimonio? Oltre a porgergli le tue scuse, ovviamente.

A Rosie

Tanti auguri di buon compleanno da tutti noi!
E 28! Mi stai quasi raggiungendo!

Alex, Sally e Josh

A Katie

OGGI COMPI 9 ANNI!
Tanti auguri! Spero che con questo potrai comperarti qualcosa di carino!

Alex, Sally e Josh

Da: Rosie
A: Alex
Oggetto: Grandi notizie!

Alex Stewart, perché non rispondi mai al telefono? Ormai ho fatto amicizia con la tata di Josh, e siamo arrivate tutte e due alla conclusione che tu e tua moglie lavorate troppo. Quel povero piccolo sa chi sono il suo papà e la sua mamma, o vi accontentate di essere considerate soltanto due persone carine che di tanto in tanto lo prendono in braccio e lo coccolano un po'?

Comunque, il motivo per cui ti mando questa mail è un altro: ho una notizia straordinaria da darti, ma mi rifiuto di farlo tramite un computer! Quindi, quando ricevi questo messaggio, telefonami. Dopotutto, i tuoi consigli mi sono stati utili e ti ringrazio! Telefona, telefona, telefona!

Da: Alex
A: Rosie
Oggetto: Re: Grandi notizie!

Mi rifiuto di telefonarti perché sono troppo arrabbiato per le critiche che mi hai rivolto a proposito delle mie doti di genitore. Se qualcuno si azzarda a dirmi un'altra volta come devo fare il padre, esplodo.

Sia io sia Sally abbiamo dei problemi in questo periodo a causa dei nostri orari. Il più delle volte arriviamo a casa quando Josh è già addormentato, e devo trattenermi dallo svegliarlo anche solo per fargli un saluto. Non abbiamo mai gli stessi giorni liberi e non riusciamo mai a passare qualche ora insieme. Praticamente ci incontriamo nei corridoi e rubiamo qualche attimo di forzata felicità prima di correre via di nuovo.

Non è certo una situazione ideale per Josh, ma non ci possiamo assolutamente permettere di smettere di lavorare per restare tutto il tempo con lui. E, a proposito, non ti sposare *mai*.

Da: Rosie
A: Alex
Oggetto: Sorpresa!

Uffa, mi hai rovinato la sorpresa.

Da: Alex
A: Rosie
Oggetto: Re: Sorpresa!

Rosie Dunne, stai per sposarti?!

16

Da: Rosie
A: Alex
Oggetto: Re: Sorpresa!

Sorpresa! Che modo delizioso per dirtelo! Non avrei potuto immaginare un modo migliore per condividere questa bella notizia con il mio più caro amico.

Da: Alex
A: Rosie
Oggetto: Matrimonio!

Oh, scusami, è una notizia meravigliosa. Non fare caso a quello che scrivo: sono stanco e paranoico. Allora racconta: com'è successo? Quando è il grande giorno? Credevo che Comesichiama non volesse sposarsi.

Da: Rosie
A: Alex
Oggetto: Matrimonio finalmente!

Alex, non devi fingerti interessato a ogni minimo particolare, va tutto bene. A proposito, lui si chiama Greg. Hai un sacco di cose per la testa, quindi ti scoccerò un'altra volta. Volevo soltanto farti sapere che il "grande giorno" non sarà così grande. Sarà una cerimonia ristretta agli amici intimi e alla famiglia. Greg non vuole niente di eccessivo, e io sono felice di adeguarmi ai suoi desideri.

Katie sarà la mia damigella d'onore, e vorrei che tu fossi il mio testimone. Se Greg può avere un testimone uomo, voglio averlo anch'io. Ti prego, dimmi di sì. Naturalmente sarò felice di avere qui anche Sally e Josh. Prendetevi una vacanza tutti insieme. Scommetto che non ne avete ancora fatta una. Potrete godervi un po' di riposo: lo meritate. Finalmente passerete qualche giorno insieme come una famiglia degna di questo nome.

Non mi addentrerò nei dettagli riguardo alla proposta di matrimonio; sapevo che sarebbe successo, perciò non è stato poi tanto sorprendente...

Da: Rosie
A: Stephanie
Oggetto: Che romantico!

Oh, Stephanie, è stato così romantico! Non avevo idea che intendesse propormi di sposarlo! Mi ha portata fuori per il fine settimana in un piccolo villaggio nell'ovest che non avevo mai sentito nominare, quindi non tenterò nemmeno di scriverne il nome. Siamo andati in una deliziosa pensioncina e abbiamo mangiato in un ristorante che si chiama La rete del pescatore. Avevamo tutto il ristorante per noi. L'atmosfera era semplicemente magica, e al dessert Greg mi ha fatto la proposta! Poi abbiamo fatto una passeggiata attorno al lago, e alla fine siamo ritornati alla pensione. Era un posto piuttosto modesto, ma così romantico!

Da: Stephanie
A: Rosie
Oggetto: Re: Romantico

È strano, Rosie, perché io ho sempre creduto che tu volessi fuochi d'artificio e un'atmosfera da favola, petali di rosa e violini mentre il tuo uomo si buttava in ginocchio per proporti di sposarlo di fronte a una folla stupefatta e commossa. La proposta di Greg mi sembra *carina*, certo, ma cosa ne è stato dei tuoi sogni?

Da: Rosie
A: Stephanie
Oggetto: Fuochi d'artificio e petali di rosa

Be', quel genere di cose non è nello stile di Greg. Sai com'è fatto. Sarebbe stato ridicolo che Greg si appendesse a un lampadario cantando una canzone di Sinatra e facendo piovere sulla mia testa rossi petali vellutati (anche se è un bel sogno). Oltretutto, non è la proposta che conta, ma il matrimonio...

Ruby: Ti ha proposto di sposarlo a Bogger-reef?
Rosie: Sì, è un villaggio molto carino...
Ruby: Tu NON SOPPORTI i villaggi molto carini! A te piacciono le città, i rumori, l'aria inquinata, le luci, la gente sgarbata e i palazzoni!
Rosie: Ma stavamo in una pensioncina così graziosa e il proprietario era la persona più gentile...
Ruby: Tu NON SOPPORTI le pensioncine! Tu sei ossessionata dai grandi alberghi. Ci lavori addirittura. Vorresti dirigerne uno, esserne la proprietaria e viverci. La gioia più grande per te è alloggiare in un albergo e lui ti porta in una pensione pidocchiosa a casa del diavolo.
Rosie: Oh, ma se tu avessi visto quel ristorantino. Si chiama La rete del pescatore e ha le reti da pesca alle pareti...
Ruby: Tu hai affamato il pesce rosso di Katie finché non è venuto a galla morto stecchito. Dopo di che l'hai scaraventato nel gabinetto. Fai battute ogni volta che vedi qualcuno mangiare ostriche (il che, a proposito, è molto imbarazzante nei ristoranti). Ti tappi il naso quando io mangio il tonno, consideri il salmone affumicato opera del diavolo e i gamberetti ti fanno vomitare.
Rosie: Ho mangiato una buonissima insalata, se vuoi saperlo.
Ruby: Hai sempre detto che l'insalata è per i conigli!

Rosie: A ogni modo, abbiamo concluso la serata passeggiando mano nella mano sulla riva del lago al chiaro di luna...
Ruby: Tu ADORI IL MARE! Vorresti avere una casa sulla spiaggia. Segretamente desidereresti essere una sirena. Consideri i laghi noiosi, dici che non hanno la "drammaticità" del mare.
Rosie: Oh, per favore, piantala, Ruby.
Ruby: No! Piantala tu di *mentire* a te stessa, Rosie Dunne.

Rosie si disconnette.

Da: Rosie
A: Alex
Oggetto: SOS

Alex, ti scongiuro, salvami dai miei amici e dalla mia famiglia. Mi stanno letteralmente facendo impazzire.

✉ C'è posta per te da: Alex

Alex: Forza. Qual è il problema?
Rosie: Vorrei potermeli dimenticare tutti quanti.
Alex: Eh, sì, posso capirlo. Quanto a fastidi anch'io non scherzo. Allora, perché non mi racconti della proposta di Comesichiama?
Rosie: E va bene... *Greg* mi ha portata in un tranquillo paesino in campagna. Siamo andati in una graziosissima pensioncina. Abbiamo mangiato in un delizioso ristorante che si chiama La rete del pescatore. Lui mi ha proposto di sposarlo mentre avevo la bocca piena di profiteroles al cioccolato, io gli ho detto di sì, abbiamo fatto una passeggiata lungo il lago e abbiamo ammirato la luna che scintillava sull'acqua. Non è romantico?
Alex: Sì, romantico.
Rosie: È tutto quello che hai da dire?? Due parole in croce su una delle più importanti serate della mia vita?!
Alex: Avrebbe potuto essere qualcosa di meglio.

Rosie: Meglio quanto? Che cosa avresti fatto tu per rendere la cosa migliore? Sto *morendo* dalla voglia di saperlo! A quanto pare tutti mi conoscono molto meglio di quanto non mi conosca io stessa, quindi va' avanti, sorprendimi!

Alex: D'accordo, questa è una sfida! Be', prima di tutto, io ti avrei portata in un *albergo* lungo la costa in modo che la tua *suite* potesse avere la miglior vista possibile sul *mare*. Avresti potuto addormentarti ascoltando le onde che s'infrangevano sugli scogli; io avrei cosparso il letto di *petali di rose* e avrei riempito la stanza di *candele* accese con il sottofondo del tuo CD preferito. Ma non ti avrei chiesto lì di sposarmi. Ti avrei portata tra la folla per lasciare tutti a bocca aperta mentre mi mettevo in ginocchio e ti facevo la proposta. Insomma, qualcosa del genere. Nota che ho scritto in corsivo tutte le parole importanti.

Rosie: Oh.

Alex: È tutto quello che hai da dire? Una sola parola per la più importante serata della nostra vita? Io mi butto in ginocchio e ti chiedo di vivere con me per l'eternità e tu dici "oh"? Devi fare di meglio!

Rosie: E va bene, *anche* questa sarebbe una proposta molto carina. Ho parlato così tanto in passato delle proposte di matrimonio, Alex?

Alex: Continuamente, cara mia. Continuamente. Chiunque ti conosca anche solo la metà di quanto ti conosco io capirebbe che questo è più o meno il genere di cose che hai sempre sognato. Comunque, anche un fine settimana in una pensione non è male.

Ad Alex, Sally e Josh
DENNIS e ALICE DUNNE
sono lieti di invitarvi al matrimonio della loro
figlia ROSIE
con GREG COLLINS
il 18 luglio c.a.

17

Cara Rosie,

e così l'hai fatto. Hai sposato Comesichiama. Eri bellissima, Rosie, e io ero orgoglioso di stare accanto a te sull'altare ed ero orgoglioso di esserti vicino nel tuo giorno più bello. Ero orgoglioso di essere il tuo testimone, perché sono stato l'uomo più importante nella tua vita ma, proprio come hai detto tu al mio matrimonio, quel giorno non lo ero più: quel giorno l'uomo più importante per te era Comesichiama. Eravate splendidi insieme.

Ho avuto una strana sensazione quando mi hai voltato le spalle e ti sei incamminata lungo la navata assieme a Greg. Può essere stata una fitta di gelosia? È normale? Hai provato anche tu la stessa sensazione al mio matrimonio, o sono io che sto andando fuori di testa? Non ho fatto altro che pensarci: adesso tutto sarà diverso, completamente diverso. Greg è il tuo uomo; ora sarà *lui* ad ascoltare i tuoi segreti, e a me che cosa rimarrà? È stata una strana sensazione, Rosie, anche se dopo un po' è passata.

Non ho osato parlarne con nessuno, soprattutto con Sally, perché in quel caso lei sarebbe stata fin troppo compiaciuta nel vedere confermata la sua facile teoria secondo la quale uomini e donne non possono essere "soltanto amici". Non ero geloso perché volevo essere tuo marito, era soltanto... oh, non so come spiegarlo. Credo di essermi sentito tagliato fuori, ecco tutto.

Sono felice che Josh abbia finalmente messo piede sul suolo irlandese... Be', quasi: più che altro ci ha messo il sederino. Era un pezzo che avevo intenzione di portarlo a casa, ma ci si è messo di mezzo il lavoro. È strano, nel parlare dell'Irlanda l'ho definita "casa". Non lo facevo da un po'. La settimana scorsa mi sono sentito davvero a casa. Anche per Josh è stato bello essere lì, e credo che Katie sia stata felice di prendersi cura di lui.

È tale e quale a te, Rosie. Quella ragazzina con i capelli corvini e la pelle chiarissima è la stessa ragazzina con la quale un tempo andavo a scuola. Era stupefacente. Persino nel parlare con lei mi sentivo di nuovo l'Alex adolescente. Toby, però, non mi ha staccato un attimo gli occhi di dosso; evidentemente aveva paura che mi portassi via la sua amichetta. E io avevo la sensazione di sorvegliarlo a mia volta, perché era *lui* che stava portandosi via la *mia* amica. Dovevo continuamente ricordare a me stesso che non si trattava di te.

Non sono sicuro che il tuo progetto di riunire me, Sally e Josh sia riuscito. Come credo diresti tu, Sally non è stata di umore particolarmente cordiale nei pochi giorni della nostra permanenza. Speravo che concederci una pausa e partire ci avrebbe giovato, ma a quanto pare non è stato così. Ci ha soltanto dato l'opportunità di parlare troppo l'uno con l'altra, il che non è certo auspicabile se nessuno dei due ha qualcosa di piacevole da dire. Credo di poter affermare che il periodo della luna di miele è finito. Ormai siamo insieme da nove anni.

A ogni modo, spero che tu e Greg vi godrete la vostra luna di miele, e sono sicuro che questa lettera rimarrà a lungo sullo zerbino in attesa di voi. Ho sempre creduto che tu volessi andare su una spiaggia esotica per la luna di miele; non credevo ti interessasse visitare i monumenti di Roma. Anche se sono certo che sono splendidi, pensavo che fossi troppo superficiale per sentirtene attratta! Sto scherzando. Chiamami, quando torni. Dimostrami che almeno certe cose non cambiano mai.

Baci,
Alex

Saluti da Roma!

Ciao, Alex. Il tempo è stupendo, i monumenti sono meravigliosi. Ma, cosa ancora più importante, gli alberghi sono favolosi!

Baci,
Rosie

Da: Rosie
A: Alex
Oggetto: Sono tornata!

Sono arrivata a casa da pochi minuti, e ho letto la tua lettera. Mi sembravi giù di morale e così ti ho telefonato e, indovina? Sorpresa, sorpresa: non c'eri. E così per l'ennesima volta ti mando una mail.

Anche se Sally non mi è mai piaciuta un granché, vorrei tanto che voi due superaste questo momento difficile. La nascita di un bambino ti rivoluziona la vita – io ne so qualcosa – e posso capire che sia difficile per due persone che lavorano più di chiunque altro io conosca gestire un nuovo arrivato in famiglia.

Probabilmente hai soltanto bisogno di tempo per adattarti, ma forse dovresti interpellare un consulente o qualcosa del genere. Dio solo sa quanto mi ci è voluto per accettare l'idea che Katie faceva parte della mia vita, per quanto io le voglia un bene immenso. È stata dura, e lo è tuttora. Perciò datti da fare e cerca di risolvere la situazione.

Non voglio certo fare la rompiscatole, ma smettila di parlare con me del tuo stato d'animo e comincia ad aprirti con Sally. Io sarò sempre qui per te, Alex, sposata o no.

Caro Alex,

spero che stai bene. È stato bello rivederti al matimonio. Josh è proprio fantastico. La mamma era tanto carina, e anche tu. Io e Toby abbiamo litigato. La settimana prossima lui compirà dieci anni e per questo si crede di essere chissà chi soltanto perché è un pochino più grande di me. Non mi ha invitato alla sua festa di compleanno, e io non gli avevo fatto niente. La settimana scorsa abbiamo litigato tantissimo su chi doveva mettersi per primo al computer, e io mi ci sono messa per prima anche se mi ricordavo benissimo che avevo fatto lo stesso anche l'altra volta; però non credo che lui se ne ricordi, quindi non è per questo che è arrabbiato con me. Ma io non ho fatto nient'altro di male.

La mamma ha telefonato alla mamma di Toby per saperre perché non sono stata invitata, ma non lo sa nemmeno lei. Toby non mi vuole parlare. Lo odio. Mi cercherò un nuovo migliore amico. La mamma mi ha detto di scriverti per raccontartelo perché tu sei il mio padrino e storie del genere le conosci benissimo.

La mamma pensa che Toby è stato proprio sgarbato e che quando sarò grande rimarrò mozionalmente segnata da questa sperienza di non essere stata invitata a una festa di compleanno. Dice che tu sai che cosa lei intende dire.

Baci,
Katie

Carissima Katie,

la tua mamma molto saggia e molto intelligente ha ragione, come sempre. Sono d'accordo sul fatto che Toby si sta comportando da vero monello. È veramente orribile fare a una persona una cosa simile: non invitare la migliore amica alla propria festa di compleanno. Sono convinto che è un vero e proprio crimine. Toby è un egoista, e ha compiuto un gesto imperdonabile che lo perseguiterà negli anni a venire, non c'è dubbio – forse addirittura fino a quando sarà vicino ai trent'anni.

Credo che non ci sia punizione sufficiente per lui, e non dovrebbe passarla liscia. Toby non ha dimostrato alcuna pietà, è stato immaturo e molto, molto... sfacciato. Perciò di' alla mamma e anche a Toby che farò del mio meglio perché io e lui ci riscattiamo in modo da poter camminare di nuovo a testa alta.

Baci,
Alex

Caro Alex,

la tua lettera era piuttosto strana. Non credo di aver capito cosa volevi dire, ma la mamma ha detto che Toby è ancora peggio di tutte le cose che hai detto tu. Però, mentre leggeva la lettera, rideva, e così non so bene se parlava sul serio. Non credo che Toby è *tanto* cattivo.

Voi due siete proprio strani.

Baci,
Katie

Caro Toby,

sono Alex (l'amico americano della mamma di Katie).

Ho sentito dire che la prossima settimana compi dieci anni. Auguri! Ti sembrerà strano che ti scriva, ma mi hanno riferito che non hai invitato Katie alla tua festa di compleanno e non potevo credere alle mie orecchie.

Katie è la tua migliore amica! So per esperienza che la tua festa non sarà molto divertente senza Katie. Una volta a me è successa la stessa cosa. Continuerai a fissare la porta come un falco, sperando che lei entri nella stanza per poterti finalmente divertire. Che importa se hai una bambina come migliore amico? Che importa se gli altri maschi ridono? Almeno tu hai una migliore amica e, dammi retta, è duro vivere senza un migliore amico, specialmente se vai in una scuola noiosa con la signorina Nasona Casey che ti rompe tutto il santo giorno. Se non inviti Katie, lei ci resterà molto male, e questo non è bello.

Avere un migliore amico è la cosa più bella del mondo, anche se è una ragazza. Fammi sapere come va a finire.

Alex

P.S. Spero che ti compri qualcosa di carino con questo piccolo regalo...

Da: Toby
A: Katie
Oggetto: COMPRERAI non COMPRI

L'amico della tua mamma dice sbagliato, proprio come te: dice "spero che ti compri" invece che "spero che ti comprerai". A proposito, vuoi venire alla mia festa la settimana prossima?

Da: Rosie
A: Alex
Oggetto: Donne Dunne

Molto abile, Alex Stewart, ma non ti sei ancora completamente riscattato. Noi, le due donne Dunne, siamo molto difficili da accontentare, lo sai...

Da: Alex
A: Rosie
Oggetto: Re: Donne Dunne

Ah, è così? Be', io ho una teoria che vorrei condividere con te. Posso?

Da: Rosie
A: Alex
Oggetto: Teoria del cavolo

Se proprio devi. Forse la leggerò, se avrò tempo.

Da: Alex
A: Rosie
Oggetto: La mia teoria

Ebbene sì, devo proprio. E tu la leggerai. Sentimi bene: se io ti avessi invitata alla festa per il mio decimo compleanno, Brian la Lagna non sarebbe stato invitato. Se Brian non fosse venuto, non avrebbe rovesciato la pizza sul sacco a pelo di James e se non lo avesse fatto rovinando completamente la mia festa tu e io non lo avremmo odiato a morte. Se tu e io non lo avessimo odiato tu non avresti dovuto bere tanto per trovare la forza di andare assieme a lui al ballo della scuola. E se tu non avessi bevuto... be'... probabilmente non saresti stata tanto sbronza e la tua piccola Katie non sarebbe nata. Quindi io ti ho fatto un favore!

E questa, Rosie Dunne, è la mia teoria.

Da: Rosie
A: Alex
Oggetto: La *mia* teoria

Molto acuto, Alex, davvero molto acuto. Ma non c'era bisogno che andassi tanto indietro nel tempo per assumerti la responsabilità di Katie. Ecco qui la mia teoria.

Se tu non mi avessi tirato il bidone al ballo della scuola, io non ci sarei andata con Brian la Lagna. Se tu ti fossi presentato all'aeroporto quel giorno le nostre vite sarebbero state decisamente diverse.

Da: Alex
A: Rosie
Oggetto: La vita

Sì, comincio a pensarlo anch'io.

Ruby: Loro COSA? Si sono *separati*?
Rosie: Sì, è finita. Triste, vero?
Ruby: Be', veramente non proprio. Perché si sono separati?
Rosie: Incompatibilità di carattere. Non è così che si dice sempre?
Ruby: Non nel mio caso. Mio marito era un bastardo pigro traditore. E Josh a chi è stato affidato?
Rosie: Sally l'ha preso con sé ed è andata a stare dai suoi.
Ruby: Oh, povero Alex. Avanti, dai, vuota il sacco.
Rosie: Be', non sono al corrente di tutto...
Ruby: Bugiarda! Alex ti racconta tutto. E forse è proprio questo il motivo.
Rosie: Abbi pazienza, non vorrai accusarmi di essere la causa

del fallimento del suo matrimonio? È un vero e proprio insulto. È stato tutto un insieme di piccole cose che alla fine gli sono scoppiate tra le mani.

Ruby: E allora quando vai da lui?

Rosie: La settimana prossima.

Ruby: E pensi di ritornare?

Rosie: RUBY! PIANTALA!

Ruby: Va bene, va bene. Però è triste, no?

Rosie: Eh, sì. Alex è distrutto.

Ruby: No, non intendevo questo. È l'ironia di tutta questa storia che rattrista *me*. Non riesco nemmeno a immaginare come ti debba sentire *tu*.

Rosie: Quale ironia?

Ruby: Oh, lo sai... Tu passi anni e anni ad aspettarlo finché alla fine ci rinunci e vai avanti con la tua vita. Alla fine decidi di sposare Greg e qualche settimana dopo Alex rompe con Sally. Sai cosa ti dico? Voi due mancate totalmente di tempismo. Quando imparerete a regolare i vostri passi in modo da riuscire a incontrarvi?

18

Hai un anno oggi!

Che questo giorno ti porti tanto divertimento.
Compi un anno, oggi, non sei contento?
Il nostro ragazzo noi lo amiamo tanto,
perché è la nostra gioia e il nostro vanto.
A Josh (e al suo papà):
vi vogliamo bene e vi auguriamo di passare insieme un buon compleanno e un felice giorno del Ringraziamento.

Con tutto il nostro affetto,
Rosie e Katie

Care Rosie e Katie,

grazie per l'orsetto che mi avete mandato per il mio compleanno. Io lo chiamo Orso. Papà ha inventato il nome tutto da solo. Lui è molto intelligente. Mi piace masticargli l'orecchio e bausciarlo tutto, così, quando papà lo abbraccia si bagna tutta la faccia. Mi piace anche scaraventare Orso fuori dal mio lettino nel bel mezzo della notte e poi strillare finché papà non viene a raccogliermelo. Lo faccio soltanto per ridere. Papà non ha bisogno di dormire. È qui solo per darmi da mangiare e cambiarmi il pannolino.

Ora però è meglio che vada. Ho un sacco di cose da fare con papà durante il fine settimana. Alle nove mangio la pappa, subito dopo faccio un bel ruttino, poi voglio provare a fare qualche passo in salotto. Sono sicuro di saperlo fare. Un giorno o l'altro non atterro più sul sederino...

Grazie per Orso.

Vi voglio bene e mi mancate tutte e due,
Josh (e papà)

Da: Rosie
A: Alex
Oggetto: Buon compleanno

Non posso credere che tu non faccia una festa per il tuo trentesimo compleanno! O forse la fai e non inviti me? In passato hai già avuto la tendenza a fare cose del genere. Gesù! Ma mi senti? Stiamo parlando di vent'anni fa! Non avrei mai pensato che saremmo arrivati a ricordare cose accadute nella preistoria. A ogni modo, buon compleanno. Mangia una fetta di torta per me.

Da: Alex
A: Rosie
Oggetto: Grazie

Scusa se non mi sono tenuto in contatto. Ho quasi finito il periodo di internato in questo ospedale e ora posso andare a fare altri due anni di internato in chirurgia cardiotoracica. I miei cent'anni di studi sono quasi finiti! Nessun festeggiamento per me quest'anno: sono troppo preso a rimborsare il prestito di un milione di dollari.

C'è posta per te da: Greg

Greg: Ciao, tesoro, come va?
Rosie: Oh, oggi sembra proprio senza fine. L'albergo è tutto prenotato per il fine settimana per la parata di san Patrizio. È da stamattina che non faccio altro che registrare l'arrivo di comitive. Adesso c'è un po' di calma e sto fingendo di essere molto impegnata con le prenotazioni al computer, perciò non farmi ridere, o la mia copertura salterà.
Quando dico "calma" intendo che nessuno ci sta seccando alla reception. Ma il chiasso è un'altra storia. Al bar c'è un folto gruppo di americani che stanno cantando vecchi motivi irlandesi. Ci credi che hanno addirittura fatto venire in

albergo la banda di san Patrizio? Non ho mai visto tante facce verdi e tanti capelli rossi tinti in vita mia. Sfortunatamente sono arrivati da Chicago alcuni parenti di Bill Lake. Saranno all'incirca una trentina, e così mi tocca rigare dritto. Pare che il nipote sia un suonatore di trombone nella banda musicale del liceo di Chicago che partecipa alla parata di domenica. Non vedo l'ora che finisca questa giornata. Mi fa male la faccia per il tanto sorridere e mi bruciano gli occhi a forza di fissare questo maledetto computer. Sono al settimo cielo perché Bill mi ha concesso il fine settimana libero! È proprio un tesoro. Non ricordo l'ultima volta che ho avuto un sabato libero, e nemmeno due giorni di fila, se è per questo. Be', vorrà dire che una volta tanto stasera potremo uscire senza la preoccupazione di doverci alzare presto la mattina dopo. Potremmo vederci con Ruby e Ted. Pensavo di portare Katie e Toby alla parata domenica. Che ne pensi? Scusa se salto di palo in frasca, ma mi sembra di essere ritornata a scuola di venerdì pomeriggio, ad aspettare la campanella che annuncia l'inizio del fine settimana.

Greg: Oh, Rosie, mi spiace di rovinarti la festa, ma stasera devo partire per Belfast. L'ho scoperto soltanto stamattina; mi è proprio capitato fra capo e collo. Mi dispiace.

Rosie: Oh, no! Perché devi andare a Belfast?

Greg: C'è un seminario a cui devo partecipare.

Rosie: Un seminario su cosa?

Greg: Sulla finanza.

Rosie: Be', per forza è sulla finanza. Non penso certo che si tratti di cucina francese. Ma *devi* proprio andare? Credi che lo noteranno se ci sei o no?

Greg: No, a essere sinceri non lo noterebbero, però io ci voglio andare. Vedi, è molto interessante e devo tenermi aggiornato.

Rosie: Quanto vuoi imparare ancora sulle stramaledette banche? Ti danno dei soldi e te ne chiedono indietro dieci volte tanto. È tutto qui.

Greg: Mi dispiace, Rosie.

Rosie: Uffa, che barba! Di tutti i fine settimana che Bill poteva lasciarmi liberi, mi capita proprio quello in cui tu devi partire. Lo sai, vero, che non mi capiterà di avere un'altra occasione del genere per un anno almeno?

Greg: Mi piaci perché non esageri mai, Rosie. Senti, adesso devo proprio andare. Ne parliamo più tardi. Ti amo.

Rosie: Aspetta! Hai visto la bolletta del telefono, stamattina?

Greg: E com'era, salata?

Rosie: Indovinato.

Greg: Maledizione. Sarà sicuramente per tutto il tempo che passi a chattare al computer. Non capisco perché tu e Ruby non possiate fare in modo di *incontrarvi*, come fa la gente normale.

Rosie: Perché nessuna azienda ci permetterebbe di stare stravaccate sui loro divani, in pigiama e a fumare. È molto più comodo a casa. Comunque, la bolletta non potrebbe per caso avere qualcosa a che fare con tutte le ore che passi al telefono per cercare di convincere tua madre che è perfettamente in grado di vivere da sola?

Greg: Qualcosa mi dice che tu non hai niente in contrario che io passi quelle ore al telefono con lei, tesoro!

Rosie: Questo è vero! Oh, se solo conoscessimo un direttore di banca disposto a concederci un prestito... come sarebbe più facile la vita...

Greg: Purtroppo, non funziona così, Rosie.

Rosie: Immagina la mia delusione quando l'ho scoperto dopo averti sposato.

Greg: E mi sei rimasta vicino lo stesso... te ne sono grato. Ora devo andare a rifiutare di concedere un prestito ipotecario a qualcuno. Sai com'è. Ti amo.

Rosie: Ti amo.

Da: Kevin
A: Rosie
Oggetto: La mia sorella preferita

Un ciao alla sorella più cara al mondo. Sono Kevin. Rispondimi per e-mail appena hai un po' di tempo. Sono al computer del college, quindi è gratis, e ti devo chiedere una cosa.

Da: Rosie
A: Kevin
Oggetto: Re: La mia sorella preferita

Perché ti fai sentire solo quando hai bisogno di qualcosa?

Da: Kevin
A: Rosie
Oggetto: Re: La mia sorella preferita

Mi sembri la mia ex. E se volessi solamente parlare un po' con mia sorella per vedere come le va la vita? Come sta Katie? Dille che ho chiesto di lei. Come sta Greg? Digli che ho chiesto di lui. Come sta Alex? Digli che ho chiesto di lui. Lo vedi quanto mi interesso? Se hai bisogno di un babysitter per Katie fammelo sapere. Be', è tutto. Abbi cura di te e fatti sentire.

P.S. Potresti chiedere al tuo capo se ha un lavoro per me?

Da: Rosie
A: Kevin
Oggetto: AH-AH!

AH-AH! Lo sapevo che c'era sotto qualcosa! Tu di solito non ti preoccupi di come mi va la vita. Katie sta benissimo, grazie, e anche Greg, e anche Alex. Potresti vederlo con i tuoi occhi come stanno, se ogni tanto ti degnassi di farci una visita. Sì, mi piacerebbe tanto che tu badassi a Katie, grazie tante, ma non sono sicura di potermi fidare di te dopo quello che è successo l'ultima volta.

Da: Kevin
A: Rosie
Oggetto: Sei anni fa!

E dai, Rosie! Sarà successo sei anni fa! Come pensi di poter lasciare a un diciassettenne un appartamento a disposizione senza che lui inviti qualche amico?

Da: Rosie
A: Kevin
Oggetto: Normale!

Kevin, mi avete distrutto la casa. Katie era terrorizzata e trovarti addormentato nel mio letto assieme a quella...

Da: Kevin
A: Rosie
Oggetto: Acqua sotto i ponti

Be', tu mi avevi detto fa' come fossi a casa tua... Comunque, ne è passata tanta di acqua sotto i ponti, ormai siamo entrambi grandi e vaccinati. (Tu veramente stai cominciando a invecchiare... fra un mese sono trenta!) Vorrei tanto che mi potessi aiutare. Ti sarei grato per l'eternità, sul serio.

Da: Rosie
A: Kevin
Oggetto: Mi sei debitore!

E va bene, ma non ti prometto niente. E non combinarmi qualche casino, fratellino, o Bill se la prenderà con me e andrà all'aria il mio grande progetto di rilevare questo albergo.

Da: Rosie
A: Alex
Oggetto: La vita!

Cristo, Alex, chi lo sapeva che Kevin aveva imparato a camminare e a parlare? Pensavo che andasse ancora a scuola. È diventato grande tutto in un colpo. Non che mi abbia mai confidato niente della sua vita... È talmente riservato. È della gente come lui che il mondo si deve preoccupare.

Le cose cambiano troppo in fretta. Non fai in tempo ad abituarti a qualcosa che... zac! È tutto diverso. Hai appena cominciato a capire qualcuno che... zac! È già grande. Sta succedendo la stessa cosa con Katie. Cambia da un giorno all'altro; ogni volta che la guardo mi sembra che il suo viso diventi sempre più adulto. A volte devo smettere di *fingere* di essere interessata a quello che dice e ammettere che *sono davvero* interessata. Andiamo insieme a fare shopping e io seguo i suoi consigli. Andiamo fuori a mangiare e ridacchiamo per ogni stupidaggine. Non riesco a ricordare il momento in cui la mia bambina ha smesso di essere una bambina ed è diventata una persona.

E sta diventando proprio una bella persona. Non so bene dove voglio arrivare con questa mail, Alex, ma ultimamente ho riflettuto su un sacco di cose e ho le idee un po' confuse.

La nostra vita è regolata dal tempo. I nostri giorni sono misurati in ore, il nostro stipendio è calcolato in base a quelle ore, il nostro sapere valutato in anni. Rubiamo pochi minuti della nostra frenetica giornata per goderci una pausa per il caffè. Poi torniamo velocemente alla scrivania, consultiamo l'orologio, viviamo di appuntamenti. Ma alla fine il tempo passa, e nel fondo del tuo cuore ti domandi se quei secondi, minuti, ore, giorni, settimane, mesi, anni e decenni siano stati spesi nel miglior modo possibile.

Tutto quanto gira attorno a noi – il lavoro, la famiglia, gli amici, gli amanti – e tu avresti voglia di gridare "FERMI!", di guardarti intorno, di rimettere a posto alcune cose, per poi continuare. Credo tu capisca quello che intendo dire. Questo è un momento difficile per te, lo so. Ti prego, ricordati che io sono sempre qui per te.

Baci,
Rosie

19

Caro Alex,

devi sapere che il prossimo mese sarà il compleanno della mamma, e io e Toby stiamo preparandole un party a sorpresa. Vieni anche tu? Finora abbiamo invitato la nonna, il nonno, la zia Stephanie, lo zio Kevin (anche se non volevamo farlo perché ci mette paura), Ruby, Teddy, la mamma e il papà di Toby, Toby e io. Per adesso siamo tutti qui. Oh, dimenticavo: anche Greg, se c'è. È sempre al lavoro e la mamma si incavola sempre con lui per questo. Lo scorso fine settimana la mamma non doveva lavorare ed era tutta eccitata perché aveva in progetto di fare non so cosa con Ruby e Greg. Credo proprio di sapere come si sente perché io odio la scuola e sono felice quando arriva il fine settimana. Comunque, Greg è partito all'ultimo momento. Poi le ha telefonato Ruby per avvertire che era malata, così la mamma è rimasta a casa a guardare la tivù con me e con Toby, e poi gli ha permesso di rimanere a dormire da noi.

Toby ha una nuova torcia elettrica favolosa. È bellissima. Quando la mamma è andata a letto noi l'abbiamo puntata fuori dalla finestra e la sua luce arrivava dappertutto fin sulle nuvole, tanto era forte. Poi abbiamo diretto la luce dall'altra parte della strada e abbiamo visto il signore e la signora Gallagher in casa loro. Toby pensa che stessero facendo il gioco della cavallina. Era proprio divertente, ma la signora Gallagher ha attraversato la strada in vestaglia incavolata nera e si è messa a bussare come una forsennata alla nostra porta chiamando la mamma. La mamma era talmente furibonda che ci ha detto che non ci avrebbe portato alla parata, poi invece ci siamo andati.

Io e Toby ci siamo fatti dipingere la faccia. Forte! Abbiamo convinto anche la mamma a farsi dipingere sul viso un piccolo trifoglio, ma poco dopo lei si è pentita perché ha cominciato a piovere e la pittura verde bianca e oro si è sciolta colando lungo le guance. Sembravano le lacrime dell'arcobaleno. Toby si è imbratatato tutti i capelli e io mi sono sfregata gli occhi per sbaglio e il verde mi è entrato dentro. Gli occhi mi bruciavano talmente tanto che non riuscivo a tenerli aperti e non potevo vedere, così la mamma e Toby mi hanno presa per mano e mi hanno portata a casa. Abiamo dovuto andarcene ancora prima che la parata cominciasse.

Eravamo bagnati fradici quando siamo arrivati a casa e il completo nuovo della mamma era diventato verde. La signora che ci aveva dipinto la faccia aveva detto che veniva via lavando i vestiti. E invece no. Toby per tutta la settimana è venuto a scuola con i capelli verdi e la signorina Nasona Alito Pesante Casey non era per niente contenta. Ci credi che adesso è lei la preside? La mamma dice che la scuola sta proprio andando a rotoli. Insomma, quando siamo tornati dal centro abbiamo guardato la parata alla tivù, ma soltanto la fine perché ci abbiamo messo un sacco a tornare per colpa di tutti quei maledetti turisti. È così che ha detto la mamma.

E allora ci vieni alla festa? Puoi portare anche Josh. Abbiamo bisogno di più gente. La zia Stephanie non può venire perché il bambino deve nascere il mese prossimo e non credo che il pilota la lasci volare perché è troppo pesante. La nonna e il nonno vanno a trovare lei, Pierre e il nuovo bambino, se arriva. Lo zio Kevin non può venire perché comincia il nuovo lavoro come chef in un albergo in campagna. Così rimangono solamente Ruby e Teddy, ma Ruby dice che non ci può assicurare che Teddy ci sia perché non le piace fare piani con lui tanto in anticipo. Ma mancano solo due settimane.

Volevo che fosse un giorno speciale per la mamma, perché questa settimana è stata di nuovo triste. In questi giorni succedono delle cose strane. Credo che sia perché il telefono è rotto. Ogni volta che il telefono suona e la mamma risponde, dall'altra parte non c'è nessuno. Succede anche quando rispondo io. Invece non succede quando risponde Greg.

Greg ha detto che avrebbe fatto mettere a posto il telefono e la mamma gli ha rovesciato addosso la sua bibita. Io non credo che sia proprio rotto. Credo che quello che telefona vuole parlare soltanto con Greg e non con la mamma o con me.

Se tu vieni, sarà bellissimo – tu sei troppo divertente. Puoi anche dormire qui, ma non puoi dormire nella camera degli ospiti perché adesso è la camera di Greg, credo. Puoi dormire sul divano oppure posso mettere un altro letto nella mia stanza. Ricorda, non telefonare perché è un segreto, e poi tanto la mamma mette sempre giù il telefono senza nemmeno dire "pronto". Se vuoi, mandami una e-mail.

Baci,
Katie

Da: Alex
A: Katie
Oggetto: Compleanno di Rosie

Grazie per la lettera. Tu e Toby avete avuto una bella idea ma io non aspetterò il compleanno della mamma, se non ti dispiace. Vengo lì il più presto possibile.

Buon compleanno, sorella!

Ci spiace di non poter essere lì.

Baci, Stephanie, Pierre e Jean-Louis

Per la nostra bambina

Buon compleanno!

Ci spiace di non poter essere lì con te. Divertiti, tesoro. Ci vediamo al nostro ritorno.

Baci, mamma e papà

Buon compleanno, sorella

Mi dispiace di non poter essere con te, ma grazie per avermi procurato il lavoro. Ti sono debitore.

Goditi la serata.

Kevin

Buon compleanno, Rosie

Ci dispiace di non poter essere con te ma siamo bloccati qui a rimpiazzare te!

Auguri da tutti i colleghi.

A Rosie

Mi dispiace tanto, ti prego, perdonami. Sono stato proprio uno stupido. Ti prego, dimentichiamo quello che è successo. Divertiti per il tuo compleanno, questo fine settimana.

Baci,
Greg

Buon compleanno

Sbronziamoci.

Baci, Ruby

Rosie,

domani torno a Boston, ma prima di partire volevo scriverti questa lettera. Tutti i pensieri e i sentimenti che mi ribollivano dentro traboccano finalmente dalla penna; ti lascio queste poche righe perché tu non abbia la sensazione che io ti voglia in qualche modo fare pressione. Mi rendo conto che avrai bisogno di tempo per valutare quello che sto per dirti.

So bene che cosa ti sta succedendo, Rosie. Tu sei la mia più cara amica e io vedo chiaramente la tristezza nei tuoi occhi. So che Greg non è via per lavoro, questo fine settimana. Tu non sei mai riuscita a mentirmi. Sei negata. I tuoi occhi ti tradiscono sempre. Non fingere che tutto vada benissimo, perché io *vedo* che non è così. Vedo che Greg è un egoista che non ha la minima idea della fortuna che ha, e questo mi fa stare male.

È l'uomo più fortunato al mondo ad avere te, Rosie, ma non ti merita e *tu* meriti molto di più. Ti meriti qualcuno che ti ami con tutto il cuore, qualcuno che pensi a te costantemente, qualcuno che passi ogni minuto di ogni giorno a domandarsi che cosa stai facendo, dove sei, con chi sei, se stai bene. Hai bisogno di qualcuno che ti possa aiutare a realizzare i tuoi sogni e che sia in grado di proteggerti dalle tue paure. Hai bisogno di qualcuno che ti tratti con rispetto, che ami tutto di te, *soprattutto* i tuoi difetti. Dovresti avere accanto qualcuno che ti possa rendere felice, davvero felice, *spensieratamente* felice. Qualcuno che avrebbe dovuto cogliere l'occasione di stare con te tanti anni fa invece di lasciarsi prendere dal panico e sentirsi troppo spaventato per tentare.

Io non ho più paura, Rosie. Non ho paura di tentare. Ora sono certo di sapere che cosa ho provato al tuo matrimonio: gelosia. Mi sono sentito il cuore andare in pezzi nel vedere la donna che amo voltarmi le spalle e avviarsi lungo la navata al fianco di un altro uomo, un uomo con il quale lei contava di trascorrere il resto della vita. Per me è stata come una sentenza di condanna a vita: gli anni mi si stendevano davanti e io non ero riuscito a dirti i miei sentimenti o a stringerti tra le braccia come avrei desiderato.

Per ben due volte siamo stati l'uno accanto all'altra sull'altare, Rosie. *Per ben due volte.* E per ben due volte abbiamo sbagliato. Avevo bisogno che tu fossi presente il giorno del mio matrimonio, ma ero troppo stupido per capire che avevo bisogno che tu fossi la *ragione* del mio matrimonio.

Non avrei mai dovuto permettere che le tue labbra si staccassero dalle mie, tanti anni fa a Boston. Non avrei mai dovuto allontanarmi. Non avrei dovuto lasciarmi prendere dal panico. Non avrei dovuto sprecare tutti questi anni senza di te. Dammi la possibilità di recuperare il tempo perduto. Ti amo, Rosie, e voglio stare con te, con Katie e con Josh. Per sempre.

Ti prego, pensaci. Non perdere tempo con Greg. Ora tocca a noi. Smettiamola di avere paura e cogliamo questa occasione. Ti prometto che ti renderò felice.

Con tutto il mio amore,
Alex

20

Ruby: Ho deciso: metterò Gary a dieta.

Rosie: *Tu* lo metti a dieta? Come diavolo pensi di controllare quello che mangia un ragazzo di ventun anni?

Ruby: Oh, è facile. Inchioderò tutto al pavimento.

Rosie: Ma che razza di dieta è?

Ruby: Non lo so. Ho comperato una rivista, ma ci sono delle diete talmente stupide che non saprei quale scegliere. Ricordi quella ridicola dieta che abbiamo fatto l'anno scorso? La dieta dell'alfabeto secondo cui ogni giorno dovevamo mangiare cibi che cominciavano con una certa lettera?

Rosie: Ah, sì! E quanto abbiamo resistito?

Ruby: Be'... per ventuno giorni, evidentemente.

Rosie: Oh... certo... evidentemente. E tu sei aumentata di peso il quarto giorno.

Ruby: È perché il quarto giorno, per fortuna, c'era la lettera "D"... dolci... Hmm...

Rosie: Be', però l'ultimo giorno abbiamo recuperato. Stavo morendo di fame alla "Z": praticamente avrei dovuto aggirarmi per lo zoo a caccia di zebre con un coltello da cucina. Forse avrei potuto mangiarmi lo zoo...

Ruby: Può darsi che m'inventi una dieta tutta mia così la pianterò di buttare i soldi per quelle stupide riviste.

Rosie: E quale sarebbe la tua idea?

Ruby: Hmm... Ecco, dovresti mangiare solamente... cibi che ti assomigliano.

Rosie: Scommetto che i dietologi stanno tremando da capo a piedi.

Ruby: No, davvero! Credo proprio di avere scoperto qualcosa! Teddy mi ricorda sempre un pomodoro con quella sua bella facciona rossa e appetitosa. Quei due capelli che gli stanno ritti in testa mi ricordano il picciolo. Mi viene sempre l'impulso di ficcargli la testa in un frullatore con vodka e tabasco. Un Bloody Teddy. Il mio collega Simon mi ricorda un cavolino di Bruxelles. È puzzolente e...

Rosie: Verde?

Ruby: No, soltanto puzzolente.

Rosie: E io che cosa sembro?

Ruby: Bella domanda... Hmm, credo che tu assomigli un po' a una cipolla.

Rosie: E perché, puzzo e faccio piangere la gente? Perché, puzzo e faccio piangere la gente?

Ruby: Perché fai due volte la domanda?

Rosie: Le cipolle lo fanno, no? Ti tornano su.

Ruby: E sei una cipolla spiritosa, per di più. No, credo che sia perché tu hai tanti strati, Rosie Dunne, e con il passare degli anni gli strati si staccano a uno a uno. Credo che lì sotto ci sia molto di più di quanto la gente non pensi. Be', e io che cosa sono?

Rosie: Hmm... una torta. Dolce come lo zucchero e con in cima una ciliegina.

Ruby: Grassa e con poca salute.

Rosie: Senti, Ruby, questa dieta l'hai inventata tu. Se somigli a una torta, tutto quello che puoi mangiare sono le torte. Pensaci.

Ruby: Sì, sono d'accordo con te. Sotto sotto ho sempre pensato di avere la sofficità di una Saint Honoré. Comunque, per ottenere qualche risultato con questa dieta bisogna assomigliare a un ortaggio o a un frutto, e il mio Gary non è né un frutto né un ortaggio.

Rosie: A che cosa ti sembra somigli Greg?

Ruby: Be', questo è facile. Al testicolo di un toro.

Rosie: Ah! Da quando in qua la gente mangia testicoli di toro?

Ruby: È un rito tribale... E va bene, allora è una lumaca. Una viscida, disgustosa, lenta lumaca.

Rosie: Non credo che Greg mangerebbe una lumaca.

Ruby: Chi se ne frega di quello che mangia quel bastardo traditore! A cosa ti sembra che somigli Alex?

Rosie: A un Twix.

Ruby: Vuoi dire che il tuo amico alto uno e ottanta, capelli e occhi castani, pelle bianca, somiglia a una barretta di cioccolato?

Rosie: Sì.

Ruby: Questa sì che è una cazzata...

Rosie: Be', scusa tanto, cara signora Teddy-ha-una-testa-da-pomodoro.

Ruby: Senti, tutto questo parlare di diete mi ha fatto venire fame. Mi concederò uno spuntino, d'accordo?

Rosie: D'accordo! Mi hai tirato su di morale, Ruby.

Ruby: Oops, scusa, non ero tenuta a farlo, vero?

Rosie: No, ma ti perdono.

Ruby: Meno male. Ciao, tesoro.

Rosie: Ciao...

Ruby si disconnette.

Da: Alex
A: Rosie
Oggetto: Ancora un po' di tempo?

Sono Alex. È un po' che non ti sento... Speravo che a quest'ora ti saresti messa in contatto. Se hai bisogno di un po' di tempo ancora, posso capirlo. Ti prego, tienimi al corrente.

Da: Rosie
A: Alex
Oggetto: Re: Ancora un po' di tempo?

Ciao, Twix! Scusa se non ti ho scritto prima, sono stata immersa nel lavoro fin sopra i capelli. Qui c'è stato un sacco da fare, probabilmente perché il sole sta cominciando a far capolino di nuovo; questo Paese è tanto più bello quando splende il sole. Cosa vuol dire che ho bisogno di ancora un po' di tempo? Non ci vuole poi molto ad accettare il fatto che ho trent'anni!

A proposito, grazie per essere venuto alla festa per il mio compleanno. Katie e Toby sono stati tanto carini a organizzarla, anche se tu e Ruby eravate gli unici presenti. Ti prego, scusami se ero un po' di cattivo umore. Probabilmente ero giù di morale perché facevo trent'anni e perché non c'era quasi nessuno dei miei. Certo, sarebbe stato bello se fosse venuta più gente, ma pazienza, non è poi la fine del mondo. C'eri tu e questa è la cosa più importante. Sono stata così felice di vederti. Tu mi sei sempre vicino, Alex, e lo apprezzo molto. Mi dai forza quando mi sento giù.

E allora, come vanno le cose? Come sta Josh? Dagli un grosso bacio e stringilo forte per me.

Da: Alex
A: Rosie
Oggetto: La mia lettera

Non hai ricevuto la mia lettera?

Da: Rosie
A: Alex
Oggetto: Re: Lettera?

Di che lettera parli? Forse la posta è in ritardo; arriverà presto. Quando l'hai spedita?

Caro Alex,

grazie per essere venuto alla festa di compleanno della mamma e grazie per il mio regalo. Era veramente triste prima che tu arrivassi ma credo che tu l'abbia resa felice. Devo chiudere perché la maestra mi sta guardando.

Katie

Cara Katie,

grazie per la lettera. Spero che tu non abbia avuto dei guai a scuola per avermi scritto. Sono felice che il regalo ti sia piaciuto. Di' a Toby che lo saluto e che gli manderò presto l'attrezzatura da baseball. Come sta la mamma? Come vanno le cose a casa? Sai per caso che cos'è un Twix?

Baci,
Alex

Da: Alex
A: Rosie
Oggetto: La mia lettera

Non ho imbucato la lettera; l'ho lasciata a casa tua sul tavolo della cucina prima di andare all'aeroporto. Non l'hai trovata?

Caro Alex,

Toby è al settimo cielo per la roba da baseball. Le cose stanno un pochino tornando alla normalità. Greg dorme nella camera degli ospiti solo qualche volta, ora. La mamma dice che è perché lui russa. Ma non le credo perché io e Toby abbiamo messo nella camera un registratore e lui non russa. Però parla nel sonno! Ha detto: "Non mandate i cavalli sull'arcobaleno!" Davvero! L'abbiamo registrato sul nastro.

Le cose vanno benino ma non come prima. Era bello quando tu eri qui. Adesso preferisco stare a casa di Toby. A proposito, un Twix è una barretta di cioccolato. È la preferita della mamma. Ne va matta. Dice che le piacerebbe fare una dieta a base soltanto di Twix. L'altro giorno ha detto che era innamorata di un Twix poi ha cominciato a baciarlo e a ridere.

Perché lo vuoi sapere? Ne vuoi uno anche tu? Se vuoi te ne posso mandare uno per posta, se non li vendono in Merica. L'ho già fatto quando ero in vacanza in Inghilterra e ho mandato per posta a Toby una barretta di cioccolato perché da noi non le vendono e quando lui l'ha ricevuta era tutta sciolta e incollata alla carta. Toby non ha potuto leggere la mia lettera ma io sono stata contenta perché mentre ero via lui mi mancava molto e gli avevo scritto delle stupidaggini e sarebbe stato imbarazzante. E allora, devo mandartela questa barretta di cioccolato? La mamma dice che non può vivere senza il suo Twix. È proprio strana.

Baci, Katie

Da: Alex
A: Rosie
Oggetto: La mia lettera

Ciao, Rosie. Devo assolutamente parlarti subito. È per via di quella lettera. Ci ho scritto delle cose molto importanti e vorrei che tu la leggessi, se ti è possibile. Ti prego, vedi di trovarla.

Da: Rosie
A: Alex
Oggetto: La tua lettera

Ciao, Alex. Ieri quando sono tornata dal lavoro ho frugato la casa da cima a fondo. Niente. Va tutto bene? Non puoi scrivermi per e-mail quello che hai scritto sulla lettera?

Da: Alex
A: Rosie
Oggetto: La mia lettera

Gesù Cristo, Rosie. Ti telefono tra cinque minuti.

Da: Rosie
A: Alex
Oggetto: La tua lettera

Alex! Non mi puoi telefonare sul lavoro, mi farai licenziare! Di che cosa si tratta?

Da: Alex
A: Rosie
Oggetto: La mia lettera

E allora fingi di parlare al telefono con un cliente, Rosie! Forza, rispondi al telefono.

Da: Rosie
A: Alex
Oggetto: La tua lettera

Oh, aspetta un momento. Greg si è connesso. Prima che ti venga un attacco di cuore, gli domanderò se ha visto la lettera.

Da: Alex
A: Rosie
Oggetto: La mia lettera

Non chiederlo a *lui* per nessuna ragione al mondo!

✉ C'è posta per te da: Rosie

Rosie: Greg, hai per caso trovato una lettera per me sul tavolo della cucina?
Greg: Una lettera? No, mi sembra che ci fosse soltanto la bolletta del tuo cellulare e quella della luce.
Rosie: No, non sto parlando di stamattina; sto parlando di quindici giorni fa, il fine settimana del mio compleanno.
Greg: Ma Rosie, tu non mi hai voluto intorno quel fine settimana. Ho dormito sul divano nell'appartamento di Teddy, ricordi?
Rosie: Oh, poverino. Certo che me lo ricordo, per la miseria. Pensavo che ti piacesse, visto che negli ultimi tempi hai dor-

mito in casa di chiunque. Non sono mica stupida, Greg. Oh, scusa, dimenticavo che tu credevi che lo fossi.

Greg: Tesoro, io...

Rosie: Non cercare di addolcirmi. Hai visto quella stramaledetta lettera o no? Eri a casa lunedì, dopo che Alex è partito.

Greg: No, sinceramente non l'ho vista.

Rosie: Be', ho i miei buoni motivi per non crederti, signor Sinceramente.

Greg: Senti, Rosie, non possiamo andare avanti se tu non mi perdoni e non impari a credere in me di nuovo.

Rosie: So io dove te lo puoi ficcare il tuo perdono! Non ho tempo di stare a chattare con te. È molto semplice: Alex sta aspettando in linea. Ha lasciato una lettera per me. Vuole sapere se qualcuno di noi l'ha trovata. Perciò ti chiedo un'altra volta, Greg: hai visto quella lettera o no?

Greg: No, ti giuro che non l'ho vista.

Da: Bill Lake
A: Rosie Dunne
Oggetto: E-mail personali

Voglio sperare che le e-mail che ha mandato in quest'ultima mezz'ora siano per servizio, Rosie. È appena arrivato un gruppo di ottanta persone per il congresso di questo fine settimana nella suite De Valera. C'è un sacco di lavoro da fare, Rosie.

Da: Rosie
A: Alex
Oggetto: La tua lettera

Alex, Greg non ha trovato la lettera. Magari me ne puoi scrivere un'altra oppure telefonami più tardi quando sono a casa e non quando il Grande Fratello mi sta guardando con quella stupida telecamera di sicurezza puntata su di me. E adesso lasciatemi in pace tutti e due prima che mi licenzino.

Da: Greg
A: Alex
Oggetto: La tua lettera?

Ho saputo che eri in linea, e così spero di prenderti in tempo. Mi sono per caso imbattuto in qualcosa che credo tu stia cercando. Ti sarei molto grato se la smettessi di mandare a mia moglie lettere d'amore. Sembra che tu dimentichi che adesso lei è una donna sposata. Sposata con *me*, Alex.

Rosie e io abbiamo avuto dei problemi, come succede in tutti i matrimoni, ma siamo decisi a buttarci tutto dietro le spalle e a concederci un'altra occasione Devi capire che nessuna tua lettera potrà cambiare questo stato di cose. L'hai detto tu stesso: hai avuto la tua occasione, ma te la sei lasciata scappare.

Cerchiamo di essere realistici, Alex. Tu e Rosie avete trent'anni. Vi conoscete da quando ne avevate cinque. Non credi che in tutto questo tempo, se qualcosa doveva succedere fra voi, se *era destino* che succedesse, sarebbe successo? Pensaci bene. A lei non interessa.

Non voglio più avere niente a che fare con te. Se ti azzardi a rimettere piede in casa mia, sarò più che felice di dimostrarti che non sei per niente il benvenuto. Per risparmiarti l'imbarazzo, non accennerò più al contenuto della tua lettera. E, a proposito, sei in errore. Io apprezzo enormemente il fatto che Rosie sia mia moglie. È una donna meravigliosa, affettuosa, dolce e premurosa, e sono felice che lei abbia deciso di passare il resto della vita con *me.* Perciò puoi continuare a guardare la sua schiena mentre si dirige all'altare perché lei non si volterà.

Da: Alex
A: Greg
Oggetto: Rosie

Credi che il tuo ridicolo tentativo di spaventarmi riuscirà? Sei un patetico piccolo uomo. Rosie sa ragionare con la sua testa e non ha bisogno che tu decida per lei.

Da: Greg
A: Alex
Oggetto: Re: Rosie

E allora che cosa faresti se lei ti dicesse di sì, Alex? Che cosa faresti? Ti trasferiresti a Dublino? Abbandoneresti Josh? Ti aspetti che Rosie sradichi Katie dal suo mondo, lasci il lavoro che ama e si trasferisca a Boston? *Pensaci*, Alex.

C'è posta per te da: Alex

Alex: Non ha avuto la lettera, Phil.
Phil: Oh, maledizione, Alex. Te l'avevo detto di non mettere niente per iscritto! Avresti dovuto parlarle. Non riesco a capire perché non usi la bocca come tutti quanti noi.
Alex: L'ha trovata.
Phil: Quell'idiota del marito? Credevo che fra loro fosse finita.
Alex: Evidentemente no. Comunque, non cambia niente, Phil. Io l'amo ancora.
Phil: D'accordo, ma lei è *ancora* sposata, no? Non ti piacerà quello che ti dirò; oltretutto questa è soltanto la mia opinione, Alex, e il cielo sa che non dai mai retta ai consigli... Comunque io non toccherei la donna di un altro uomo. Io per lo meno la penso così.
Alex: Ma quello è uno stronzo, Phil!
Phil: E lo sei anche tu, però sei mio fratello e ti voglio bene.
Alex: Sto parlando sul serio. Quel tizio l'ha tradita. Non è l'uomo giusto per lei.
Phil: Sì, ma la differenza tra adesso e prima è che *adesso* Rosie sa che lui l'ha tradita. Lei *sa* che quello è uno stronzo. Ma sta ancora con lui. Deve amarlo veramente, Alex. Io farei marcia indietro. Intendiamoci, è soltanto la mia opinione, ma io farei marcia indietro.
Alex: Non sono d'accordo, Phil.
Phil: Benissimo! Sei libero di decidere; fa' come vuoi. So che desideri il meglio per Rosie, ma in questo caso sei stato un

po' egoista. Considera la cosa dal punto di vista di Rosie. Ha appena scoperto che quello stronzo di suo marito la tradisce; deve essere stata dura per lei, ma per una qualche ragione ha deciso di sistemare le cose e di rimanere con lui. Poi, proprio quando si stava abituando all'idea, ecco che arrivi tu fresco fresco, il caro amico nella splendente armatura, e proclami di amarla. Vuoi confondere ancora di più quella povera ragazza? Senti, se quel matrimonio è un disastro, è un disastro, e nel giro di pochi mesi naufragherà e Rosie verrà da te. Però non essere tu il bastardo che cerca di disfare il suo matrimonio. Lei non te lo perdonerebbe mai.

Alex: E così pensi che dovrei stare a guardare? Devo lasciare che sia lei a venire da me quando sarà pronta?

Phil: Qualcosa del genere. Sto pensando di fare anch'io uno di quei programmi che danno in tivù. Sai quelli in cui danno consigli?

Alex: Mi avresti come ospite ogni settimana, Phil. Grazie.

Phil: Nessun problema. Ora, mentre tu vai a dare a qualcuno un cuore nuovo, io vado a dare a un'automobile un nuovo motore. Fuori dai piedi! Fa' quello che devi.

Alex si disconnette.

21

Da: Rosie
A: Alex
Oggetto: Lettera?

Alex, ho cercato la tua lettera dappertutto, ho fatto l'impossibile. Greg e Katie giurano di non averla toccata, perciò non ho idea di dove possa essersi cacciata. Sei sicuro di averla lasciata lì? Quella mattina eravamo talmente di fretta per portarti all'aeroporto che forse te ne sei dimenticato. Ho anche controllato nella camera degli ospiti dove dormivi tu. Tutto quello che ho trovato è una maglietta che hai dimenticato, ma ormai è mia e non te la restituirò!

E allora, cos'era questa lettera? Ieri non mi hai telefonato. Mi stai tenendo sulle spine, Alex!

Da: Alex
A: Rosie
Oggetto: Re: Lettera

Come vanno le cose tra te e Greg? Sei felice?

Da: Rosie
A: Alex
Oggetto: Greg

Caspita, questo sì che è cambiare argomento! È una domanda molto diretta.

E va bene, so che sai benissimo che stiamo attraversando un momento difficile, so che sei preoccupato. E anche che non puoi soffrire Greg, il che mi mette in difficoltà perché vorrei *tanto* che tu lo vedessi come lo vedo io.

In fondo, sotto tutti quegli strati di stupidità, è un brav'uomo. Può anche comportarsi in modo poco generoso, dire cose sbagliate nel momento sbagliato, ma quando siamo soli è un ottimo amico. Mi rendo conto che tendenzialmente sia un egoista, eppure lo amo lo stesso. Può non essere il vicino di posto ideale in una cena importante, però è la persona con cui sento di poter condividere la vita.

So che per gli altri è difficile capire la sua vera natura. Tu lo vedi come un gran pasticcione iperprotettivo e paranoide ma, Dio, è proprio questo che mi fa sentire al sicuro e desiderata. E la sua ingenuità un po' sciocca mi fa ridere! Abbiamo ancora molta strada davanti prima di arrivare a essere una coppia perfetta. Certo, il nostro matrimonio non è come quello delle favole, non mi ricopre di petali di rosa, non mi porta a Parigi nei fine settimana, però quando mi taglio i capelli, lui se ne accorge. Quando mi metto in ghingheri per uscire la sera, mi fa i complimenti. Quando piango, asciuga le mie lacrime. Quando mi sento malinconica, mi fa sentire amata. E chi ha bisogno di Parigi quando può avere un abbraccio?

A un certo punto del mio cammino, senza nemmeno rendermene conto, sono cresciuta, Alex. Una volta tanto, non ho dovuto aspettare i consigli altrui per sapere cosa dovessi o non dovessi fare. Non ho dovuto correre da mamma e papà. Non posso paragonare il mio matrimonio a quello di nessun altro. Ciascuno segue le proprie regole. Riprendere Greg con me è stata una mia decisione, e non l'avrei presa se non avessi capito che Greg, ma soprattutto io, avevamo imparato qualcosa. *So* che quello che è successo non succederà mai più; ne sono convinta. Se non mi sentissi così sicura del nostro futuro, per nessuna ragione al mondo porterei avanti questo matrimonio.

Qualcosa mi dice che l'argomento della tua lettera era questo, Alex; comunque non stare in pena per me. Io sto bene. Grazie, grazie, grazie per essere così sollecito nei miei confronti. Non ci sono tanti amici come te, al mondo.

Da: Alex
A: Rosie
Oggetto: Re: Greg

Ed è ben questo che ho sempre desiderato. Che tu fossi felice.

Cara Stephanie,

come sta la nuova mammina? Spero te la stia cavando bene. Mi rendo conto che per te questo è un gran cambiamento, un cambiamento meraviglioso. Riesci a dormire? Spero di sì. L'ho sempre saputo che saresti stata una mamma splendida: sapevi sempre come prenderti cura della tua sorellina (e anche della sua bambina!).

A proposito, grazie per avermi raccontato tutti i particolari della sua nascita. Sei ancora più stupenda di quanto pensassi! Comunque non è necessario che Pierre mi mandi la videocassetta su cui ha registrato la "magica esperienza". Ricordo fin troppo bene quello che succede... Ti ricordi che da bambine, a scuola, ci facevano vedere quei video per farci passare la voglia di fare sesso mettendoci paura? Ovviamente nessuno si spaventava poi tanto. Se davvero volevano impressionarci, avrebbero dovuto mostrarci il cambio dei pannolini. Quello sì che ci avrebbe fatto scappare via a migliaia per andare a chiuderci in convento.

Nella fotografia sembrate tanto felici: proprio la famiglia perfetta. Esiste ancora qualcosa del genere? Perché, se esiste, allora vuol dire che il mio piccolo "nucleo" non era in fila quando veniva assegnato il titolo di "famiglia".

Non sono sicura di aver fatto la cosa giusta ritornando assieme a Greg. È così difficile sapere quale sia la decisione giusta da prendere. Cristo, Stephanie! Sono sempre stata la prima a proclamare che se mio marito mi avesse tradita non l'avrei mai più ripreso per nessuna ragione. Ho sempre sostenuto che questa era l'unica mancanza che non avrei mai potuto perdonare; e allora che cosa diavolo mi salta in mente di rimettermi con lui?

Cosa mi salta in mente di permettergli di dormire nel letto

accanto a me? Perché gli preparo la cena e lo chiamo quando è pronto in tavola? Non è questo che avevo intenzione di fare. Devo fare un enorme sforzo per trattenermi dal mollargli uno schiaffone ogni volta che mi sorride.

Credevo che mandarlo a quel tal paese sarebbe stata la cosa più facile al mondo, ma l'ho ripreso perché non me la sentivo di affrontare tutto contando esclusivamente su me stessa un'altra volta.

Continuavo a pensare a me e a Katie di nuovo sole e non sono riuscita a sopportarlo. Adesso sto cominciando a mettere in dubbio questa mia decisione. Devo rimanere con lui e ricominciare ad amarlo, oppure devo andarmene e imparare a essere indipendente? Certo non me la sento di affrontare un altro appartamentino minuscolo e uno stipendio da fame per me e mia figlia.

Se solo riuscissi a *perdonarlo*... se riuscissi a cancellare l'immagine delle sue labbra che baciano un'altra, ogni volta che lui mi parla... Quando mi tocca mi viene la pella d'oca, e l'odio che provo nei suoi confronti a volte mi spaventa. So che è difficile che le mie ferite vengano guarite dallo stesso uomo che le ha causate.

E poi è così maledettamente entusiasta per qualunque cosa. È il signor Entusiasmo per antonomasia: andiamo insieme da un consulente matrimoniale, e trova sempre il tempo per parlare con me, per parlare *veramente*. Una vera e propria soluzione da manuale di "come compiacere tua moglie dopo aver scopato con un'altra". Prima di tutto, prendi appuntamento con il consulente, facendo in modo di inventarti la balla che per andarvi sei costretto ad annullare importanti impegni di lavoro; poi prepari la cena ogni sera e riempi la lavastoviglie; domandi a tua moglie almeno mille volte al giorno se sta bene e se c'è qualcosa che puoi fare per lei; provvedi a fare la spesa per la settimana, senza tralasciare piccoli pensieri come la sua torta al cioccolato preferita o l'ultimo bestseller; passi qualche ora seduto in silenzio accanto a lei facendo un compendio della giornata e poi discutendo nei dettagli come ti sembra vada il matrimonio. Esegui le operazioni un centinaio di volte, aggiungi acqua e infine mescoli.

E il bello è che il Greg che ho sposato non avrebbe mai fatto cose del genere. Non si sarebbe mai preoccupato di sostituire il rotolo della carta igienica; non avrebbe mai pulito il piatto dagli avanzi prima di metterlo in lavastoviglie. È cambiato. Persino le piccole abitudini quotidiane che rendono la vita tanto confortevole sono cambiate.

Se riuscissi a trovare la forza di lasciarlo, lo farei, ma sono bloccata in una sorta di limbo inerte. *Adesso* voglio prendere la decisione giusta. Fra quarant'anni non voglio essere una vecchia amareggiata, che non fa che rivolgere a Greg aspri rimproveri per quello che ha fatto. Perché questo matrimonio funzioni davvero devo prima sapere che io posso, se non dimenticare, almeno perdonare.

Devo essere certa che quel po' di amore che provo per lui rifiorirà come un tempo. L'unica cosa che mi rende tanto più forte è l'assoluta certezza che lui non mi farà mai più una cosa simile. Abbiamo passato fin troppe notti a piangere e a litigare perché uno di noi possa affrontare di nuovo una situazione del genere.

Se Alex vivesse in questo Paese, saprei cosa fare. Non mi serve nient'altro che un sostegno. Lui è l'angioletto che siede sulla mia spalla sussurrandomi nell'orecchio: "Puoi farcela!" È strano.

Ho trent'anni ormai, eppure mi sembra di essere ancora una ragazzina. Ancora oggi mi guardo intorno per controllare quello che fanno gli altri, per essere sicura di non essere diversa; e per cercare aiuto, sperando in una spintarella e in una parolina d'incoraggiamento. Ma a quanto pare il mio SOS cade nel vuoto. Nessun altro intorno a me sembra guardarsi attorno domandandosi che cosa fare. Perché ho l'impressione di essere l'unica a sentirsi confusa e preoccupata riguardo alle scelte che ho compiuto e alla strada che devo intraprendere? Dovunque guardo, vedo gente che si dà da fare.

Forse dovrei seguire il loro esempio.

Baci,
Rosie

Cara Rosie,

ti prego, non torturarti con domande di cui non conosci la risposta. Stai attraversando un momento molto difficile, ma ti *stai* dando da fare e lo fai di continuo. Ogni batosta che prendi ti rende più forte.

Io non posso dirti se stare con Greg oppure no. Solamente tu puoi prendere questa decisione. Tutto quello che posso dirti è che se c'è l'amore, allora dovresti coltivarlo con impegno. Ogni più piccola cosa cresce e si sviluppa se la si coltiva con cura, Rosie. Lo stesso è per l'amore. Ma se questo ti rende infelice allora vattene e trova qualcos'altro che ti dia la felicità che meriti.

Ascolta quello che ti dice il cuore e segui il tuo istinto che ti guiderà nella giusta direzione. Mi dispiace di non avere parole di profonda saggezza per te, Rosie, ma almeno sai di non essere sola. Anche gli altri non trovano sempre una risposta alle loro domande. A volte siamo confusi esattamente come te.

Abbi cura di te.

Baci,
Stephanie

Da: Rosie
A: Stephanie
Oggetto: Cuore silenzioso

Il mio cuore non mi dice niente e il mio istinto mi suggerisce di andarmene a letto, raggomitolarmi su me stessa e piangere.

Nota bene:

Non innamorarti più per nessuna ragione al mondo.

Non credere più a un altro essere umano per nessuna ragione al mondo.

Compra dei Kleenex speciali con balsamo protettivo alla calendula se non vuoi ritrovarti un peperone al posto del naso.

Mangia.

Esci dal letto.

E, per l'amor di Dio, smettila di piangere.

Da: mamma
A: Stephanie
Oggetto: Funziona?

Credo di essere riuscita a capire come funziona la posta elettronica. Volevo sapere se è tutto a posto per quanto riguarda i nostri programmi per festeggiare i sessant'anni di papà. Lui crede che andremo semplicemente a bere qualcosa con Jack e Pauline, perciò non rispondermi per e-mail a questo indirizzo perché potrebbe leggerla anche lui. Chiamami sul cellulare. Sarei veramente felice se venissi anche tu. Sarebbe bello essere di nuovo tutti insieme e credo che sarebbe un bene per Rosie. Sono preoccupata per lei; è talmente scombussolata per Greg che è persino dimagrita. Tuo padre è a un passo dal prendere Greg a pugni, il che non gioverebbe a nessuno. Meno che mai alla sua tachicardia. Anche Kevin non rivolge più la parola a Greg, e questo non rende certo la vita più facile alla povera Rosie. Comunque, quanti più di noi le staranno vicino, tanto meglio sarà per lei.

22

Ruby: Senti, qualunque sia la dieta che stai facendo, voglio che la faccia anche Gary.

Rosie: Non sto facendo nessuna dieta, Ruby.

Ruby: Ma sembri malata e sofferente; ed è proprio così che lo voglio... Poco attraente, tutto pelle e ossa, spossato...

Rosie: Grazie tante.

Ruby: Voglio soltanto aiutarti, Rosie. Ti prego, dimmi che cosa ti succede.

Rosie: Non c'è niente che tu possa fare per aiutarmi; Greg e io dobbiamo cercare di risolvere da soli questa situazione. O meglio, io, Greg e Ursula, la splendida consulente matrimoniale. Noi tre siamo diventati una grande squadra: quasi quasi mi viene da piangere.

Ruby: Che bella cosa! E com'è questa Ursula così meravigliosamente cooperativa?

Rosie: Meravigliosamente cooperativa. Ieri mi ha detto che avevo problemi a parlare dei miei sentimenti.

Ruby: E allora?

Rosie: E allora le ho risposto che mi faceva andare in bestia e che poteva andare a farsi fottere.

Ruby: Ben detto. E Greg?

Rosie: Oh, questa è bella. Da primo premio. Il mio maritino dall'intuito sbalorditivo ritiene che io abbia "problemi di comunicazione con la condiscendente Ursula".

Ruby: Povera me!

Rosie: Povera me è il termine adatto, e allora io ho proposto a Ursula di seguire insieme un corso di tecnica della comunicazione per acquisire una soddisfacente capacità comunicativa durante la consulenza matrimoniale.

Ruby: E Greg che cosa ha risposto?

Rosie: Veramente non sono riuscita a sentire che cosa ha detto mentre sbatteva violentemente la portiera della macchina. Comunque non doveva essere niente di piacevole. Aveva le narici dilatate e mi parlava con rabbia, quasi ringhiando. Sto persino pensando di comperare un letto più grande in modo che ci sia spazio anche per Ursula. In questo modo potrebbe venire a sapere tutto di noi. Magari potrebbe contare quante volte scorreggio durante la notte oppure...

Ruby: La situazione mi pare piuttosto tragica.

Rosie: È solo che non vedo come questo tipo di consulenza possa esserci di aiuto. Ursula ci fa soltanto litigare ancora di più costringendoci a discutere ogni più piccolo difetto, ogni mania dell'altro che ci infastidisce. Se appena cominciamo ad andare d'accordo, mi sembra di *vedere* Ursula in apprensione per il suo compenso del prossimo mese. La settimana scorsa siamo stati *un'ora* a parlare di quanto mi indisponga una certa mania di Greg: si lascia di proposito uno sbaffo di latte sulla faccia solo per farmi ridere, il che invece non mi fa ridere affatto, e allora lui mi segue per tutta la casa battendomi la mano sulla spalla sempre con lo sbaffo in faccia, fino a che io non mi decido a ridere.
Ieri abbiamo litigato perché non sopporto quando torce la bocca non appena dico o faccio qualcosa di sbagliato. Se dicessi che il cielo è giallo, il suo labbro superiore comincerebbe a contrarsi in uno strano spasmo convulso alla Elvis Presley. Mi fa andare in bestia che non possa semplicemente *lasciar perdere*. Lui *ha bisogno* di farmi sapere in un modo o nell'altro che ho travisato una certa informazione assolutamente "vitale". *Oh, no*, l'erba è verde, non rosa! Caspita, certo che un'affermazione del genere ci cambia la vita!
La prossima settimana credo che metterò in discussione il fatto che lui si mette sempre quegli stupidissimi calzini che gli compra la sua cara mammina. Lui li trova divertenti. A volte la chiama soltanto per dirle che li ha indosso. Calzini gialli a pallini rosa, calzini azzurri a righe rosse. Sono sicura che anche i suoi colleghi li trovano assolutamente *divertenti*. Quel simpatico funzionario di banca sempre alla moda con i

calzini rosa... dai, facciamoci concedere un mutuo da lui! Oltretutto, quando si siede, i pantaloni salgono e puoi vedere i calzini a chilometri di distanza...

Ruby: Per la miseria! E dicono che hai problemi a esprimerti!

Rosie: Quello che voglio dire è che loro adorano soffermarsi su particolari assolutamente irrilevanti. Non si dovrebbe dare tanta importanza al fatto che Greg mi dia un bacio sulla fronte o sulla guancia ogni mattina, quanto piuttosto al fatto che lui mi baci oppure no.

Ruby: Ma insomma, questa bizzarra consulenza sta producendo qualche effetto positivo sul tuo matrimonio?

Rosie: Non direi proprio. Credo che io e Greg ce la caveremmo meglio senza.

Ruby: Pensi che potreste liberarvi di lei?

Rosie: Dovremmo farlo, altrimenti credo che, per quando Greg avrà compiuto quarant'anni, non saremo più insieme...

Per mio marito

Tanti auguri per i tuoi quarant'anni, tesoro.
Con tanto amore,
Rosie

Buon compleanno!

Adesso sei più brutto e più vecchio.
Katie e Toby

Caro Alex,

ho intenzione di allertare una squadra di soccorso. Dove diavolo sei finito? Sei ancora vivo?

L'altro giorno ho telefonato a tua madre, ma anche lei non ti sente da un po'. Va tutto bene? Ho il diritto di saperlo. Tu devi avere fiducia in me perché io sono la tua migliore amica e perché... così è la legge. E comunque, anche se va tutto bene, mettiti lo stesso in contatto con me. Ho bisogno di fare quattro chiacchiere. È al paragrafo due della stessa legge.

Qui c'è il solito imprevedibile casino. Katie ha compiuto undici anni, come sai. Grazie per il regalo che le hai mandato. Ormai si sente talmente grande da non ritenere più necessario dirmi dove va durante il giorno e a che ora ritornerà a casa. E altre trascurabili informazioni del genere, che a quanto pare una madre non deve necessariamente conoscere. Pensavo di avere ancora qualche anno davanti prima che diventasse un mostro; prima che mi vedesse come una che le mette i bastoni tra le ruote, che interferisce e che fa di tutto per rovinarle la vita. (A dire il vero, *di tanto in tanto* lo faccio.) Adesso questa bambina si mette il rossetto, Alex. Un rossetto rosa, lucido e brillante. E anche i lustrini sugli occhi, lustrini sulle guance e lustrini sui capelli. Ho per figlia un lampadario da discoteca. Ho avuto precise istruzioni di bussare tre volte alla porta della sua camera prima di avere il permesso di entrare, in modo che lei possa identificare l'intruso. (Sono un tantino gelosa perché Toby deve bussare solamente una volta. Greg, invece, deve bussare tredici volte. Povero Greg. A volte, anzi il più delle volte, perde il conto, e Katie si rifiuta di lasciarlo entrare per ragioni di sicurezza. Ma, dico io, chi altri potrebbe essere che bussa alla sua porta per tredici volte, o che per lo meno cerca di bussare per tredici volte?! Però adesso mi sono fatta furba e di tanto in tanto busso solamente una volta, così Katie crede che si tratti di Toby e mi lascia entrare nel suo sancta sanctorum. Ti aspetteresti di trovare le pareti nere, niente luce, poster spaventosi appesi ai muri, invece la camera è incredibilmente pulita e ordinata.)

No so se ti scriva ancora, ma se per caso ti racconta qualche interessante particolare sulla sua vita terribilmente indaffarata e segretissima, per favore fallo sapere anche a me. Sono sua madre e questa è *certamente* la legge. Al lavoro va tutto benissimo. Sono sempre all'albergo e ora sono l'impiegata con il più lungo stato di servizio. Strano, non ti pare? Però – e c'è sempre un "però" quando si tratta di me – mi rendo conto di essere sempre stata ossessionata dai meccanismi interni di un albergo, e mi domando: "È tutto qui?" Fare quello che faccio va benissimo, però mi piacerebbe cercare di costruirmi una carriera. Non avrò pace finché non dirigerò l'intera catena degli Hilton.

Greg dice che sono matta. Secondo lui sarei una pazza a lasciare un impiego con una buona paga, un principale comprensivo e un ottimo orario di lavoro. Lui pensa che qui abbia la vita facile e che dovrei accontentarmi di quello che ho. Forse ha ragione.

Come sta Josh? Mi piacerebbe tanto rivederlo. Dobbiamo fare in modo di ritrovarci al più presto. Non voglio che tuo figlio non sappia nemmeno chi sono. Ci siamo sempre ripromessi che i nostri bambini sarebbero stati grandi amici, ricordi? Non mi va l'idea di essere per lui una di quelle estranee che vanno a trovarlo e, a ogni morte di papa, gli ficcano in mano qualche soldo. Anche a me piacevano molto le persone di quel genere, però vorrei significare qualcosa di più per Josh.

Ecco, credo proprio che per ora queste siano tutte le eccitanti novità che avevo da raccontarti. Scrivimi, telefonami, mandami una mail oppure prendi un aereo e vieni a trovarci. O magari potresti fare tutte queste cose insieme. Ti prego solo di farmi sapere che sei ancora vivo. Mi manchi.

Baci,
Rosie

Cara Rosie,

ti scrivo solo per farti sapere che sono ancora vivo. Più o meno. In questo periodo Sally mi sta praticamente succhiando tutto il sangue dalle vene. Stiamo definendo il divorzio... un vero incubo.

E queste sono le mie novità. Ora devo andare; devo ficcare le mani nel petto di qualcuno.

Da' un bacio a Katie per me.

Alex

Da: Rosie
A: Stephanie
Oggetto: Pettegolezzi!

Grazie per la lettera, Steph. Io sto benissimo, grazie. Siamo tutti sereni e in buona salute; non abbiamo di che lamentarci. Sento di aver preso la decisione giusta riguardo a Greg, e a sentire

Alex, che è alle prese con il divorzio, sono felice che Greg e io abbiamo evitato questo passo. Meno male che Sally e Josh non sono andati ad abitare troppo lontano, così Alex avrà modo di vedere il figlio con una certa regolarità.

Il mio incubo peggiore è quello di perdere Katie. Non so proprio che cosa farei. Può starsene tutto il santo giorno davanti alla tivù a guardare MTV, far andare a tutto volume la musica in camera sua, rovinarmi le giornate obbligandomi ad andare a scuola a battagliare con la signorina Nasona Alito Pesante Casey, spargere lustrini su divani e tappeti, farmi preoccupare da morire quando ritarda anche di un solo minuto sul coprifuoco delle nove, ma è la cosa più importante io ho nella vita. Lei viene sempre prima di tutto e tutti. Sono felice che Alex non sia venuto al ballo della scuola e sono felice che Brian la Lagna fosse una persona tanto noiosa. Gli uomini della mia vita possono anche avermi deluso, ma la ragazzina della mia vita mi ripaga ampiamente ogni giorno.

Gentile signora Rosie Dunne,

dovrei parlarle. Spero le possa andare bene lunedì 16 alle ore 9. Saranno presenti anche i genitori di Toby Flynn. Si tratta dei recenti risultati del compito in classe di matematica. Katie e Toby hanno risposto a tutte le domande in modo assolutamente identico. Ma quello che mi ha colpito è soprattutto il fatto che queste risposte sono per la maggior parte sbagliate. Ne ho parlato con i ragazzi, e loro insistono nel dire che si tratta di una coincidenza.

Copiare, come lei ben sa, è considerato un atto molto grave alla St Patrick School. Mi sembra di vivere un *déjà vu*, Rosie... La prego di volermi telefonare per confermare la sua presenza.

Signorina Casey

23

Da: Rosie
A: Alex
Oggetto: Adulti

Che cosa siamo noi due? Stavo quasi per dire: non abbiamo combinato granché, come "adulti", invece non considero che tu sei alle prese con un divorzio e che io sto cercando di raccogliere i cocci del mio matrimonio, e questo ci rende necessariamente degli adulti. Credo che entrambi lo sospettassimo al tempo in cui giocavamo a guardie e ladri nel giardino dietro casa. Da allora è precipitato tutto!

Da qualche settimana il tempo è bellissimo. Adoro il mese di giugno a Dublino. I palazzi grigi sembrano meno grigi, i volti tristi sembrano più vivaci. Però qui al lavoro fa un caldo terribile. L'intera facciata dell'albergo è di vetro, e in giornate come queste sembra di essere in una serra. È un tale contrasto rispetto ai mesi invernali quando il picchiettio delle gocce di pioggia sui vetri echeggia nel foyer silenzioso. È un suono piacevole, ma a volte i chicchi di grandine martellano con incredibile violenza e i vetri sembrano sul punto di andare in frantumi. Adesso sto guardando il cielo di un azzurro intenso, punteggiato di candide pecorelle di zucchero filato al pascolo. È stupendo. Le auto cabriolet hanno la capote abbassata e la radio a tutto volume, gli uomini d'affari passano con aria distratta davanti all'albergo, le giacche gettate sulle spalle e le maniche delle camicie arrotolate, riluttanti a far ritorno in ufficio. I liceali sembra abbiano deciso di bigiare le lezioni per riversarsi a frotte nel parco. Le anatre si stanno radunando sulle rive dello stagno, felici di non dover andare a caccia di cibo almeno per oggi. Mucchietti ancora intatti di pane inzuppato galleggiano in attesa di essere beccati.

Due ragazzi flirtano rincorrendosi attorno alla grande fontana e godendosi il refrigerio dei suoi zampilli. Le coppie di innamorati si distendono sull'erba guardandosi negli occhi pieni di desiderio. I bambini si divertono nel campo giochi mentre i loro genitori si crogiolano al sole, tenendo un occhio chiuso e l'altro pigramente puntato sulla loro prole irrequieta, che lancia grida acute al colmo della gioia.

I commercianti indugiano sulla soglia dei negozi deserti a osservare il mondo. Dai loro uffici soffocanti gli impiegati guardano con aria sognante fuori dalla finestra e osservano con invidia la città palpitante di febbrile attività.

L'aria risuona di risate, la gente sorride, cammina con passo più leggero. La veranda dell'albergo è affollata di persone che si godono il sole sorseggiando bibite: tè ghiacciato, gin e tonic, granite all'arancia, cocktail, macedonie di frutta, coppe di gelato. Tutti si sono liberati di giacche e soprabiti che sono appesi allo schienale delle sedie.

Le donne delle pulizie canticchiano sottovoce e sorridono mentre lucidano gli ottoni, sentendosi inondare il volto dai raggi del sole. Giornate come questa non capitano spesso, e puoi scommettere che tutti desidererebbero il contrario.

Io sto seduta qui e penso a te. Con tanto affetto.

Da: Alex
A: Rosie
Oggetto: Felice!

Che lettera piena di poetica gioia! Sono appena tornato da un fine settimana con Josh. È diventato un trottolino tutto pepe. Non fa che correre a destra e a sinistra cercando di agguantare qualsiasi cosa. A un certo punto ho temuto che distruggesse la casa. Comunque sta benone e io mi sento felice e ringiovanito. Vederlo mi illumina nel vero senso della parola, come se un interruttore venisse acceso da qualche parte nel mio corpo. Potrei stare a osservarlo in eterno. Osservare come impara, come cerca di capire, come alla fine trova il modo di fare una certa cosa senza l'aiuto di nessuno. Josh ama il rischio; è più coraggioso di me. Lui fa sempre un passo in più anche se sa che non dovrebbe. Lo fa comunque e impara. Penso che noi adulti abbiamo molto da imparare da questo. Forse a non essere tanto timorosi ed eccessivamente prudenti nel cercare di raggiungere i nostri scopi.

E allora io accetto il consiglio di Josh. Questa settimana, un chirurgo che ammiro molto ha organizzato un congresso. Si tratta di una serie di incontri durante i quali illustrerà una nuova tecnica che ha sviluppato. Ho intenzione di cercare di incontrarlo... io e tutti gli altri mille e più aspiranti cardiochirurgi che saranno presenti. Si dice che sia irlandese e che si sia trasferito qui per portare avanti gli studi, e che cerchi collaboratori.

Incrocia le dita e prega che avvenga un miracolo.

Da: Rosie
A: Alex
Oggetto: Incontro misterioso

La prossima settimana ho in programma un incontro misterioso con Bill, il mio capo. Non ho idea di che cosa si tratti, ma sono un po' nervosa. È arrivato in volo ieri, piuttosto di cattivo umore, e ha avuto una serie di incontri segreti per tutto il giorno. C'è stata una processione ininterrotta di persone dal fare sospettoso, vestite di scuro, che arrivavano a intervalli di un'ora l'una dall'altra per parlare con lui. Ho una gran brutta sensazione, qui alla bocca dello stomaco.

E come se non bastasse, suo fratello, Bob, arriva domani mattina. Si riuniscono soltanto per decidere delle assunzioni e dei licenziamenti. Credo che in realtà questa sia l'unica cosa che fa Bob. Bill si occupa di tutto nei loro alberghi sparsi per il mondo e Bob spende la sua parte di guadagni in case, automobili, vacanze e donne, almeno così ho sentito raccontare. Ma perché gli uomini mettono le donne sullo stesso piano di automobili e vacanze, come se fossimo premi in palio di uno spettacolo a quiz? Se io fossi ricca, non sentiresti certo la gente dire: “Gesù, guarda Rosie Dunne! Non fa altro che spendere i suoi soldi in scarpe, vestiti e uomini”. Suonerebbe strano, non ti pare?

Spero non mi licenzino. Non so proprio che cosa farei. Credo che sarei disposta ad andare a letto con lui pur di continuare a rimanere qui. Pensa fino a che punto amo questo lavoro. E fino a che punto mi terrorizza la prospettiva di dovermi mettere a cercare un impiego da un’altra parte. E fino a che punto sono disperata per arrivare a dormire con un uomo che non sia Greg, tanto per cambiare. Io lo amo ma, che Dio lo benedica, è un autentico schiavo della routine.

Ora sarà meglio che vada e mi dia un’aria estremamente indaffarata così non avranno alcun valido appiglio per buttarmi fuori. Incrocia le dita per me, e io le incrocerò per te.

Da: Alex
A: Rosie
Oggetto: Re: Incontro misterioso

Non preoccuparti, andrà tutto bene! Non hanno alcuna ragione per licenziarti! (Oppure sì?) Non hai fatto niente di sbagliato da quando hai cominciato a lavorare lì. Non ti sei mai nemmeno data malata! Andrà tutto benissimo. Ora sto per uscire per andare al congresso. Buona fortuna a tutti e due!

Da: Rosie
A: Alex
Oggetto: Re: Incontro misterioso

Hai ragione. Non possono licenziarmi. Sono proprio una stupida. Io sono un’impiegata modello. Non hanno motivo di licenziarmi. Per lo meno nessun motivo che loro conoscano. Cioè, non potrebbero mai venire a sapere della volta in cui ho portato Ruby a vedere la suite all’attico. E, se anche fosse, come potrebbero sapere che abbiamo ordinato la cena in camera e che siamo rimaste lì a dormire? Non ti pare?

Forse si sono accorti che mancavano gli accappatoi. Ma erano talmente comodi che ho dovuto portarne uno a casa...

O magari è stato per il minibar vuoto. Eppure ricordo perfettamente di aver chiesto a Peter di rifornire il frigorifero, e lui mi doveva un favore dopo che io avevo offerto ai suoi genitori uno sconto per il giorno di san Valentino a metà maggio. No, non può essere per questo... Oh, Dio! Questa attesa mi sta uccidendo. Non voglio tornare a lavorare per Andy Manomorta, e non credo di aver più l'energia sufficiente per ricominciare a spedire curriculum. E neanche per affrontare lo stress di un altro colloquio.

Vogliono soltanto avere un incontro con me. Ma Bill non mi ha sorriso mentre me lo comunicava e i suoi occhi non erano allegri come al solito. Che cosa significa?!

Da: Rosie
A: Alex
Oggetto: Licenziata!

Oh, mio Dio! Anche la nuova ragazza tutta pelle e ossa ha un colloquio la prossima settimana. È la peggiore impiegata che abbia mai conosciuto. Sono più le volte che si è data malata che non le volte che è qui al lavoro. Probabilmente perché non mangia mai. Gli intervalli per il pranzo sono tempo sprecato con lei. Rimane a fissare il tuo piatto, dall'altro lato del tavolo, con un'espressione terrorizzata, come se il cibo fosse il diavolo in persona, e sorseggia una bottiglia d'acqua. Poi quando è a metà della bottiglia si sente sazia, chiude il tappo e lascia lì la bottiglia. Sarà meglio che mi metta a cercare un impiego.

Da: Alex
A: Rosie
Oggetto: Datti una calmata!

Per l'amor del cielo, Rosie, ti amo con tutto il cuore ma devi darti una calmata!

✉ **C'è posta per te da: Ruby**

Ruby: Ooh, e così ti ama con tutto il cuore, eh?
Rosie: Ruby, piantala di leggere le mie mail.
Ruby: Allora scegli una password meno ovvia di Fiorellino. Sembra che voi due ve la intendiate, ultimamente.
Rosie: Niente affatto. Perché diavolo dovremmo intendercela??!
Ruby: Se non lo sai tu...
Rosie: Per favore! Speravo che per una volta nella tua vita tirassi fuori un'opinione sensata.
Ruby: Un'opinione ce l'ho, e la conosci benissimo.
Rosie: Andiamo d'accordo come sempre, tutto qui. Alex si è tirato un po' su. Credo che sia di nuovo felice.
Ruby: Perché è innamorato...
Rosie: Non è innamorato. Be', per lo meno non di me.
Ruby: Oh, scusa. Sono stata fuorviata da quello che ti ha scritto nella mail, che "ti ama con tutto il cuore".
Rosie: Come un amico ama un'amica, Ruby.
Ruby: Tu sei mia amica, e io non ti amo con tutto il cuore. Diavolo, non amo nemmeno Teddy con tutto il cuore.
Rosie: E va bene, Alex e io siamo pazzamente innamorati, abbiamo intenzione di scappare insieme e di vivere una storia appassionata.
Ruby: Lo vedi? Non fa tanto male ammetterlo, non ti pare?
Rosie: Resta in linea, Ruby.
(Rosie si allontana dal computer.)
Rosie: Oh, mio Dio! Gambo di sedano sta uscendo adesso dal colloquio con Bill e Bob e sta piangendo come una fontana. L'hanno licenziata. Adesso tocca a me. Merda. Sarà meglio che vada. Merda. Merda. Merda.

Rosie si disconnette.

24

Kevin,

ciao, figliolo. So che non sono bravo a scrivere lettere, ma penso che tu abbia dato alla mamma e a me il numero di telefono sbagliato degli alloggi del personale. Ogni volta che chiamo, il telefono non fa che suonare a vuoto, a qualunque ora del giorno e della notte. O il numero è sbagliato, o l'apparecchio ha qualcosa che non va, oppure tutti quanti lavorate talmente tanto che non c'è mai nessuno a rispondere. Non mi piacerebbe dover dividere il telefono con trenta colleghi. Non potresti prenderti uno di quei cellulari? In questo modo la tua famiglia potrebbe mettersi in contatto con te, di tanto in tanto.

Spero che lì tu non stia facendo nessuna stupidaggine. Rosie si è molto esposta procurandoti quel posto nelle cucine. Non mandare tutto a monte come con i tuoi precedenti lavori. Adesso hai l'opportunità di cominciare la tua vita con il piede giusto. Il tuo vecchio ha sessant'anni, ormai; non puoi fare assegnamento sul fatto che ci sarò sempre io ad aiutarti, lo sai.

È un peccato che tu non sia potuto venire a casa per la festa del mio pensionamento. L'azienda ha invitato tutta la famiglia. Ci hanno trattato benissimo per l'intera serata – anzi, a dire il vero mi hanno trattato benissimo per più di trent'anni. Stephanie, Pierre e Jean-Louis sono arrivati dalla Francia. E c'erano anche Rosie, Greg e la piccola Katie. È stata una bella serata. Non ti sto rimproverando, figliolo: avrei soltanto voluto che ci fossi anche tu, ecco tutto. Comunque è stato emozionante. Se tu fossi stato lì, avresti visto il tuo vecchio piangere.

La vita è proprio strana. Ho passato quarant'anni a lavorare per loro; mi ricordo del primo giorno come fosse ieri. Ero uscito fresco fresco dalla scuola, zelante e pieno di buona volontà. Volevo cominciare a guadagnare per chiedere a tua madre di sposarmi e per poter comperare una casa. Nella prima settimana di lavoro abbiamo dato una piccola festa in ufficio per un collega anziano che andava in pensione. Io non lo tenevo in grande considerazione. Gli altri facevano discorsi, gli davano i regali, parlavano dei vecchi tempi. Io invece ero contrariato perché mi costringevano a rimanere in ufficio fino a tardi, non pagato, mentre avrei soltanto desiderato essere fuori di lì per andare a fare la proposta di matrimonio alla mamma. Il vecchio era lì da una vita, aveva le lacrime agli occhi, era veramente sconvolto all'idea di doversene andare, continuava a interrompere il suo discorso. Io pensavo che non avrebbe mai smesso di parlare, che non sarei più riuscito ad filarmela. Avevo con me l'anello di fidanzamento. Continuavo a infilarmi la mano in tasca per assicurarmi che la scatolina di velluto fosse ancora lì. Non vedevo l'ora che quel tizio la finisse. Si chiamava Billy Rogers.

Prima di andare via ha voluto prendermi da parte per spiegarmi alcune cose della ditta, visto che ero nuovo. Io non ho ascoltato una sola parola. Parlava e parlava come se non avesse nessuna intenzione di lasciare quello stramaledetto ufficio. Io gli ho fatto fretta. L'azienda non era tanto importante per me, allora.

In seguito ha continuato a venire a farci visita ogni settimana. Gironzolava tra le scrivanie, infastidiva i nuovi arrivati e a volte anche i vecchi colleghi, dando consigli e impicciandosi di cose che ormai non lo riguardavano più. Noi volevamo soltanto fare il nostro lavoro. Lui viveva letteralmente per quel posto. Tutti quanti gli abbiamo consigliato di cercarsi un passatempo. Di tenersi occupato. Pensavamo di aiutarlo. Era un consiglio che gli davamo con tutto il cuore. Un consiglio dettato unicamente da un senso di altruismo – e anche dal fatto che stava veramente cominciando a farci incavolare. È morto qualche settimana più tardi. Un attacco di cuore sul campo da golf. Aveva seguito il nostro consiglio e stava prendendo la prima lezione.

Non ho pensato a Billy Rogers per quasi trent'anni. A essere sincero, mi ero completamente dimenticato di lui. Ma da quella sera non so levarmi dalla testa il pensiero di Billy Rogers. Guardandomi attorno, con le lacrime agli occhi, ascoltando i discorsi, ricevendo i regali, cogliendo le occhiate furtive che i giovani impiegati lanciavano agli orologi mentre probabilmente si domandavano quando avrebbero potuto tagliare la corda per andare a casa dalle fidanzate o giovani mogli o dai bambini... non potevo fare a meno di pensare a tutti quelli che avevano varcato la soglia di quell'ufficio. Ho pensato ai due colleghi che hanno cominciato a lavorare lo stesso giorno in cui ho cominciato io: Colin Quinn e Tom McGuire. Loro non sono mai arrivati alla pensione come me. Questa è la vita. La gente viene e va.

D'ora in poi non ci saranno più risvegli di prima mattina per me. Ho recuperato tanto di quel sonno che non avrei mai immaginato mi sarebbe stato necessario. Il giardino è pulitissimo; in casa, tutto quello che era rotto adesso è aggiustato. Ho giocato a golf tre volte, questa settimana, sono andato a trovare Rosie due volte, ho portato a spasso Katie e Toby per un'intera giornata, eppure ho ancora l'impressione di dover saltare in macchina per correre in ufficio a insegnare ai novellini una o due cose su come si lavora. Ma non mi daranno retta; loro vogliono e hanno bisogno di imparare da soli.

E allora ho pensato di fare come le donne Dunne e di mettermi a scrivere. A quanto pare non fanno altro che scrivere. Per lo meno, la bolletta del telefono sarà meno salata. Fammi sapere come ti vanno le cose, figliolo.

Sai qualcosa del lavoro di Rosie?

Papà

Da: Kevin
A: Stephanie
Oggetto: Papà

Ciao, come va? Oggi ho ricevuto una lettera da papà. Papà che scrive una lettera è già strano di per sé, ma quello che scrive è ancora più strano. Sta bene? Parlava di un certo Billy Rogers, morto più di trentacinque anni fa. Assicurati che non stia andando fuori di testa. A ogni modo, mi ha fatto piacere ricevere notizie da lui, però mi sembrava un altro. Il che non è necessariamente una cosa negativa. Mi spiace di non essere potuto venire alla festa del suo pensionamento. Non mi è stato proprio possibile liberarmi.

Di' a Pierre e a Jean-Loius che ho chiesto di loro. Di' a Pierre che la prossima volta che ci vediamo lo batterò a occhi chiusi in cucina, a dispetto della sua abilità culinaria! Papà ha accennato al lavoro di Rosie. Che cosa ha combinato, stavolta?

Da: Stephanie
A: mamma
Oggetto: Kevin e papà

Ci deve essere qualcosa nell'acqua, lassù in Irlanda, perché ho appena ricevuto una mail da tuo figlio, il mio fratellino Kevin. Sì, Kevin, il ragazzo che non chiama mai casa a meno che non gli servano quattrini. Mi ha scritto per dirmi che papà gli ha mandato una lettera, ed era preoccupato! Hai mai saputo che papà abbia anche soltanto leccato un francobollo?

Kevin diceva che papà parlava di nuovo di Billy Rogers. Anche a me ha raccontato di lui. Sei sicura che stia bene? Penso sia entrato in un periodo contemplativo, ora che è in una nuova fase della sua vita. Per lo meno adesso ha il tempo di pensare. Tutti e due avete lavorato talmente tanto! Ora il tuo piccolo Kevin se ne è andato, Rosie e Katie se ne sono andate, io me ne sono andata e la casa è finalmente tutta per voi. Posso capire che per papà sia molto difficile rassegnarsi all'idea. Eravate abituati a una casa piena di bambini schiamazzanti e di adolescenti litigiosi. Quando finalmente noi siamo cresciuti, è arrivata una bambina che piangeva in continuazione e voi siete stati così buoni da dare una mano a Rosie. So che è stata dura, anche da un punto di vista finanziario. Adesso è ora che pensiate un po' a voi stessi.

Kevin ha accennato al lavoro di Rosie; non voglio chiamarla prima di avere avuto notizie da te. Era talmente preoccupata di perdere il posto. Fammi sapere qualcosa.

Da: mamma
A: Stephanie
Oggetto: Re: Kevin e papà

Hai proprio ragione. Credo che tuo padre abbia più tempo per pensare, e anche per scrivere. Sono così contenta di averlo a casa! Non deve scappare via in tutta fretta, non deve concentrarsi su problemi di lavoro che devono assolutamente essere risolti mentre io cerco di fare conversazione con lui. Ora è tutto per me.

Mi sono sentita anch'io così quando mi sono licenziata, ma credo che per me sia stato un po' diverso. Io avevo già cominciato a lavorare part-time quando è nata Katie per poter dare una mano a Rosie. E quando alla fine ho lasciato definitivamente, non mi è sembrato un cambiamento tanto drastico. Ma tuo padre sta cercando di trovare il suo nuovo ruolo.

Sono sorpresa che tu non abbia saputo niente del lavoro di Rosie. Pensavo che saresti stata una delle prime a esserne informata (a parte Alex, naturalmente), ma forse non si sentiva ancora pronta per parlarne. A volte quella ragazza mi fa davvero preoccupare. Credimi, non ha fatto altro che ripetermi tutta la settimana che stava per perdere il posto, poi alla fine mi chiama per dirmi che ha avuto un colloquio con i suoi capi e che ha avuto una promozione!

Oh, Stephanie, eravamo così felici per lei! Mi sorprende che non ti abbia ancora dato la buona notizia, ma è successo soltanto qualche giorno fa. A ogni modo, lascerò che ti racconti lei o avrò dei guai per averle rovinato la sorpresa. Ora sarà meglio che vada. Tuo padre mi sta chiamando. Dobbiamo andare al vivaio. Se continua a piantare fiori e alberi in giardino più che un giardino, sembrerà una giungla!

Abbi cura di te, tesoro, e bacia e abbraccia forte il piccolo Jean-Louis da parte del nonno e della nonna!

25

Da: Stephanie
A: Rosie
Oggetto: Promozione!

So che sei al lavoro, perciò non ti telefonerò. Oggi ho ricevuto un messaggio dalla mamma. Che cos'è questa storia della promozione? Rispondimi il più presto possibile!

Da: Rosie
A: Stephanie
Oggetto: Re: Promozione

Non posso credere che la mamma sia tanto chiacchierona! EBBENE SÌ!! È vero, e io sono semplicemente elettrizzata per questo nuovo incarico. Sono stata nominata "responsabile della clientela" e prima che ti esalti come i nostri amati genitori, tengo a precisare che non si tratta del posto di direttore. Io sarò completamente a disposizione della clientela, per garantirne la più completa soddisfazione (almeno così mi hanno detto...)!

Sono stata colta alla sprovvista. Mi ero letteralmente trascinata nella grande sala delle conferenze dove avevo avuto il mio primo colloquio, anni fa, con il cuore che mi martellava in petto e le gambe che mi tremavano. Provavo tutta una serie di strane sensazioni: le mani mi sudavano, le ginocchia di gelatina. Avevo visioni in cui ero costretta a ritornare a lavorare per Andy Manomorta finché io e lui diventavamo vecchi pensionati. Mi ero veramente convinta che Bill e Bob Lake avessero intenzione di chiedermi di ritornare zitta e buona alla mia scrivania, raccogliere tutte le mie cose, lasciare l'albergo e non tornare mai più.

Invece sono stati molto generosi con me. Mentre mi spiegavano in cosa consisteva l'incarico, hanno saputo infondermi una gran fiducia in me stessa. Hanno detto che erano entusiasti delle mie prestazioni in questi anni (e spero che non si riferissero alla volta in cui mi sono sdraiata sul pianoforte e ho cantato canzoni di Barbra Streisand dopo che tutti i clienti erano rientrati nelle loro camere. Be', non si può biasimare una ragazza perché cerca di vivere una sua fantasia, quando ne ha la possibilità...). Hanno attaccato a dirmi che ero una persona piena di fascino e sicura di sé, e intanto dentro di me aspettavo il momento in cui sarebbero scoppiati in una risata, guardandomi come fossi una pazza per aver creduto alle loro parole, per poi annunciarmi che la promozione era uno scherzo. Continuavo a guardarmi attorno alla ricerca di una telecamera nascosta.

E invece a quanto pare mi trasferirò in un nuovo albergo che è ancora in costruzione (da qui gli incontri segreti con tutta quella gente vestita di nero, cartelle di pelle, gel tra i capelli e faccia seria, che sfilava come fosse in maschera nella hall; era come se stessero recitando una specie di stravagante imitazione di *Matrix*). Se Bill e Bob fanno sul serio, il mio incarico consisterà nell'essere l'unica responsabile della gestione globale dell'albergo e dovrò tenermi in rapporto con la direzione centrale e inviare relazioni settimanali. Finora non avevo mai dovuto "tenermi in rapporto". Suona sexy e pericoloso. Qualsiasi impiego che mi imponga di "tenermi in rapporto" con i capoccioni della direzione centrale è il lavoro che fa per me. Già mi immagino tutta agghindata con un abito da cocktail a una cena di lavoro in mezzo a un gruppo di elegantoni, a parlare in tono sommesso di grafici e istogrammi e rapporti finanziari. Se qualcuno ci chiedesse che cosa stiamo facendo, potrei rispondere con un certo distacco: "Oh, non faccia caso a noi, stiamo solo tenendoci in rapporto..."

A quanto pare ho una grande attitudine per l'organizzazione e buone capacità comunicative. Chiunque abbia visto come mi precipito a comperare i regali di Natale alla sera della vigilia conosce la verità. Ma ciascuno di noi ha il proprio modo di considerare le cose.

Da: Alex
A: Rosie
Oggetto: Congratulazioni!

Sono molto fiero di te! Se fossi stato lì, ti avrei fatto fare una piroetta, seguita da un grosso bacio umidiccio! Lo vedi, Rosie, le cose belle possono succedere anche a te, hai soltanto bisogno di un po' più di fiducia in te stessa e di smetterla di essere sempre così negativa.

E allora, dove si trova questo nuovo albergo? Raccontami tutto.

Da: Rosie
A: Alex
Oggetto: Promozione

Veramente non so ancora dove si trovi l'albergo, ma ho il vago sospetto che sia sulla costa. Ci credi che finalmente andrò a lavorare in un albergo in riva al mare? Perderò più tempo perché dovrò fare la spola, comunque ne varrà la pena pur di lasciare la città per qualche ora al giorno. Dovrei essere laggiù nel giro di pochi mesi. Questo centro vacanze di cui mi hanno parlato i capi è situato attorno al campo da golf di diciotto buche che stanno costruendo. Ci saranno una palestra e una piscina e molte altre attrezzature per lo sport e il tempo libero, a differenza dell'albergo qui a Dublino che si trova nel centro della città e non ha che le camere, una piccola palestra e i ristoranti.

Sono un po' vaga per quanto riguarda i particolari perché non sono ancora stata informata di tutto. I capi mi hanno chiesto se fossi interessata al nuovo incarico, e naturalmente non ho potuto rifiutare!

Questa esperienza mi ha insegnato qualcosa. Mi ha insegnato che sono pronta. Sono pronta ad accettare una nuova sfida e, senza avere assolutamente pensato a nessuna strategia, sembra che mi stia avvicinando sempre più al mio sogno. Chi avrebbe mai pensato che il sogno infantile di gestire un albergo dopotutto non era tanto fuori dalla mia portata? È strano, perché quando sei un bambino credi di poter diventare chiunque tu desideri, di poter andare dovunque vuoi. Non ci sono limiti.

Ti aspetti l'impossibile, credi ciecamente nella *magia*. Poi, man mano che diventi adulto, quell'ingenuità va in mille pezzi. La realtà della vita ti si para davanti e resti sconcertato nel constatare che non puoi diventare quello che volevi diventare, che devi rassegnarti ad avere qualcosa di meno.

Perché smettiamo di credere in noi stessi? Perché permettiamo che le nostre vite siano dominate dagli eventi, dalle persone e da qualunque altro fattore tranne che dai nostri sogni?

Ma adesso ho di nuovo cambiato parere. Niente è impossibile, Alex. Il mio sogno è stato lì per tutto il tempo. Semplicemente, io non allungavo la mano a sufficienza per afferrarlo.

Niente è impossibile. Non male come affermazione... per uscire dalla penna (o per meglio dire dalla tastiera!) di una cinica. Grazie per la fiducia che hai in me, Alex. Vorrei tanto poter ricambiare l'abbraccio e il bacio! Ma, dopotutto, forse alcune cose sono davvero al di là della nostra portata.

Da: Alex
A: Rosie
Oggetto: Sogni

Ancora una volta non ti impegni abbastanza, Rosie. Io sono qui. Ci sono sempre stato e ci sarò sempre.

Nota bene.
Sogna, sogna, sogna, Rosie Dunne!

✉ **C'è posta per te da: Ruby**

Ruby: Che cosa diavolo vorrebbe dire l'ultimo messaggio di Alex?

Rosie: Santo cielo, Ruby, piantala di leggere le mie mail!

Ruby: Scusa, non riesco proprio a trattenermi, ma ti assicuro che continuerò a leggerle fino a che non cambierai la password e fino a che non troverò un impiego che mi interessi veramente.

Rosie: Be', sembra proprio che dovrò cambiare la password...

Ruby: Ah ah. Dai, su, ormai l'ho letto. Di che cosa stava parlando Alex? Che cos'è questa storia di impegnarsi abbastanza?

Rosie: Tu cosa credi che voglia dire?

Ruby: Sono io che lo sto chiedendo a te, e l'ho chiesto per prima.

Rosie: Ruby, non essere così infantile. È semplicemente un amico che mi dice che per me ci sarà sempre, per qualunque evenienza, che non è poi così lontano da me e che tutto quello che devo fare è chiamarlo e lui sarà lì.

Ruby: Oh, sì, ho capito.

Rosie: Ecco che ricominci con il sarcasmo! E allora quale sarebbe la tua teoria? Suppongo che tu pensi sia il suo modo segreto per dirmi che è innamorato di me, che sarà sempre a mia disposizione e che se soltanto io gli facessi un cenno lui pianterebbe tutto, la sua nuova vita a Boston, la sua famiglia, il suo straordinario lavoro, per venire in mio soccorso e portarmi via in quattro e quattr'otto per andare a stare in una casa sulla spiaggia... non so... alle Hawaii, dove potremmo vivere per sempre felici, lontano dalle preoccupazioni e dalle difficoltà del mondo... Suppongo che tu lo interpreteresti così, quel messaggio. Tu e la tua mente malata travisate sempre le cose, cercando di capire se noi due...

Ruby: No, Rosie, io volevo dire veramente: "Oh, sì, ho capito". Va bene, ti credo.

Rosie: Oh.

Ruby: Ti va bene così?

Rosie: Sì, certo. Pensavo soltanto che ci avessi letto qualcosa di più, come fai di solito, ecco tutto.

Ruby: No, va bene così. Credo che lui intendesse semplicemente esserti di sostegno come amico.

Rosie: Oh... d'accordo.

Ruby: Perché, volevi che intendesse qualcosa di diverso?
Rosie: Oddio, no. È solo che mi aspettavo che tu partissi in quarta con le tue lunghissime tirate, ecco tutto...
Ruby: Allora non sei delusa? Ti va bene che lui sia tuo amico?
Rosie: Perché dovrei essere delusa? Alex è sempre stato per me soltanto un amico! E io sono felice così.
Ruby: E non vorresti essere salvata e portata via in quattro e quattr'otto alle Hawaii?
Rosie: Ma certo che no! Sarebbe... terribile.
Ruby: Be', allora...
Rosie: Sì, è perfetto... è tutto assolutamente perfetto...
Ruby: Bene.
Rosie: E il nuovo incarico renderà tutto ancora più bello!
Ruby: Bene.
Rosie: E abbiamo salvato il matrimonio e credo fermamente che Greg mi ami più che mai...
Ruby: Bene.
Rosie: E mi daranno un sacco di soldi in più, il che è una buona cosa. Dicono che i soldi non possono comperare la felicità ma io sono una persona volubile, Ruby... Potrò prendermi quel cappotto che ho visto ieri all'Ilac Centre... Sono così felice!
Ruby: Bene.
Rosie: Certo che lo sono! Comunque adesso devo andare, ho del lavoro da sbrigare...
Ruby: È veramente fantastico, Rosie...

Rosie si disconnette.

Da: Rosie
A: Stephanie
Oggetto: La vita è meravigliosa!

La vita è meravigliosa, è fantastica! Ho un buon lavoro e ho appena ottenuto una promozione. Ho una figlia che parla con me e un marito che non lo fa. Scherzo! Ho un marito che mi adora! Ho una famiglia meravigliosa che mi è di grande conforto:

mamma, papà, fratello e sorella. Ho due amici fantastici che farebbero qualsiasi cosa per me e che io amo con tutto il cuore. Ricordo di averti detto, anni fa, poco prima di cominciare il nuovo lavoro alla reception, che stava per partire la fase due della mia vita. Be', sembra che questo sia l'inizio della fase tre! Le cose vanno sempre meglio per me e io mi sento davvero felice. Oggi sono in uno stato di delirante stordimento, elettrizzata dalla vita, suppongo!

Da: Ruby
A: Rosie
Oggetto: Cork?

Stai dicendo che quello stramaledetto albergo lo stanno costruendo giù a Cork? E te lo dicono soltanto adesso? Ti dovrai trasferire a Cork? Mi sembrava che avessi detto che era lungo la costa di Dublino. Pensavano che questa informazione fosse irrilevante per te? Cristo santo, Rosie, come pensi di poter trascinare la tua famiglia dall'altra parte dell'Irlanda?

Vuoi davvero trasferirti? Dio mio, adesso mi viene un infarto! Rispondimi al più presto!!!

Da: Rosie
A: Ruby
Oggetto: Re: Cork?

Oh, Ruby, ho un terribile mal di testa. Non so proprio che cosa fare. Io lo desidero tanto questo posto, ma ci sono altre due persone a cui devo pensare. Stasera dovrò fare una chiacchierata con Katie e Greg. Prega per me! Dio, se mi stai ascoltando e non sei occupato a cospargere di polvere d'oro tutta la gente fortunata di questo mondo, ti prego, fa' il lavaggio del cervello alla mia famiglia perché per una volta pensi quello che voglio io. Ti ringrazio per avermi dedicato un po' del tuo tempo. Ora puoi continuare a spargere la polvere d'oro.

Da: Ruby
A: Rosie
Oggetto: Re: Dio

Ciao, Rosie, sono Dio. Spiacente di darti cattive notizie, ma la vita non funziona così. Devi essere onesta con la tua famiglia e cercare di convincerli tu. Racconta loro che sognavi da una vita di ottenere l'impiego che ti è stato offerto e se loro non sono degli egoisti comprenderanno il tuo desiderio di trasferirti a Cork. Il popcorn è pronto, perciò sarà meglio che vada. Mi sto già perdendo il primo degli spettacoli della serata. Stasera mi sto guardando la vita della tua amica Ruby. Buona fortuna con la tua famiglia.

Cari mamma e Greg,

non preoccupatevi per noi. Io e Toby staremo benissimo. Siamo scappati di casa perché non vogliamo essere separati. Lui è il mio migliore amico e io non voglio trasferirmi a Cork.

Baci,
Katie e Toby

Da: Rosie
A: Ruby
Oggetto: Re: Dio

Non ho potuto fare a meno di notare che Dio si era connesso con il tuo sito ieri. Se ti capita di vederlo, per favore digli che se ha voglia di vedere qualcosa di tragico deve sintonizzarsi con la mia famiglia, oggi.

Nota bene:
SMETTILA DI SOGNARE, ROSIE DUNNE.

Parte Terza

26

Caro Alex,

sono stata davvero felice quando finalmente sono riuscita a chiudere la porta su questa orribile giornata. "È soltanto un lavoro", ha detto Greg. Be', se è così poco importante allora perché lui rifiuta di lasciare il suo? E invece questo non è *soltanto* un lavoro: offrendomi una promozione i miei capi hanno dimostrato di fare affidamento su di me e mi hanno anche dato un pizzico di fiducia in me stessa. Mi hanno ricompensata per il mio impegno, mi hanno considerata competente e in gamba.

Ma questa volta non mi è stata nemmeno data la possibilità di incasinarmi da sola. La decisione è stata presa al mio posto. Kate non vuole lasciare Toby e io non odio abbastanza Greg per mandarlo al diavolo e andarmene a Cork da sola. Anche se sarei molto tentata di farlo. Dio, quell'uomo mi fa letteralmente ribollire il sangue! Ogni cosa per lui è sempre e solamente bianca o nera.

A sentir lui, ha un impiego fantastico che rende molto bene e io ho un lavoro discreto che rende abbastanza bene. Perché diavolo dovrebbe volersi trasferire in una città dove sua moglie avrebbe un posto di prestigio e guadagnerebbe un sacco di soldi?

Oh, certo, dimenticavo, non ci sono banche a Cork, per cui non potrebbe né trovare un impiego né venire trasferito dalla sua banca. Laggiù la gente tiene i soldi sotto il materasso e nelle scatole per le scarpe.

In più, laggiù tutto (be', per lo meno molte cose, come le case tanto per citarne una) è molto meno caro che qui. Katie potrebbe cominciare la scuola media fin dall'inizio e non sarebbe costretta a cambiare scuola a metà anno. Sarebbe tutto assolutamente perfetto.

D'altra parte, devo ammettere che la sua amicizia con Toby è forse la cosa più importante per lei. Lui le è di grande sostegno: la rende felice e al tempo stesso le permette di rimanere bambina. I bambini hanno bisogno di veri amici che li aiutino a crescere, a scoprire tante cose su se stessi e sulla vita. E di veri amici per il proprio equilibrio. E vista la sua scappatella so che se perdesse Toby, in questa fase della sua vita, il suo equilibrio sarebbe gravemente compromesso.

Ti rendi conto che avevano prenotato su Internet il volo per venire da te con la carta di credito di Greg? Erano già in coda al check-in all'aeroporto quando gli agenti li hanno trovati! Me li immagino: una ragazzina con i capelli neri neri e la pelle bianchissima, senza bagagli tranne uno zaino a forma di orsetto sulle spalle, e accanto a lei un ragazzino con una gran massa di riccioli biondi che si occupa dei biglietti e dei passaporti. Una coppia in miniatura in partenza per la luna di miele. Un giorno ripenserò ridendo a questo episodio. Dopo che avrò superato lo spavento, l'orrore, l'amarezza e il risentimento. Probabilmente in un'altra vita.

E così non posso accettare il lavoro dei miei sogni perché la mia famiglia non si vuole trasferire assieme a me. Bell'affare! Non basta che mi faccia in quattro. Non basta che io adatti la mia vita alle loro esigenze. Non basta che torni a casa stanca morta e prepari loro da mangiare, non basta che tenga in ordine e pulita la casa da brava mogliettina mentre ci sarebbe un milione di altre cose più interessanti da fare. Non basta che difenda mia figlia a scuola litigando in continuazione con gli insegnanti nel tentativo di convincerli che non è "la figlia di Satana". Non basta che sopporti la madre di Greg a pranzo ogni santa domenica e ascolti le sue rimostranze sul cibo che non è cotto a puntino, sui miei capelli, sul mio modo di vestire, su come tiro su Katie e che, dulcis in fundo, debba sorbirmi per ore e ore le repliche delle sue soap preferite. Non basta che sia sempre io a prendermi un giorno libero quando Katie è malata o ad accantonare un progetto per dare una mano a qualcuno.

Tanto varrebbe che non le facessi, queste cose.

Credi che importi a qualcuno? Per tutto ringraziamento vengo gratificata con una fetta di pane bruciacchiata e un tè con troppo latte per una mattina all'anno, alla festa della mamma. E questo, secondo loro, dovrebbe compensare tutto quanto. Greg continua a ripetermi che non faccio che rincorrere l'arcobaleno.

Forse adesso è il caso che la smetta.

Baci,
Rosie

Da: Alex
A: Rosie
Oggetto: Rosie Dunne!

Non riesco a sopportare che ti lasci sfuggire un'altra opportunità. Non c'è proprio modo di convincere Comesichiama?

Da: Rosie
A: Alex
Oggetto: Famiglia

Ti ringrazio, Alex, ma non ho proprio via d'uscita. Non posso costringere i miei a lasciare la loro casa se non vogliono farlo. Sono troppo importanti per me.

Devo rispettare i desideri di Greg; probabilmente nemmeno io sarei contenta di lasciare il mio lavoro e i miei amici se fosse lui a doversi trasferire per lavoro. Non posso vivere illudendomi che le mie scelte riguardino solo me. Però, quanto sarebbe tutto più semplice! Comunque, questa non è che l'ennesima occasione perduta.

Ma adesso basta parlare di me.

Come vanno i tuoi seminari? Sei riuscito a conoscere il signor Chirurgo delle Meraviglie?

Grazie per il tuo appoggio, come sempre.

Da: Katie
A: Toby
Oggetto: In castigo!

Non posso credere che siamo in castigo! Per di più durante le vacanze estive! I nostri genitori non sono certo diventati matti per ritrovarci! Non è poi che siamo andati chissà dove!!... Eravamo scappati da meno di un'ora! Non era proprio il caso di chiuderci in casa per ben due settimane. Te l'avevo detto che avremmo dovuto prendere il traghetto per la Francia o qualcosa del genere. Nei film, il primo posto dove i poliziotti vanno a cercare sono gli aeroporti. È lì che abbiamo sbagliato. Mi sono informata e ho visto che avremmo dovuto andare a Bus Arás e prendere il pullman per Rosslare. La prossima volta facciamo così.

Cosa pensi che avrebbe fatto Alex se ci presentavamo alla sua porta? La mamma dice che non è nemmeno a casa, che è via per seguire un congresso o roba del genere, ma credo che mi stia dicendo una bugia per cercare di dimostrarmi che il nostro piano non poteva funzionare. Non credo che si sarebbe incavolato, Alex è uno tranquillo. Però avrebbe chiamato la mamma e lei avrebbe mandato dieci milioni di macchine della polizia e di elicotteri di soccorso per riprenderci.

Povera mamma. Sono felice che non ce ne andiamo via da Dublino, ma mi dispiace per lei. Era così entusiasta di quel lavoro nuovo, e adesso si ritrova di nuovo incollata a quel banco della reception dove sta da anni. Mi sento un po' in colpa. So che mi avrebbe costretta ad andare in ogni caso se Greg le avesse detto di sì, però mi dispiace per lei. Gira per casa con una faccia triste triste e continua a sospirare come se si stesse annoiando da morire e non sapesse cosa fare. Proprio come noi, la domenica. Si alza da un divano e va in un'altra stanza per sedersi su una sedia. Poi si alza di nuovo e cambia stanza, guarda fuori dalla finestra per secoli, sospira tre milioni di volte, si sposta in un'altra stanza, dentro e fuori, dentro e fuori... Mi fa girare la testa. A volte le vado dietro, visto che non mi è permesso di avere contatti con il mondo esterno e non ho niente di meglio da fare.

Ieri mi sono rimessa a seguirla e lei ha cominciato a camminare sempre più veloce e ho finito per rincorrerla per tutta la casa ed è stato molto divertente. Ha aperto la porta di casa ed è uscita in vestaglia prendendomi in giro perché io non potevo uscire (per il castigo). Ma io sono corsa fuori lo stesso e ci siamo messe a correre attorno all'isolato, io con il mio pigiama azzurro con i cuoricini rosa e la mamma con la sua vestaglia gialla! Ci guardavano tutti, ma è stato molto divertente. Siamo corse fino al negozio di Birdie all'angolo e la mamma mi ha offerto un gelato alla fragola, la cosa più bella della giornata. Birdie non si è mostrata meravigliata nel vederci, tanto più che si è accorta che la mamma non aveva niente sotto la vestaglia, ma ha indicato con un cenno le gambe della mamma al vecchio signor Fanning, che era lì per comperare il giornale del mattino. A momenti gli viene un attacco di cuore. Comunque, sono riuscita ad andare fuori per un pochino.

Non appena siamo rientrate, lei ha continuato a girare per casa come se fosse in un museo. Greg ha detto che sembrava che le si fosse infilata una piuma nel sedere. E la mamma ha risposto che le piacerebbe infilargli un palo su per il suo. Greg non ha detto più una parola per il resto della giornata.

Toby, se all'aeroporto ce la facevamo ad arrivare in cima alla coda al check-in, pensi che saremmo davvero saliti sull'aereo? Io non so se avrei potuto lasciare la mamma, però ho paura che adesso se glielo dico non mi crede. Forse può pensare che sto semplicemente cercando di scampare al castigo, il che non sarebbe poi una brutta idea. Be', adesso devo andare. Rispondimi prima che muoia di noia!

Da: Alex
A: Rosie
Oggetto: Doveri familiari!

Tu e i tuoi "doveri" verso la famiglia! Non voglio che sia tu l'unica a dover rispettare le regole, ecco tutto.

I seminari stanno andando benissimo. Non crederesti mai chi è il chirurgo! È una tua simpatia: Reginald Williams.

Da: Rosie
A: Alex
Oggetto: Reginald Williams!

Passami il secchio che devo vomitare. Vuoi dire il padre di quella sgualdrina di Bethany? Sono ritornati dal passato per perseguitarci??!!

Da: Alex
A: Rosie
Oggetto: Re: Reginald Williams

Va tutto bene, Rosie, fa' un bel respiro! Lui non è poi così male. È un uomo molto intelligente.

Da: Rosie
A: Alex
Oggetto: Re: Reginald Williams

E adesso di che cosa si occupa, di ipnotismo? Ti sta per caso manovrando il cervello? Ecco perché compariva su tutti i giornali, qui. Mi sono rifiutata di leggerli in segno di protesta contro la sola esistenza di quell'uomo e della sua famiglia. Oh, mio Dio, Reginald Williams! E così pensi di avere buone possibilità di essere uno dei "pochi prescelti" a lavorare con lui, visto che sei stato un suo "quasi genero"? Non c'è niente come un pizzico di nepotismo per fare del mondo un luogo giusto e imparziale.

Da: Alex
A: Rosie
Oggetto: Nepotismo!

Credo che le probabilità che si verifichi una cosa simile siano piuttosto esigue. Ho paura di avere firmato la mia condanna nel momento in cui ho piantato la sua carissima, unica figlia!

Da: Rosie
A: Alex
Oggetto: Bethany la Sgualdrina

Oh, non sono sicura che tu abbia firmato la tua condanna. Credo piuttosto che quella sia stata la mossa migliore che tu abbia mai fatto. Prova un po' a pensarci: io non vedo Bethany la Sgualdrina da almeno dieci anni! Mi domando cosa stia facendo in questo momento. Probabilmente se ne sta nel suo splendido palazzo in collina a contare diamanti, ridendo con fare diabolico...

Da: Rosie
A: Stephanie
Oggetto: I veri amici ti stanno accanto per sempre

Oh, mia saggia e meravigliosa sorella, avevi ragione! Quando avevo diciassette anni mi hai detto che le innamorate vanno e vengono mentre i veri amici ti stanno accanto per sempre. Oggi mi sono ritrovata a dire: "Chissà che cosa starà facendo in questo momento Bethany la Sgualdrina..." La stessa frase che non avrei mai voluto sentir dire da Alex parlando di me! Allora non ti ho creduto ma sicuramente lo faccio adesso! Grazie, Steph. I veri amici ti stanno davvero accanto per sempre!

27

✉ **C'è posta per te da: Ruby**

Ruby: E allora, sei ancora qui, eh?
Rosie: Oh, le tue parole di conforto sono come un soffio di aria fresca. Sì, sono ancora qui.
Ruby: E così hai ritrovato tua figlia.
Rosie: Sì, l'abbiamo addestrata a ritornare fischiando tre volte e battendo le mani.
Ruby: Notevole...
Rosie: Mi sono ricordata che Alex e io siamo scappati insieme più di una volta da ragazzini. La prima volta è successo perché un fine settimana i genitori di Alex si erano rifiutati di lasciarlo andare a visitare un certo parco divertimenti per vedere Capitan Tornado. Adesso comprendo il punto di vista dei suoi genitori, perché, be', ecco, quel parco si trovava in Australia... in un cartone animato. Comunque, avremo avuto più o meno cinque o sei anni. Abbiamo ficcato qualcosa negli zaini di scuola e siamo scappati. Siamo letteralmente corsi via. Pensavamo di dover fare proprio così: correre lungo la strada, il che, naturalmente, non è certo passato inosservato.
Abbiamo trascorso la giornata a vagare per strade dove non eravamo mai stati, osservando le case e domandandoci se i pochi spiccioli della paghetta che avevamo risparmiato quella settimana sarebbero stati sufficienti per comperare una casa tutta per noi. Guardavamo persino le case che non erano in vendita. Non avevamo ancora afferrato bene la differenza. Non appena si è fatto scuro, ne abbiamo avuto abbastanza della libertà ed eravamo pure un po' spaventati. Alla

fine abbiamo deciso di ritornare a casa per vedere se la nostra protesta avesse in qualche modo modificato la situazione riguardo alla faccenda di Capitan Tornado. I nostri genitori non si erano nemmeno accorti che eravamo fuggiti. I genitori di Alex pensavano che lui fosse a casa mia e i miei pensavano che fossi a casa sua.
Mi domando se Katie sarebbe salita su quell'aereo, se ne avesse avuto la possibilità. Vorrei poter pensare di aver fatto bene il mio mestiere di madre, insegnandole che scappare non è un modo per risolvere le cose. Puoi fuggire più veloce e più lontano che puoi, ma la verità è che, dovunque tu vada, resti sempre dove sei. Oggi Katie ha cercato di dirmi che mi voleva tanto bene e che non avrebbe mai potuto lasciarmi. Mi è sembrato di leggere una certa sincerità nei suoi occhi e nella sua voce, ma appena ho accennato a stringerla tra le braccia, si è illuminata in viso e subito mi ha domandato se questo significava che non era più in castigo. Ho paura che sia un'opportunista come suo padre. Sei mai scappata di casa quando eri bambina?

Ruby: No, ma il mio ex marito è scappato con una ragazzina che aveva la metà dei suoi anni, se questo ti può aiutare.

Rosie: Be'... non proprio, comunque grazie lo stesso per avermelo confidato.

Ruby: Non c'è problema.

Rosie: Senti, cosa hai intenzione di fare per i tuoi quarant'anni, Ruby? Ormai manca poco.

Ruby: Ho intenzione di rompere con Teddy.

Rosie: No! Non potete! Tu e Teddy siete un'istituzione!

Ruby: Sì, lo penso anch'io! E va bene, allora forse non lo farò. Stavo solo pensando a nuovi e stuzzicanti modi per cambiare la mia vita. Stranamente, questo è stato il primo che mi è venuto in mente.

Rosie: Non hai bisogno di cambiare la tua vita, Ruby. Va bene così com'è.

Ruby: Sto per compiere quarant'anni, Rosie. QUARANTA. Sono più giovane di Madonna – ci credi? –, eppure sembro sua madre. Ogni giorno mi sveglio in una stanza che è una baraonda, vicino a un uomo che puzza e russa; cammino ince-

spicando tra cumuli di biancheria cercando di raggiungere la porta; scendo barcollando le scale fino in cucina, mi preparo il caffè, mangio una fetta di torta avanzata. Ritorno in camera. In corridoio passo accanto a mio figlio. Qualche volta mi riconosce, spesso e volentieri no.
Litigo con lui per fare la doccia, e non intendo per chi deve farla per primo: devo letteralmente *costringerlo* a lavarsi. Lotto con il getto dell'acqua per cercare di non ustionarmi né di morire assiderata. Mi infilo dei vestiti che porto ormai da troppi anni, di una taglia che mi fa venire il voltastomaco, e tutto questo mi ha fatto perdere la voglia di preoccuparmi di fare qualcosa per... *niente* – o niente per *qualcosa*.
Teddy borbotta un saluto, e io mi infilo nella mia vecchia Mini sgangherata, arrugginita e traditrice che si ferma quasi ogni mattina sull'autostrada che somiglia più a un parcheggio che a una strada.
Parcheggio la macchina, arrivo in ufficio per l'ennesima volta in ritardo e vengo ripresa da qualcuno che sono stata costretta a soprannominare Andy Manomorta. Siedo alla scrivania dove mi invento delle storie che mi aiutino a evadere dal tran tran e scappo fuori appena posso per concedermi una fumatina. Questo succede piuttosto spesso. Non parlo con nessuno, nessuno parla con me. Alla fine ritorno a casa alle sette di sera, stanca morta e con una fame pazzesca, una casa che non verrà mai pulita e una cena che non si preparerà mai da sola. Ed è così ogni giorno.
Il sabato sera mi vedo con te, e usciamo insieme, dopo di che la domenica sto male per i postumi della sbronza, il che significa ridurmi a una zombie e rimanere abbandonata sul divano in stato di semincoscienza. Nessuno mette a posto e, nonostante le mie rimostranze, la casa rifiuta categoricamente di riordinarsi da sola. Il lunedì mattina mi sveglio al suono spaventoso, insopportabile e lamentoso della sveglia per ricominciare daccapo un'altra settimana.
Rosie, come puoi dire che non ho bisogno di un cambiamento? Io ne ho *disperatamente* bisogno!

Rosie: Ruby, *tutte e due* abbiamo bisogno di un cambiamento.

Per un'amica molto speciale

POSSA QUESTO ESSERE PER TE L'INIZIO DI UN ANNO FELICE E PIENO DI SODDISFAZIONI!

Mi spiace, Ruby, questo è l'unico biglietto decente che sono riuscita a trovare che non tirasse fuori la storia che la tua vita è quasi alla fine. Grazie per essermi sempre vicina, anche se forse preferiresti non esserlo! Sei unica! Goditi il tuo compleanno e buona fortuna.

Baci, Rosie

P.S. Spero che il regalo ti piacerà. E non lamentarti più che vuoi cambiare!

BUONO PER DIECI LEZIONI DI SALSA.
RICARDO SARÀ IL TUO MAESTRO OGNI MERCOLEDÌ ALLE 20.00
NEL SALONE DELLA SCUOLA MEDIA ST PATRICK.

✉ C'è posta per te da: Ruby

Ruby: Ho chiuso con la salsa. L'ultima volta che mi sono sentita tanto sfinita è stato quando Teddy ha ricevuto per Natale dai suoi colleghi un libro sul Kamasutra. Dopo le vacanze ho praticamente dovuto essere portata di peso al lavoro, te lo ricordi? Be', questa volta ho dovuto addirittura prendermi la mattinata libera. Incredibile, no?

Mi sono svegliata con la sensazione di essere andata a sbattere con la macchina; poi ho guardato Teddy accanto a me e mi sono accorta che nell'incidente eravamo stati coinvolti tutti e due. Ma dimenticavo che tutto quello sbavare e sudare e tutti quei rumori molesti facevano parte del "pacchetto Teddy". Mi ci sono voluti venti minuti per svegliarlo perché mi desse una mano ad alzarmi. E mi ci sono voluti altri venti minuti per mettermi in piedi. Le mie giunture erano in sciopero. Giravano in tondo innalzando i loro piccoli cartelli e gridando: "Giunture in sciopero! Giunture in sciopero!" Le anche erano i capi di questa cospirazione.

Così ho telefonato al mio capo e ho tenuto il ricevitore vicino alle anche perché potesse sentirle anche lui. Lui si è det-

to d'accordo con me e mi ha lasciato la mattina libera. (Per la verità, adesso sostiene che non è vero, ma io rimango fedele alla mia versione.)
Non avrei mai immaginato di poter avere dolori tanto forti. Il parto non è niente in confronto all'esercizio fisico, eppure Gary era un bambino bello grosso. È questo che dovrebbero fare ai prigionieri di guerra durante gli interrogatori: fargli prendere lezioni di salsa. Sapevo benissimo di essere malandata ma, santo Dio, oggi guidare la Mini è stato un vero incubo. Ogni volta che cambiavo marcia avevo la sensazione che qualcuno mi prendesse a martellate il braccio. Metto la prima: male; la seconda: dolore; la terza: tortura. È finita che sono arrivata in ufficio sempre in seconda, perché cambiare mi faceva troppo male. E sono arrivata sana e salva non certo grazie alla macchina, che comunque è riuscita a trascinarsi tossendo e sputacchiando fino in ufficio, proprio come la proprietaria.
Da come camminavo avresti giurato che Teddy e io ci fossimo dati da fare con il Kamasutra. Anche digitare sul computer è stata un'esperienza traumatica perché all'improvviso mi sono resa conto che l'osso del mio dito è collegato all'osso del braccio e questo a sua volta per qualche misterioso motivo riusciva a tirare il tendine del ginocchio, il che mi faceva venire un gran mal di testa. Avrei dovuto immaginarmelo che sarei stata così male. Quando mi hai lasciata davanti a casa, ieri sera, ero talmente indolenzita che ho dovuto entrare strisciando in anticamera, dove sono stata accolta da Teddy e Gary che stavano tenendo la loro seduta di reciproci grugniti, in salotto. Ho imparato che quello è il loro bizzarro sistema per comunicare.
Ho lasciato lì la mia splendida famiglia tanto intelligente e mi sono immersa nella vasca, prendendo in considerazione l'idea di annegarmi. Poi mi sono ricordata che era rimasta un po' di torta al cioccolato del giorno prima e così ho tirato fuori la testa per respirare. Vale la pena di vivere per certe cose.
Comunque grazie per il regalo, Rosie. Ci siamo divertite alla lezione, vero? Non ricordo di avere mai riso tanto in vita

mia, il che a pensarci bene è la ragione per cui mi fa tanto male lo stomaco. Grazie per avermi ricordato che sono una donna, che sono dotata di fianchi, che posso essere sexy, che posso ridere e divertirmi.
E grazie per avere portato nella mia vita quel Ricardo così incredibilmente sexy. Non vedo l'ora che arrivi la prossima settimana. E adesso, dopo tutti i miei pianti e lamenti, tu come ti senti?

Rosie: Oh, io sto benissimo, grazie. Non ho niente di cui lamentarmi.

Ruby: Davvero?

Rosie: E va bene, mi sento un tantino indolenzita.

Ruby: Cioè?

Rosie: D'accordo, stamattina sull'autobus hanno dovuto issarmi sulla poltroncina per gli invalidi perché non riuscivo a sollevare le gambe.

Ruby: Adesso ci siamo.

Rosie: Oh, Ruby, quel Ricardo era proprio una favola!! Stanotte me lo sono sognato. Mi sono risvegliata senza la maglietta e con il cuscino coperto di bava. (Be', insomma, forse sto esagerando.) Quella voce spagnola così sexy che gridava "Ros-ie!! Fai atensione!" e "Ros-ie! Smetila di rrriderrre!!" e "Ros-ie! Alzati dal pevimento!", mi fa salire un brivido su per la schiena. Ma è stato quel "Porfeto, Ros-ie, fentestico mouvimento de anche!" che mi ha conquistata. Hmm, che delizia quel Ricardo con le anche...

Ruby: Sì! Le anche! Per quanto, se ricordo bene, parlava di me quando diceva "fentestico mouvimento de anche".

Rosie: Oh, Ruby, ma una ragazza non può *sognare*? Mi sono meravigliata nel vedere tanti uomini lì alla lezione, e tu?

Ruby: Sì! Mi ricordava la gioventù, i balli della scuola e i *ceilid*.* Io ero una di quelle che ballavano sempre con un'altra ragazza. Ieri sera erano più gli uomini che ballavano con altri uomini che non le donne che ballavano tra loro.

Rosie: Già, però ho la sensazione che fosse più che altro una

* Intrattenimenti serali diffusi in Irlanda, con cantastorie, canti e danze. [*N.d.T.*]

scelta personale. Per quanto prendessero un po' troppo sul serio il fatto di portare i tacchi alti. Te li immagini Greg e Teddy che vengono con noi a lezione?

Ruby: Oh, sarebbe veramente un piacere a vedersi! Teddy non riesce a serrare tra le braccia se stesso, figurati abbracciare me. Ora che ce la fa a fare una piroetta, passa un anno.

Rosie: Ah ah! E Greg sarebbe talmente ossessionato dal fatto che Ricardo conta i passi ad alta voce che comincerebbe a fare calcoli mentalmente, sommandoli, moltiplicandoli, sottraendo il primo risultato dalla radice quadrata del sesto e così via. Greg, il funzionario di banca e il suo rapporto sentimentale con i numeri. Proprio come me e te, Ruby.

Ruby: Sì, proprio così... Be', e cosa sta facendo Alex in questo periodo?

Rosie: Gira ancora intorno al padre di quella sgualdrina di Bethany, sperando di ottenere un posto per tagliare a pezzi la gente.

Ruby: Un momento... chi è Bethany, perché è una sgualdrina e che lavoro fa suo padre?

Rosie: Oh, scusa. Bethany era la ragazza di Alex quando lui era ragazzino, il suo primo amore; è una sgualdrina perché lo dico io; e suo padre è un chirurgo non so cosa.

Ruby: Oh, com'è eccitante. Il ritorno di una delle ex di Alex. Sarà un libro che si legge tutto di un fiato.

Rosie: No, lei non ha più niente a che fare con Alex; lui sta semplicemente seguendo un corso tenuto dal padre di lei.

Ruby: Rosie Dunne! Aspettati quello che non ti aspetti, una volta tanto. Magari questa volta non ti verrà un colpo nel vedere che le cose non vanno come vuoi tu.

28

ARIETE – La sfavorevole congiunzione di Urano in Ariete, con Giove, tuo astro guida, in opposizione a Venere, e la quadratura del Sole in Plutone preannunciano... complicazioni.

La luna nuova porta qualche piccola consolazione, ma con una strana svolta del destino.

GIOVANE CHIRURGO IRLANDESE ENTRA NEL TEAM DI WILLIAMS
di Cliona Taylor

Il chirurgo Reginald Williams, che ha di recente conseguito un notevole successo grazie a una nuova tecnica cardiochirurgica della quale si è già ampiamente parlato, ha annunciato oggi di essere felice di accogliere nel gruppo dei suoi valenti collaboratori il dottor Alex Stewart, 30 anni, laureato a Harvard. "Ho sempre seguito le ricerche del dottor Williams con estremo interesse e ammirazione", ha dichiarato il dottor Stewart, e ha aggiunto di essere lietissimo e onorato di poter portare il proprio contributo a questa nuova e promettente frontiera della chirurgia.
Il dottor Stewart, originario di Dublino, si è trasferito a Boston all'età di diciassette anni, quando suo padre entrò a far parte del prestigioso studio legale americano Charles & Charles. Ha fatto cinque anni di tirocinio come internista di chirurgia generale al Boston Central Hospital prima di affiancare il dottor Williams per approfondire i suoi studi in cardiochirurgia.
Nella foto, da sinistra: il dottor Reginald Williams con la moglie, Miranda, e la figlia, Bethany, che ieri sera ha accompagnato il dottor Stewart alla Fondazione Reginald Williams per le Malattie Cardiache in occasione di un ballo di beneficenza.
A pagina 4 dell'inserto Salute, l'articolo di Wayne Gillespie su questa nuova tecnica chirurgica.

✉ **C'è posta per te da: Rosie**

Rosie: Ehi, Ruby, non indovinerai mai che cosa ho appena letto sul giornale stamattina.

Ruby: Il tuo oroscopo.

Rosie: Per favore! Non hai proprio la minima considerazione di me. Credi che legga quelle cose ogni giorno?

Ruby: So benissimo che leggi l'oroscopo ogni giorno. Ti aiuta a decidere se devi essere di buono o cattivo umore. Non riesco proprio a capire il mio, oggi. Dice: "Cerca di trarre il massimo vantaggio dalla favorevole situazione finanziaria per prendere l'iniziativa alla fine del mese. Marte è entrato nel tuo segno, il che ti rende pieno di energia. Sono previste nuove eccitanti esperienze".
Non sono mai stata tanto in bolletta, sfinita e annoiata. Perciò è tutta una gran massa di fesserie. Però, non vedo l'ora che arrivi la prossima lezione di ballo. Non riesco a credere che questa settimana finiamo il corso e che presto passeremo al livello superiore. Il tempo è proprio volato. A ogni modo, che cosa c'era sul giornale se non si tratta del tuo oroscopo?

Rosie: Leggi a pagina tre del *Times*.

Ruby: Va bene, pagina tre... Mio Dio, guarda qui! Non dirmi che questa è Bethany la Sgualdrina.

Rosie: C'è da chiederlo?

Ruby: Scusa, tesoro, ma a me sembra una normale trentenne schifosamente ricca e ben vestita, comunque la chiamerò Bethany la Sgualdrina, se insisti.

Rosie: Accontentami.

Ruby: E va bene... Oh, guarda, Rosie, qui sul giornale c'è quella sgualdrina di Bethany assieme ad Alex. A pagina tre. E sembra... ehm... una sgualdrina.

Rosie: Sì, lo vedo. Comunque ha trentadue anni. Il mio oroscopo diceva che...

Ruby: A-ah! Te l'avevo detto che...

Rosie: Oh, piantala con i tuoi "te l'avevo detto" e ascoltami. Il mio oroscopo diceva che avrei avuto una piccola consolazione ma con una strana svolta del destino.

Ruby: Be', cosa diavolo vuol dire? Il mio diceva che sono ricca, e allora?

Rosie: Ecco, io sono felice che Alex abbia finalmente conquistato il lavoro dei suoi sogni, che desiderava da tanti anni, ma mi sembra un tantino ironico che abbia dovuto incontrare proprio lei per ottenerlo.

Ruby: Te l'avevo detto di aspettarti quello che non ti aspetti, Rosie, e soprattutto di smetterla di dar retta a quegli oroscopi. Sono una massa di fesserie.

Da: Rosie
A: Alex
Oggetto: Congratulazioni!

Ho sentito le buone notizie. Oggi sei su tutti i giornali di qui (ti ho tenuto via i ritagli), e stamattina ti ho sentito parlare alla radio. Non ho ben capito che cosa dicevi, ma sembravi uno che si è buscato un bel raffreddore. E così in pratica tu riesci a riportare la gente in vita ma non riesci a liberarti dal raffreddore.

Come sta Josh? L'altro giorno ho telefonato a tua madre, e lui era lì con lei per il fine settimana. Me l'ha passato al telefono: non posso credere di aver avuto una vera conversazione con lui!

È davvero intelligente per non aver ancora tre anni, un tipetto sveglio proprio com'era suo padre, mentre non ha preso niente dalla madre. Mi ha raccontato degli animali che ha visto allo zoo e ha fatto il verso di ciascuno. Ho suggerito a tua madre di lavorare con lui sul verso del gorilla perché non me l'ha saputo fare, ma lei mi ha spiegato che il gorilla è così depresso che se ne sta seduto zitto zitto nella sua gabbia. Quindi Josh è proprio un bravo imitatore, oltre che un attento osservatore.

Vorrei tanto rivederlo, una volta o l'altra; e vorrei tanto rivedere te. Dobbiamo recuperare il tempo perduto. Raccontami di te qualcosa che i giornali, la televisione e la radio non possono raccontare.

Caro Alex,

sono sempre Rosie. Non so se hai ricevuto la mia mail, qualche settimana fa. Volevo soltanto congratularmi per le fantastiche novità. Qui siamo tutti orgogliosi di te: mamma, papà, Steph, Kev, Katie, Toby... Credo che Toby da grande voglia diventare un medico, proprio come te, perché vuole andare alla radio e avere la sua fotografia sui giornali (ha confessato che vorrebbe strappare via il cuore alla gente come fanno in certi film, cosa che mi ha parecchio disturbato). Katie in questo periodo dichiara di voler fare la DJ in una discoteca. Non hai certo avuto influenza su di lei in questo campo: lei lavorerà in un settore che *procura* alla gente attacchi di cuore.

Io sono sempre al Two Lakes Hotel. Sono sempre alla reception e continuo a procurare alla noiosissima clientela un tetto di vetro sotto cui stare. Il mio capo è andato negli Stati Uniti dove ha aperto un altro albergo, perciò credo che nessuno dei fratelli Lake tornerà qui per un bel po'. Al loro posto hanno fatto venire un gruppo di squallidi esperti nella formazione del personale che ci devono insegnare come essere uniti fra noi colleghi. La prossima settimana il capo del gruppo, Simon, ci porterà fuori in canoa in modo che possiamo comunicare al di fuori dell'ambiente di lavoro. Si aspettano che impariamo a parlare dei nostri problemi.

Ma come faccio a dire a Tania, anche lei alla reception, che non le parlo perché non sopporto la sua voce così innaturalmente acuta, né che continui a chiedere "che cosa ne pensi?" alla fine di ogni frase, o il suo profumo troppo intenso e il rossetto rosa che le si attacca ai denti e non sta bene con il colore dei suoi capelli? Al mattino, l'alito di Steven sa di pannolini sporchi; sono felice quando va a bersi il primo caffè perché al suo ritorno il suo alito al confronto profuma di rose. Geoffrey ha seri problemi di sudorazione; Fiona ha seri problemi di flatulenza: non riesco a capire cosa diavolo mangi. Tabitha annuisce continuamente quando le parlo, dice "giusto" praticamente dopo ogni parola e, cosa ancora più antipatica, cerca di finire le frasi al posto mio, oppure le finisce assieme a me. Ma la cosa veramente fastidiosa è che non ne imbrocca mai una. Henry porta calzini bianchi e scarpe nere,

Grace canticchia tra sé la stessa canzone delle Spice Girls ogni santo giorno, il che mi fa andare in bestia. Questo però non impedisce che mi ritrovi a canticchiarla quando ritorno a casa, spingendo Katie a snobbare la sua mamma antiquata e retrograda che non ha idea delle hit-parade dell'ultimo decennio.

Mi fanno tutti diventare matta. E forse, in fondo, questa storia della canoa non è poi una cattiva idea: forse potrei affogarli tutti quanti.

Alex, scrivimi e fammi sapere come ti va la vita.

Baci,
Rosie

Rosie,

scusa se non mi sono più fatto sentire negli ultimi tempi, ma sono stato molto preso. Comunque non ci sono scuse per non essermi tenuto in contatto. Penso tu sia al corrente di tutte le novità riguardanti il mio lavoro, quindi non è necessario parlarne. Mamma e papà stanno bene e continuano a mettere in cornice ogni fotografia tua e di Katie che mandi. La loro casa sta cominciando a sembrare una sorta di tempio dedicato alle due ragazze Dunne.

Ho una notizia fantastica! Il prossimo mese verrò in Irlanda, e con me ci saranno anche mamma e papà, e Sally ha acconsentito a lasciarmi portare Josh per due settimane, visto che lo ha avuto con sé per Natale. È da un sacco che non tornavamo in Irlanda tutti insieme. Mamma ha deciso che vuole avere accanto a sé Phil, i suoi venti figli e tutta la famiglia, oltre a tutti gli amici, per il quarantesimo anniversario di matrimonio.

Quarant'anni: te lo immagini? Io sono a malapena arrivato a due; non so proprio come possano esserci riusciti. Però anche tu non te la cavi male. Da quanto tempo siete insieme tu e Comesichiama? Da parecchio, mi sembra.

Non riesco nemmeno a ricordare quando è stata l'ultima volta che ho passato il Natale a Dublino. Ma presto ci riuniremo, Rosie.

Alex

Da: Rosie
A: Alex
Oggetto: La tua visita

È una notizia fantastica! Sono felice che tu torni a casa. Vuoi venire a stare da me oppure tu e i tuoi avete altri progetti?

Da: Alex
A: Rosie
Oggetto: La mia visita

No, no, non voglio disturbare Comesichiama. In realtà, non c'è nessun bisogno che sia così educato: odio tuo marito.

Quindi Josh e io staremo da Phil e Maggie e ho prenotato un albergo per papà e mamma. Comunque, grazie per l'offerta.

Da: Rosie
A: Alex
Oggetto: G. R. E. G.

Alex, devi imparare il nome di mio marito prima di venire qui. È Greg. G.R.E.G. Cerca di ricordartelo, ti prego.

Ti avevo detto che io e Ruby siamo le regine della salsa? Qualche mese fa le ho regalato per il compleanno un primo gruppo di lezioni e ci siamo divertite talmente tanto che abbiamo continuato. Per la verità Ruby mi ha sorpreso perché ha molto talento, però io sono veramente stufa di fare sempre l'uomo.

Greg si rifiuta di venire alle lezioni con me, ma accetta che gli insegni i passi nella nostra camera da letto quando Katie è fuori, la porta della camera è chiusa a chiave con una sedia appoggiata contro, le tapparelle sono abbassate e le tende tirate. Persino la televisione deve essere spenta, nel caso un attore o un presentatore avessero il magico potere di vedere nelle case della gente. Insomma, lo scopo è quello di fare qualcosa di divertente insieme, ma visto che a lezione faccio sempre la parte del cavaliere, è difficile per me essere la donna a casa (del resto non sono mai stata molto brava a fare la donna di casa). E così va a finire che ci pestiamo i piedi a vicenda e ci tiriamo dei gran calci negli stinchi e, scoraggiati dalle nostre prestazioni, ingaggiamo un'accesa discussione su chi doveva mettere il piede lì e chi invece doveva metterlo là, e alla fine la piantiamo lì, infuriati.

Adesso Ruby ha cominciato a prendere lezioni due volte la settimana, ma io il lunedì non posso andarci perché devo portare Katie all'allenamento di pallacanestro. Ruby continua a ripetere che senza di me non si diverte perché deve ballare con la signorina Behave che indossa il tutù: un travestito alto un metro e novanta con gambe lunghissime e capelli biondi che sta cercando di imparare la salsa per lo spettacolo al gay club lì vicino.

A ogni modo, Ruby e io ci stiamo divertendo come matte, e ogni volta che finisce una lezione non vedo l'ora che arrivi quella dopo. Ruby è al settimo cielo perché sta perdendo un po' di peso (secondo me solo pochi etti). È fantastico avere un hobby così stimolante da farti aspettare con ansia l'arrivo della lezione successiva...

Spero tu riesca a crearti degli spazi tutti per te e non ti affatichi troppo con il lavoro. Hai qualche filarino, in questo periodo?

Da: Alex
A: Rosie
Oggetto: Filarini?

Forse....

✉ C'è posta per te da: Rosie

Rosie: Sono tutta orecchi. È qualcuna che conosco?
Alex: Be', non è proprio...
Rosie: Alt! Chi è la sfortunata? La conosco?

Alex: Forse...

Rosie: Oh, ti prego dimmi che si tratta di chiunque ma non di Bethany la Sgualdrina.

Alex: Be', adesso è meglio che ne vada perché devo prepararmi per stasera. Stammi bene, Fiorellino.

Rosie: Hai un appuntamento?

Alex: Forse... ma non ...

Rosie: Sì, sì, ho capito, ma non proprio... Be', qualunque cosa sia, divertiti. Ma non troppo.

Alex: Non me lo sogno nemmeno.

✉ C'è posta per te da: Rosie

Rosie: Stavo chattando con Alex proprio qualche secondo fa.

Ruby: Ah, sì? Ha detto niente di interessante?

Rosie: No, abbiamo solamente parlato dei vecchi tempi, sai come succede.

Ruby: Buon per voi. E allora, tu e Greg avete progetti per stasera?

Rosie: Deve uscire con una, Ruby.

Ruby: Chi? Greg?

Rosie: No! Alex.

Ruby: Oh, stiamo ancora parlando di lui? E con chi uscirebbe?

Rosie: Non lo so. Non me l'ha voluto dire.

Ruby: Be', è liberissimo di avere una sua vita privata, non ti pare?

Rosie: Suppongo di sì.

Ruby: Ed è un bene che sia finalmente riuscito a scuotersi dopo aver avuto il cuore spezzato e aver dovuto affrontare un divorzio, non ti pare?

Rosie: Suppongo di sì.

Ruby: Mi fa piacere che la pensi così. Sei una vera amica, Rosie; vuoi sempre il meglio per Alex.

Rosie: Sì, è vero.

C'è posta per te da: Alex

Alex: Ciao, Phil.
Phil: Ciao, Alex.
Alex: Che cosa stai facendo?
Phil: Sto navigando in Internet per cercare il tappo della manovella della Dodge Sedan del 1939. È una macchina molto rara. Una vera bellezza. Ho appena ordinato i prolungamenti delle barre del paraurti anteriore della Chevrolet Sedan del 1955. Me li stanno spedendo.
Alex: Bene.
Phil: C'è qualcosa che non va, Alex?
Alex: No, no.
Phil: E allora, mi stai chiamando per un motivo particolare?
Alex: Volevo soltanto sentire come stavi. Avevo voglia di fare quattro chiacchiere con il mio fratellone.
Phil: Bene. Come va il lavoro?
Alex: Stasera ho un appuntamento.
Phil: Davvero? È fantastico.
Alex: Sì.
Phil: Mi fa piacere vedere che stai reagendo.
Alex: Sì.
Phil: Per ritrovare la felicità.
Alex: Sì.
Phil: Magari conoscendo qualcuno la smetterai di ammazzarti di lavoro.
Alex: Sì.
Phil: Rosie lo sa?
Alex: Sì. Stavo chattando con lei poco prima di chiamarti.
Phil: Oh, ma guarda che coincidenza! E allora, come ha reagito?
Alex: Veramente non ha avuto una gran reazione.
Phil: Non era arrabbiata?
Alex: No.
Phil: Magari gelosa?
Alex: No.
Phil: Non ti ha scongiurato di non uscire con altre donne?
Alex: No.

Phil: Be', è una gran cosa, non ti pare? Lei è una vera amica che vuole che tu reagisca, che conosca persone nuove e che ritrovi la felicità.
Alex: Sì, è una gran cosa. È proprio una fortuna avere un'amica così.

ARIETE – Sei ancora sotto l'influenza di Nettuno, il pianeta che ti porta a fare sogni romantici...

C'è posta per te da: Rosie

Rosie: Ruby, hai proprio ragione, gli oroscopi sono una gran massa di fesserie.
Ruby: Brava!

29

A Rosie, Katie e Greg

Siete invitati ala festa per il mio quarto compleano il 18 novembre. Ci sara un magho. Fa gli animali con i paloncini. Vi dara un aminale da tenere. La mia festa cominca ale 11 del mattino e ci sarano tanti dolci e poi potete tornare a casa con la vostra mamma e il vostro papà.

Grazie.

Baci,
Josh

✉ **C'è posta per te da: Katie**

Katie: Sembro una deficiente.
Toby: Non sembri una deficiente.
Katie: Non sai nemmeno come è fatta una deficiente.
Toby: Be', e come è fatta?
Katie: Come me. Sembro una sorta di umanoide del futuro incrociato con un robot.
Toby: Non è vero.
Katie: Oh, mio Dio, mi stanno guardando tutti.
Toby: Katie, siamo seduti in ultima fila. Tutti quanti in classe ci voltano la schiena. NON possono guardarti a meno che non abbiano gli occhi sulla nuca.
Katie: La mia mamma li ha.
Toby: Dai, è soltanto un apparecchio per i denti, Katie. Non è poi la fine del mondo. Comunque posso capire come ti senti. Quando mi hanno messo gli occhiali avevo anch'io l'impressione che tutti mi guardassero.

Katie: Perché ti stavano guardando veramente.
Toby: Senti, mi fai un favore?
Katie: Che cosa?
Toby: Prova a dire "salsicce sfrigolanti" ancora una volta.
Katie: TOBY! Non è divertente. Mi avevi detto che non avresti riso. Dovrò tenermi queste maledette rotaie conficcate nella bocca per anni e anni, e non è colpa mia se mi fanno parlare con la esse fessa. Ce le avrò persino nelle fotografie del mio compleanno, la settimana prossima.
Toby: Che forza!
Katie: Compio tredici anni. Quando sarò più grande non voglio rivedermi in fotografia con due giganteschi pezzi di metallo in bocca. Come se non bastasse, alla festa verranno tutti, gente che non vedo da secoli, e vorrei essere carina.
Toby: Fammi indovinare: cercherai di essere carina vestendoti di nuovo di nero.
Katie: Sì.
Toby: Sei così macabra.
Katie: No, Toby, sono sofisticata. Il nero si addice ai miei capelli. Lo dicono nelle riviste. Ma tu puoi metterti i tuoi pantaloni vecchi e scalcagnati e una maglietta, se vuoi. Non c'è ragione di cambiare le abitudini di tutta una vita.
Toby: È così che le *mie* riviste mi consigliano di fare.
Katie: No, io so che cosa ti consigliano di fare le tue riviste indecenti e non ha niente a che vedere con il vestire. Più che altro con lo svestirsi.
Toby: E allora sono invitato lo stesso?
Katie: Forse. Anzi... forse no.
Toby: Katie, io ci vengo che tu mi inviti oppure no. Non mi perderò il tuo tredicesimo compleanno solo perché tu hai la luna per traverso. Voglio vedere la torta che ti resta impigliata nell'apparecchio, che filtra attraverso le fessure tra i denti e alla fine schizza in faccia alla gente mentre parli.
Katie: Perfetto. Allora farò in modo di parlare soprattutto con te.
Toby: Comunque, chi viene?
Katie: Alex, la zia Steph, Pierre e Jean-Louis, la nonna e il nonno, Ruby, Teddy e quel pazzoide del loro figlio che non par-

la mai, la mamma, naturalmente, e qualche ragazza della pallacanestro.

Toby: Evviva. E tuo zio Kevin?

Katie: Ma deve per forza venire sempre? Sta ancora lavorando in quell'albergo di lusso a Kilkenny. Ha detto che gli dispiace di non esserci ma mi ha mandato un biglietto con dentro una banconota da dieci sterline.

Toby: Be', del resto è proprio questo quello che vuoi. E Greg?

Katie: No, lui starà una settimana negli Stati Uniti per lavoro. Mi ha dato tredici euro. Un euro per ogni anno.

Toby: Forte! Diventerai ricca. Tanto meglio se deve lavorare. Non sopporto quando lui e Alex sono nella stessa stanza. Mi mette in agitazione.

Katie: Lo so. È ancora peggio quando c'è anche la mamma, perché lei passa tutto il tempo a correre da uno all'altro come se fosse l'arbitro di un incontro di boxe.

Toby: Alex prenderebbe Greg a calci nel sedere se stessero facendo un match di boxe.

Katie: Sicuramente. E la mamma li prenderebbe a calci tutti e due se fosse un incontro. Be', almeno potrò mettermi il medaglione portaritratti che mi ha regalato Alex senza che Greg lo fissi come se volesse strapparmelo di dosso.

Toby: Ah, è invidioso perché non c'è dentro la sua fotografia, vero?

Katie: Ha la testa troppo grossa per poter entrare nel mio medaglione.

Toby: Ma alla festa ci sarà qualcuno che abbia meno di ottant'anni e che non faccia parte della tua pidocchiosa squadra di pallacanestro?

Katie: Alex porterà Josh.

Toby: Josh ha quattro anni, Katie.

Katie: Proprio così. Avete un sacco di cose in comune. Per esempio lo stesso livello mentale.

Toby: Ah ah, bocca di metallo. Credi che ci saranno anche delle "salsicce sfrigolanti" alla tua festa?

Katie: Che ridere! Be', penso che la mia situazione potrebbe essere mille volte peggiore. Potrei essere costretta a portare gli occhiali per tutta la vita come te.

Toby: Ah ah ah. Stavo proprio pensando che per qualche anno potresti non essere in grado di lasciare il Paese per via dei metal detector degli aeroporti. Potresti rappresentare un serio pericolo per i viaggiatori. Il tuo apparecchio potrebbe essere scambiato per un'arma letale.

✉ **C'è posta per te da: Rosie**

Rosie: La prossima settimana la mia bambina sarà una teenager.
Ruby: Grazie alla tua buona stella hai quasi finito, tesoro.
Rosie: Ma non ho appena cominciato? E poi, se veramente avessi una buona stella, ormai sarebbe stata definitivamente licenziata. Che cosa c'è di tanto fantastico nel fatto che la mia bellissima bambina cresca e diventi foruncolosa e pestifera mentre io assisto impotente alla mia decadenza? Più vecchia diventa la mia bambina, più vecchia divento io.
Ruby: Bella scoperta.
Rosie: Ma non è ammissibile! Dato che io non ho ancora cominciato la mia vita, che vuoi che sia metterne al mondo un'altra e doverla aiutare a cavarsela da sola... La verità è che non ho ancora fatto niente di veramente importante.
Ruby: Qualcuno potrebbe obiettare che creare una vita è importante. Devo portare qualcosa alla festa?
Rosie: Soltanto te stessa.
Ruby: Accidenti, niente di diverso?
Rosie: Verrai che tu lo voglia oppure no.
Ruby: E va bene. Meno male che Greg non sarà lì a metterti il guinzaglio per tenerti lontana da Alex.
Rosie: Così forse questa volta potrò tenere tranquilla la gamba di Alex.
Ruby: Speriamo. Senti un po', che cosa devo portare a una ragazzina che manca di tutto?
Rosie: Denti diritti, una crema miracolosa che tolga i brufoli, Colin Farrell e una madre organizzata.
Ruby: Ah. Be', per quanto riguarda la madre organizzata, posso dare una mano.
Rosie: Grazie, Ruby.

Da: Alex
A: Rosie
Oggetto: Informazioni sul volo

Il mio volo atterra domani, alle 14.15. Non vedo l'ora di rivedere te e Katie. Verrà anche Comesichiama a prendermi all'aeroporto?

Da: Rosie
A: Alex
Oggetto: MIO MARITO

Il nome di mio marito è GREG. No, non verrà a prenderti all'aeroporto perché è via per lavoro. È negli Stati Uniti: voi due vi siete provvidenzialmente scambiati i Paesi per i prossimi giorni. Speriamo che questa distanza sia sufficiente.

Alla mia meravigliosa figlia
Sei una teenager!
Buon compleanno, tesoro!
Con tutto il mio amore,
mamma

A Katie
Signorina lei sarà!
Hip hip hip evviva urrà!
Tutto il mondo canterà
Hip hip hip evviva urrà!
Greg

Sei uno splendido pulcino!!
Buon compleanno, cucciolotta!
Ti vogliamo tanto bene.
Baci, nonna e nonno

Buon compleanno, Splendore!

Con questi soldi comprati qualcosa di carino, basta che non sia nero. Guai a te!

Baci, Ruby, Teddy e Gary

Per mia nipote

Buon compleanno, bellissima!
Bon anniversaire!

Baci, Stephanie, Pierre a Jean-Louis

Alla mia figlioccia

Buon compleanno, signorina!
Sono felice di condividere questo giorno assieme a te.

Con tanto affetto,
Alex

SARAI ANCHE UNA TEENAGER, MA SEI SEMPRE BRUTTA.
TOBY

Da: Kevin
A: Rosie
Oggetto: Visita segreta!

Qui è Kevin. Non sono riuscito a raggiungerti per telefono, così ho pensato di mandarti una e-mail visto che questo sembra l'unico modo per comunicare con te.

Mi spiace di non aver potuto essere a casa per il compleanno di Katie, ma in albergo il lavoro è letteralmente frenetico. Questa settimana si è tenuto l'Open di golf e tutti i più grandi giocatori del mondo con cani e pesci rossi al seguito sono arrivati qui. Non ho avuto nemmeno il tempo di respirare, ma grazie a Dio entro il fine settimana saranno partiti. Sembra che io non faccia che perdermi tutte le ricorrenze della nostra famiglia.

A ogni modo, ti scrivo perché mi sembra impossibile che tu mi abbia tenuto nascosta l'intenzione di venire qui la prossima settimana. Non chiedermi nemmeno perché stavo controllando le prenotazioni, ma a quanto pare ti hanno riservato la suite della luna di miele per il fine settimana!

Il buon vecchio Greg deve essere un tantino toccato a pagare tutto questo, non credi? Però sono felice che tu venga finalmente a trovarmi. Era ora. È incredibile che non ci vediamo da Natale. Farò in modo che il personale ti riservi un trattamento specialissimo e raccomanderò ai ragazzi in cucina di non sputare nel tuo piatto.

Da: Rosie
A: Kevin
Oggetto: Re: Visita segreta

Scusa, fratellino, ma deve trattarsi di un'altra Rosie Dunne. Magari fossi io!

Da: Kevin
A: Rosie
Oggetto: Re: Visita segreta

C'è solamente *una* Rosie Dunne! Però la prenotazione in realtà è a nome di Greg. Merda! Spero di non averti rovinato la sorpresa. DIMENTICA che ti abbia detto qualcosa. Mi dispiace.

Da: Rosie
A: Kevin
Oggetto: Re: Visita segreta

Non preoccuparti, Kev. Per quale giorno è la prenotazione?

Da: Kevin
A: Rosie
Oggetto: Re: Visita segreta

Da venerdì a lunedì. Oh, ti prego, non dirgli che te l'ho detto. È stato stupido da parte mia spifferarti tutto. Avrei prima dovuto usare la testa. Comunque non avrei dovuto andare a ficcare il naso nelle prenotazioni. Greg è proprio un idiota. Dovrebbe sapere che io lavoro qui.

Da: Rosie
A: Kevin
Oggetto: Re: Visita segreta

Perché lui venga a sapere dove lavori, voi due dovreste parlare di tanto in tanto. Non preoccuparti! Greg è negli Stati Uniti per tutta la settimana, così riuscirò a non fargli notare la mia eccitazione! Sarà meglio che vada a comperarmi qualche vestito nuovo. Quel tuo albergo è di gran classe!

Da: Kevin
A: Rosie
Oggetto: Re: Visita segreta

Divertiti e ci vediamo questo fine settimana. Vedrai che farò la faccia di quello che cade dalle nuvole.

Ruby: Devo ammettere che sono sorpresa. È molto romantico da parte sua!

Rosie: Sì, è vero! Sono talmente eccitata, Ruby! Sono anni che sogno di andare in quell'albergo. Scommetto che i piccoli shampoo e le cuffie da doccia dei bagni sono i più belli del mondo.

Ruby: Cristo, Rosie, potresti aprire un negozio con la valanga di oggettini che ti sei rubata negli alberghi.

Rosie: Ma questo non è rubare. Quelle cose non stanno lì soltanto per essere guardate. Purtroppo, pare che oggigiorno gli asciugacapelli li fissino al muro.

Ruby: Meno male che non sei tanto forte da trascinare i letti fuori dalle stanze.

Rosie: Alla reception mi vedrebbero. Comunque, le lenzuola che ho preso nell'ultimo albergo in cui sono stata sono le mie preferite in assoluto.

Ruby: Rosie, tu hai un problema. Be', cambiamo discorso: quand'è che verrai condotta nel regno della lussuria?

Rosie: Venerdì. Non vedo l'ora! Ho esaurito il credito della mia carta per comprare vestiti. Sono talmente felice che Greg abbia avuto qusta idea. Negli ultimi tempi il nostro rapporto sta andando a gonfie vele. È come se fossimo tornati al tempo della luna di miele. Sono veramente, veramente felice.

Da: Rosie
A: Greg
Oggetto: Ritorno a casa

È venerdì, e mi domandavo a che ora sarai a casa. Devi già essere sull'aereo perché al tuo telefono risponde la segreteria telefonica. Magari mi puoi rispondere da lassù fra le nuvole attraverso il computer portatile!

Da: Greg
A: Rosie
Oggetto: Re: Ritorno a casa

Ciao, amore. Te l'avevo detto che sarei rimasto qui negli Stati Uniti fino a lunedì. Dovrei essere a casa in serata ma non so a che ora. Posso chiamarti dall'aeroporto perché tu mi venga a prendere. Mi spiace se non ci siamo capiti bene. Sono sicuro di averti detto che sarei tornato lunedì e non venerdì. Vorrei tanto che fosse già lunedì, tesoro, credimi.

Come sta Katie dopo la sua prima baldoria da teenager? Non si è ancora fatta sentire. Pensavo che a quest'ora avrebbe anche potuto ringraziarmi per il regalo.

Da: Rosie
A: Kevin
Oggetto: *Questo* fine settimana?

Non è che potresti esserti sbagliato e che la prenotazione non è per *questo* fine settimana?

Da: Kevin
A: Rosie
Oggetto: Re: Questo fine settimana?

Non c'è nessun errore, Rosie. Greg è arrivato qui stamattina. Ma tu non ci sei?

30

Da: Rosie
A: Alex
Oggetto: Comesichiama

Comesichiama se ne è andato. Per sempre.

Da: Alex
A: Rosie
Oggetto: Re: Comesichiama

Prenoto un volo perché tu e Katie veniate qui immediatamente. Fra un'ora ti farò avere i dettagli. Non preoccuparti.

Da: Rosie
A: Alex
Oggetto: Per favore aspetta

Aspetta a prenotare il volo, dammi soltanto un po' di tempo. Ci sono alcune cose che voglio sistemare prima di partire. Una volta che sarò venuta da te a Boston non tornerò *mai più* qui. Perciò, ti prego, abbi un po' di pazienza.

Ciao, sono io, Alex.

Senti, mi dispiace tanto ma non riesco a liberarmi per la cena stasera. Scusa se disdico per lettera ma mi sembra il modo migliore per farlo. Tu sei una donna meravigliosa e intelligente ma il mio cuore appartiene a un'altra. È così da molti, molti anni. Spero che quando ci incontreremo di nuovo potremo almeno rimanere amici.

Alex

31

Gentile signor Bill Lake,

è con grande rammarico che le presento le mie dimissioni.

Come da contratto, rimarrò al Two Lakes Hotel per le prossime due settimane.

Mi permetta di ringraziarla per avermi dato modo, in questi cinque splendidi anni, di lavorare nel suo albergo.

È stato un onore.

Molto cordialmente,
Rosie Dunne

Da: Toby
A: Katie
Oggetto: Catastrofe!

TU COSA? Non PUOI andartene via! È terribile! Chiedi a tua madre se puoi rimanere da me per un po'. Io lo chiederò a mia madre e a mio padre. Loro diranno sicuramente di sì. Non puoi partire.

E la scuola?

E la tua squadra di pallacanestro?

E il tuo progetto di diventare una DJ al Club Sauce?

E i tuoi nonni? Non puoi abbandonarli. Sono vecchi.

E il lavoro di tua madre e la casa e tutto il resto? Non puoi abbandonare tutto quanto.

E io?

Da: Katie
A: Toby
Oggetto: Re: Catastrofe!

Non posso farle cambiare idea. Non riesco a smettere di piangere. È la cosa peggiore che mi sia capitata in tutta la mia vita. Non voglio andare a Boston. Cosa c'è di tanto bello a Boston? Non voglio farmi nuovi amici. Non voglio niente di "nuovo".

Oh, quanto odio Greg. Sai che non è nemmeno venuto a casa perché ha troppa fifa? Lei è così fuori di sé che fa paura. A volte spaventa pure me. Quando è con lui al telefono urla e strilla come una pazza. Non mi meraviglio se Greg non osa tornare. Lei ha detto che se si fa vedere, gli taglia il suo "coso". Quasi quasi spero che ritorni soltanto per questo.

È tutta colpa sua se dobbiamo partire. È tutta colpa sua se la mamma è sconvolta. Lo odio, lo odio, lo odio.

Almeno a Boston ci sono Alex e Josh. È già qualcosa. Credo che staremo da loro per un po'. Ce ne andiamo veramente, Toby. Non è una minaccia. La mamma ha detto a Greg che non sopporta di vivere nella stessa nazione in cui vive lui, meno che mai nella stessa casa. Credo di capire quello che prova. Mi dispiace moltissimo per lei ma non voglio partire. Ho pianto tutta la notte, Toby. È proprio un'ingiustizia.

La nonna e il nonno stanno cercando di dissuaderla. Questa notte staremo da loro perché la mamma non sopporta di rimanere a casa nostra. Ogni volta che tocca qualcosa di Greg, rabbrividisce e si pulisce le mani. Ruby non fa che ripeterle di andare perché il suo cuore è laggiù, se ho capito bene. È la prima volta che vedo Ruby piangere. E ogni giorno la mamma passa ore e ore a piangere al telefono con Stephanie. Stanotte l'ho sentita in bagno che vomitava, allora mi sono alzata per farle una tazza di tè. Si è un po' calmata. Poi è venuta a dormire nel mio letto. È un letto singolo, ed eravamo un po' strette, però è stato bello. Lei mi teneva stretta come fossi un orsacchiotto.

Ha già cominciato a fare le valigie. Poi mi darà una mano con le mie. Dice che le dispiace di farmi trasferire a Boston, e le credo. Non la biasimo per essere così triste. È tutta colpa di Greg, su questo siamo d'accordo.

Ha detto che tu puoi venire a trovarci quando vuoi. Promettimi che verrai. Sei un gran rompiscatole, Toby, ma sei l'amico più caro che ho al mondo e mi mancherai moltissimo. Anche se sei un maschio.

Possiamo continuare a scriverci. È quello che hanno fatto la mamma e Alex anni fa quando lui ha dovuto trasferirsi.

Baci,
Katie

C'è posta per te da: Ruby

Ruby: E così, tra due settimane parti.
Rosie: Sì.
Ruby: Sai, stai proprio facendo la cosa giusta.
Rosie: Strano. Sembra che tu sia l'unica persona a pensarla così.
Ruby: Io sono l'unica persona che sa quello che provi per lui.
Rosie: Oh, no, non me la sento proprio di andarmi a buttare in un'altra relazione. Non ho abbastanza energia. Mi sento come se mi avessero strappato il cuore dal petto e poi ci avessero ballato sopra il tip tap. In questo momento odio tutti gli uomini.
Ruby: Incluso Alex?
Rosie: Incluso Alex, mio padre, persino il vigile urbano, oltre a mio fratello per avermi spifferato tutto.
Ruby: Però tu avresti voluto sapere.
Rosie: Sì, e non ce l'ho con lui. Kevin non aveva idea che Greg stesse organizzando quello sporco imbroglio. Un'altra volta. Quello sporco bugiardo... Aaaah! Avrei voglia di ammazzarlo di botte. Non sono mai stata così furiosa in vita mia. La prima volta mi sono sentita ferita; adesso sono solamente incazzata nera. Non vedo l'ora di andarmene da questo Paese. Sono felice che Kevin me l'abbia detto perché non farò più la figura della stupida.
Ruby: Ho sentito dire che Kevin ha avuto dei fastidi sul lavoro. Non sarà perché è andato a sbirciare tra le prenotazioni?
Rosie: No, è perché è entrato come una furia nel ristorante dell'albergo, ha cercato Greg e gli ha mollato un pugno sul naso davanti agli occhi della sua bella amichetta e degli ospiti.

Ruby: E bravo Kevin. Spero che glielo abbia rotto, il naso.
Rosie: Proprio così. È per questo che è nei guai.
Ruby: E adesso con chi andrò alle lezioni di salsa?
Rosie: Sono sicura che la signorina Behave sarà felicissima di ballare con te.
Ruby: Finalmente riesco a ballare con un uomo e quello porta la calzamaglia. Oh, mi mancherai tanto, Rosie Dunne. Non è facile nella vita trovare un'amica come te.
Rosie: Vale anche per me, Ruby. Vedi, Greg mi ha ferita, sì, ma mi ha anche dato l'opportunità di ripartire da zero. Mi libererò di lui, e questo mi renderà più forte.

La prossima settimana partirò, Greg.

Non cercare di metterti in contatto con me, non cercare di vedermi, non voglio più avere niente a che fare con te. Tu mi hai tradita proprio quando stavo imparando di nuovo ad amarti. Questo non succederà più. Hai rovinato tutto, ma ti ringrazio. Grazie per avermi fatto capire chi avevo sposato e per avermi liberato di te. Il fatto che Katie voglia continuare a vederti dipende solo da lei. Dovrai accettare la sua decisione.

Alex: Avevi ragione, Phil. Lei verrà qui da me. Io non ho dovuto fare altro che lasciare le cose come stavano in modo che fosse lei a venire.
Phil: Buon per me che avevo ragione! È stato un buon consiglio, vero? E così ti ha detto che ti ama e che non avrebbe mai dovuto sposare quell'idiota e che vuole solamente stare con te e tutte quelle cose che si dicono nei film?
Alex: No.
Phil: Non ti ha detto che ti ama?
Alex: No.
Phil: E tu glielo hai detto?
Alex: No.
Phil: E allora perché viene lì?
Alex: Ha solamente detto che voleva venire via da Dublino e che aveva bisogno di cambiare ambiente e di vedere una faccia amica.

Phil: Oh.
Alex: Cosa credi che volesse dire?
Phil: Probabilmente proprio quello che ha detto. E così tu non hai la minima idea dei sentimenti che prova per te.
Alex: No, Phil. Il suo matrimonio è appena finito. Avremo un sacco di tempo per parlare del nostro futuro quando lei sarà qui.
Phil: Sarà come dici tu, caro fratello. Sarà come dici.

Da: Alex
A: Rosie
Oggetto: Tu e Katie

Sono elettrizzato all'idea che fra poco sarete qui. Josh non sta più nella pelle per la gioia. Adora Katie ed è felice che abbiate deciso di venire a vivere con noi per un po'. Ho un amico che ha un amico che è proprietario di un albergo e che sta cercando un direttore. Tu sei decisamente qualificata per questo incarico.

Posso darti una mano, Rosie. Ci sono già passato... So che cosa si prova a dover affrontare il fallimento di un matrimonio. Io sono qui completamente a tua disposizione. Ti trasferisci a Boston con quattordici anni di ritardo rispetto a quanto avevi progettato; comunque, meglio tardi che mai. Josh e io saremo qui ad aspettarvi. Ci vediamo la settimana prossima.

Sei in partenza!

Buona fortuna, Rosie. Ci mancherai, qui al Two Lakes Hotel.

Bill, Bob, Tania, Steven, Geoffrey, Fiona, Tabitha, Henry e Grace.

Sniff, sniff.

Mi mancherai, Rosie Dunne.

Buona fortuna per la tua nuova vita. Ogni tanto mandaci una e-mail.

Un mondo di baci,
Ruby

Care Rosie e Katie,

siamo addolorati che vi sentiate costrette ad andarvene. Siamo addolorati che abbiate motivo di partire. Siamo addolorati per quanto è successo. Ci mancherete tanto, ma speriamo che possiate trovare la felicità. Niente più lacrime per le nostre due ragazze. Vi auguriamo che il futuro vi riservi cose buone. Quando arrivate telefonateci.

Baci, mamma e papà.

Buona fortuna per il vostro trasferimento!

Tengo le dita incrociate per te e Katie. Noi siamo sempre qui, se avete bisogno.

Baci,
Stephanie, Pierre e Jean-Louis

Rosie,

mi spiace che abbiate dovuto partire. Buona fortuna.

Kev

Katie,

buona fortuna nella tua nuova patria. Mi mancherai tanto.

Baci,
Toby

Cari mamma e papa,

non è che sparirò per sempre. Saremo soltanto a qualche ora di distanza. Voi potrete venire a trovarci quando vorrete! Vi vogliamo tanto bene e vi ringraziamo per il vostro costante appoggio. Questa volta dovremo trovare da sole la nostra strada.

Con tanto amore,
Rosie e Katie

32

Cara Rosie,

prima che tu strappi questa lettera, ti prego, dammi la possibilità di spiegare. Per prima cosa, ti chiedo scusa con tutto il cuore per gli anni passati. Per non essere rimasto accanto a te, per non esserti stato di appoggio e per non averti aiutata come meritavi. Sono profondamente mortificato e deluso di me stesso per come ho agito e per come ho scelto di vivere la mia vita. Mi rendo conto che non c'è niente che io possa fare per cambiare o rimediare agli anni in cui mi sono comportato in maniera tanto insensata ignorando sia te sia la bambina.

Ma ti prego di concedermi l'opportunità di costruire un futuro migliore, di rimediare agli errori commessi. Posso ben capire che tu ti senta in collera, tradita e ferita, e che mi debba odiare profondamente, ma non devi pensare soltanto a te stessa. Guardo alla mia vita passata e mi chiedo quali meriti io possa vantare in tutti questi anni. Non ho fatto molte cose di cui poter essere fiero. Non posso dire di aver riportato molti successi, non ho combinato un granché. C'è una sola cosa della mia vita di cui possa dirmi orgoglioso: la mia bambina.

È il fatto di avere una bambina, che ormai non è più tanto "bambina". Non sono certo orgoglioso del modo in cui l'ho trattata. Qualche settimana fa, la mattina del mio trentaduesimo compleanno, mi sono svegliato e improvvisamente è stato come se tutto il buonsenso che avevo smarrito negli anni precedenti fosse ritornato a guidare i miei passi. Mi sono reso conto di avere una figlia della quale non sapevo niente e che non sa niente di me. Vorrei tanto poter avere l'opportunità di conoscerla. Mi hanno detto che si chiama Katie. È un bel nome. Mi chiedo che aspetto abbia. Mi assomiglia?

So bene che non ho mai fatto niente per meritarmelo, ma se tu e Katie me lo permetterete, vorrei entrare a far parte della vostra vita: potrei dimostrarvi che non sarebbe tempo perduto. Katie conoscerà suo padre e io vedrò mia figlia: come potrebbe questo essere considerato una perdita di tempo? Ti prego, aiutami a realizzare il mio sogno.

Per favore, mettiti in contatto con me, Rosie. Dammi l'occasione di rimediare a tutti gli errori del passato e di creare un nuovo futuro per Katie e per me.

Cari saluti,
Brian

Rosie: No no no no no no no no no.

Ruby: Lo so, tesoro, lo capisco. Ma almeno considera le alternative.

Rosie: Alternative? ALTERNATIVE? Non ne ho neanche una. NEANCHE UNA! Devo andare. Rimanere qui non è un'alternativa.

Ruby: Rosie, calmati, sei sconvolta.

Rosie: Ma certo che sono sconvolta! Come diavolo posso cercare di riorganizzare la mia vita se tutti quelli attorno a me continuano a incasinarla? Quando toccherà a *me* vivere la *mia vita* per *me* e non per gli altri? Sono stufa di tutto questo, Ruby. Ne ho fin sopra i capelli. Ne ho passate troppe. Adesso me ne vado. Chi è questo tizio? Dove diavolo è stato in questi tredici anni? Dove è sparito durante il periodo più importante della vita di Katie – o della mia, se è per questo?
Chi è rimasta alzata tutta la notte ad allattarla, a camminare avanti e indietro e a cantare fottute ninna-nanne per farla smettere di piangere? Chi le cambiava i disgustosi pannolini, le puliva il moccolo dal naso, le lavava via il vomito dai vestitini tutti i santi giorni? Chi si è ritrovata con smagliature e cicatrici, tette cadenti e capelli grigi a trentadue anni? Chi è andata agli incontri con gli insegnanti, l'ha portata a scuola ed è andata a riprenderla, ha preparato il pranzo, lo ha messo in tavola, ha pagato l'affitto, è andata al lavoro,

l'ha aiutata a fare i compiti, le ha dato consigli, le ha asciugato le lacrime, le ha parlato del sesso, le ha spiegato perché lei non aveva il papà come la maggior parte degli altri bambini? Chi è rimasta alzata tutta la notte e si è preoccupata quando lei era malata, provandole la febbre e comprando le medicine, portandola dal medico o all'ospedale nel bel mezzo della notte? Chi non ha potuto andare al college, ha dovuto stare a casa dal lavoro ed è rimasta a casa durante il fine settimana per prendersi cura di lei? Io, ecco chi. Dov'era quel bastardo, allora?
E adesso *lui* ha la faccia tosta di ritornare con la coda tra le gambe nella nostra vita dopo ben tredici anni, quando il lavoro più difficile è stato fatto, con una semplice scrollata di spalle e patetiche parole di scusa, proprio nel momento in cui, dopo il tradimento di mio marito e il fallimento del mio matrimonio, mi sono finalmente decisa a trasferirmi a Boston dove avrei dovuto essere in ogni caso, non fosse stato per quell'insignificante incidente che ha mandato all'aria tutti i miei piani e mi ha stravolto la vita?
Cha vada al diavolo!
Adesso tocca a me, Rosie Dunne, e a nessun altro.

Ruby: Calma, Rosie, ti sbagli. C'è di mezzo anche Katie. Ha bisogno di sapere che lui la vuole conoscere. Non punire lei per gli errori che hai commesso tu.

Rosie: Ma se glielo dico, lei vorrà vederlo. Sarà elettrizzata all'idea di conoscerlo, e lui probabilmente la deluderà un'altra volta e le spezzerà di nuovo il cuore. E a chi toccherà metterci una pezza? A me. Toccherà a me consolare per l'ennesima volta mia figlia. Dovrò raccogliere i cocci e asciugarle le lacrime. Dovrò stamparmi sulla faccia un'espressione felice, stringermi nelle spalle e dire: "Oh, be', non prendertela, cara la mia figlia tredicenne, non tutti gli uomini sono degli stronzi, soltanto quelli che hai conosciuto tu".

Ruby: Rosie, potrebbe anche andare a finire bene. Magari lui è veramente cambiato. Non si sa mai.

Rosie: Hai ragione, non si sa *mai*. MAI. E un'altra cosa: come farà Katie a conoscere suo padre se noi vivremo dall'altra parte del mondo? Io non voglio rimanere qui, Ruby. Voglio andarmene *via*. Voglio andarmene da questo gran casino che è la mia vita.

Ruby: Non è un casino, Rosie. La vita è ben lontana dall'essere perfetta, per tutti. Tu non sei certo l'unica. Non c'è un enorme nuvolone nero che incombe soltanto sulla tua testa e su nessun altro. A te sembra così. Ma un sacco di altra gente ha la tua stessa sensazione. Devi solo trarre il maggior vantaggio possibile da quello che hai, e sei *fortunata* perché hai una figlia bellissima, sana, intelligente, simpatica, che ti ammira sconfinatamente. Non perdere di vista questa realtà. Se Katie vuole conoscere Brian, tu dovresti assecondarla. Puoi sempre trasferirti: lui vi verrà a trovare. Ma se ritieni che questo sia un motivo sufficiente per rimanere, allora rimani.

Rosie: Katie vorrà rimanere. Il mese scorso mi sentivo in paradiso. In un istante la mia vita è completamente cambiata.

Ruby: Be', è proprio questo il problema del paradiso. Nient'altro attrae tanto un serpente.

Cara Stephanie,

congratulazioni per la gravidanza! Sono felice per te e per Pierre. Il bimbo numero due sarà sicuramente una gioia, proprio come Jean-Louis. Suppongo che la mamma ti abbia già dato la notizia. È felice che io non vada più in America. Alex invece non lo è per niente. Ha imprecato e bestemmiato e mi ha rovesciato addosso tutti gli insulti possibili. Pensa che io mi stia arrendendo per l'ennesima volta, che mi lasci calpestare, così mi tiene il muso e non mi rivolge la parola. Può darsi che mi sia lasciata calpestare in passato, ma non questa volta. Katie è la persona più importante della mia vita e il mio unico scopo è assicurarle ogni possibile occasione di felicità.

Ultimamente ne ha passate davvero tante, prima a causa di Greg, poi perché ha dovuto tornare ad abitare da mamma e papà e infine per essersi dovuta abituare all'idea di trasferirsi in America. È stata sottoposta a una serie di pressioni ingiustificate. Avrebbe il diritto di pensare allo sport, alle collanine e agli orecchini, ai ragazzi, e non all'adulterio, a trasferirsi da un continente all'altro e a un padre che ricompare all'improvviso come per magia. Lei non è responsabile di niente, visto che sono stata io a metterla al mondo, e il minimo che possa fare è continuare il buon lavoro che ho fatto. Katie non è una tossicodipendente, non è maleducata, va bene a scuola, è ben fatta ed è riuscita a non buttare via la sua vita. Quindi, con tutte le storie terribili che si sentono, credo di aver fatto, e di fare, un buon lavoro.

Mi aspetto da un momento all'altro che Alex entri come una furia dalla porta. Sono certa che è saltato sul primo aereo per venire qui a pestare Brian di santa ragione. Suppongo che i veri amici esistano per questo. Non riesco nemmeno a immaginare come "sarebbe potuta essere" la vita a Boston, senza mettermi a piangere. Non so proprio cosa fare. Non ho un lavoro, non ho una casa, sono ritornata a vivere con mamma e papà. Tutto qui mi riporta alla mente un periodo in cui non sono stata felice. Ho avuto un'infanzia meravigliosa, ma gli anni con Katie sono stati molto difficili; e proprio quegli anni sono i ricordi più vivi che ho di questa casa: gli odori, i rumori, la carta da parati, le stanze... tutto mi ricorda le lunghe nottate di veglia, i risvegli di primo mattino, le preoccupazioni.

Comunque, ti chiedo scusa per non essermi messa in contatto con te negli ultimi tempi, ma sto cercando di abituarmi all'idea. Sto cercando di dare un senso alla frase "ogni cosa accade per un preciso motivo", e credo di aver capito quale sia questo motivo: farmi incavolare.

Quando ho iniziato ad andare a scuola, consideravo i ragazzi della sesta classe tanto più grandi e sicuri di sé, anche se non avevano più di dodici anni. Quando sono arrivata a dodici anni, pensavo che i ragazzi di diciotto dovessero sapere *tutto.* A diciotto anni, ho stabilito che soltanto una volta finito il college avrei veramente raggiunto la maturità. A venticinque non ero entrata al college, ero ancora all'oscuro di tutto e avevo una bambina di sette anni. Ero convinta che a trent'anni avrei avuto per lo meno *alcune* certezze su quanto mi stava accadendo.

Niente affatto, sono ancora al punto di prima.

E così sto cominciando a pensare che quando avrò cinquanta, sessanta, settanta, ottanta e novant'anni sarò ancora ben lontana dall'essere diventata saggia e sicura di me. Forse le persone sul letto di morte, dopo aver avuto una vita lunghissima, aver visto di tutto, aver viaggiato in lungo e in largo per il mondo, aver messo al mondo dei figli, aver subito traumi personali, dopo aver sconfitto i propri demoni e aver imparato la dura lezione della vita, pensano: Dio, le anime lassù in paradiso devono *sicuramente* sapere come stanno le cose.

Ma scommetto che, quando alla fine muoiono, si uniscono a tutti gli altri in cielo e se ne stanno lì a sorvegliare le mosse delle persone amate che hanno lasciato sulla terra, continuando a pensare che scopriranno tutto in una prossima vita.

Io credo di avere capito, Steph. Ci ho pensato su per anni e anni e ho scoperto che nessuno, nemmeno Colui che sta lassù, ha la minima idea di come vadano le cose.

Rosie

Da: Stephanie
A: Rosie
Oggetto: La vita

Be', e questa scoperta non ti rende più saggia? L'età ti ha insegnato qualcosa. Che *nessuno* sa come vanno le cose.

Ciao,

ti prego di accettare le mie scuse più sincere per quel ridicolo biglietto che ti ho spedito la settimana scorsa. Consideralo un momentaneo vuoto di concentrazione. Sono un vero stupido (come del resto sai già) e non riesco a capire a che cosa stessi pensando. Comunque sarai felice di sapere (spero) che sono ritornato sulla terra con un tonfo e che sono pronto a concedere a noi due un'altra possibilità. Quindi smettiamola di sciupare tempo prezioso e veniamo alle cose importanti. Vogliamo ricominciare da stasera?

Alex

33

✉ **C'è posta per te da: Ruby**

Ruby: E così sei ancora qui, eh?
Rosie: Oh, non oggi, Ruby, ti prego. Non sono dell'umore giusto.
Ruby: Sono proprio stanca di te, Rosie Dunne. Prima dici che vai a Cork, poi non ci vai; dici che vai a Boston (di nuovo) e non ci vai. Mi aspetto che finalmente ti decida a dichiarare il tuo amore ad Alex, e non lo fai, e così lui continua a non averne la più pallida idea. Non ce la faccio a tener testa a te e alle tue frenesie tipo "lascio il Paese/cambio lavoro/pianto mio marito". A volte penso che avresti soltanto bisogno di un bel calcio nel didietro per aver sciupato tutte queste opportunità. Sei una persona incredibilmente frustrante, Rosie.
Rosie: Be', in questo momento sono una persona incredibilmente frustrata. E non "sciupo tutte le opportunità"; si chiama "regalarne di nuove a mia figlia".
Ruby: Puoi darle il nome che vuoi, ma alla fine della giornata un'opportunità sprecata è un'opportunità sprecata. Comunque non preoccuparti: credo ci sia qualcosa da imparare in tutto questo.
Rosie: Ti prego, dimmi che c'è una logica in quello che mi succede. Qual è la lezione?
Ruby: Che non devi più preoccuparti di tentare, perché non andrai da nessuna parte. Parlando sul serio, come stai?
Rosie: Bene.
Ruby: Ne sei sicura? Andiamo, Rosie! Se non riesco a capire quello che ti sta succedendo non potrò mai capire come devi sentirti.

Rosie: Oh, il mio cuore è a pezzi; ha smesso di battere due settimane fa.

Ruby: Be', meno male che conosci un uomo che può curarlo.

Rosie: No, no, no, è una tacita regola. Lui cura il cuore delle altre persone, non il mio. Adesso capisco che è così che deve essere.

Ruby: Ho un'idea, Rosie. Perché non *dici* semplicemente ad Alex quello che senti? Perché non porti finalmente allo scoperto tutti i tuoi sentimenti e fai chiarezza in quella tua testolina confusa? Così per lo meno lui saprà che non vai in America *non* perché non t'importa niente di lui, al contrario: tu lo ami più di quanto lui possa immaginare, ma devi rimanere qui per Katie. In questo modo, la palla passerebbe a lui: potrebbe decidere se venire da te oppure no.

Rosie: Ma cosa ne sarebbe del suo lavoro? E Josh?

Ruby: Questo è un *suo* problema.

Rosie: Ruby, non ci riesco. Come faccio a dirglielo? Se noi ci fossimo trasferite a Boston, avrei potuto tastare il terreno, accertarmi dei suoi sentimenti nei miei confronti e solo allora dirgli tutto. È uscito con una donna non più tardi della settimana scorsa, Cristo santo! Non credi che farei la figura della stupida se gli dicessi che lo amo mentre lui esce con un'altra? Si ripeterebbe di nuovo la stessa situazione che si era verificata quando c'era Sally. È troppo complicato, e in questo momento l'ultima delle mie preoccupazioni è cercare di immaginare quale sarà il prossimo uomo di cui mi innamorerò. In ogni modo, Alex non risponde nemmeno alle mie chiamate. Probabilmente mi considera una stupida per la decisione che ho preso.

Ruby: Dagli soltanto un po' di tempo. È deluso per come sono andate le cose.

Rosie: Scusa, cos'hai detto? È deluso? *Lui* è deluso? A quanto pare io e il resto del mondo abbiamo seri problemi di comunicazione. Credete tutti che io sia *entusiasta* di aver avuto queste nuove rivelazioni? Insomma, non è che cerchi comprensione o altro, ma...

Ruby: E invece sì.

Rosie: Come dici?

Ruby: Comprensione. Tu la cerchi. Credimi, è così.

Rosie: Grazie per avermi illuminata. E va bene, comunque sarebbe quanto meno carino se qualcuno tenesse presente il fatto che mio marito ha avuto una relazione, che il mio matrimonio è finito, che io sono sempre milioni di chilometri lontana da Alex e che non potrò mai approfondire quello che provo per lui, che il padre di mia figlia, che se l'era data a gambe, è ritornato in Irlanda e che NON HO UN LAVORO! Una pacca sulle spalle, un sorriso di comprensione e un pochino di tenerezza sarebbero veramente ben accetti. Ora come ora la mia idea di paradiso è passare qualche mese rannicchiata nel mio letto, nascosta sotto le coperte, in una stanza buia con le tende tirate, con indosso un pigiama largo e comodo; ma purtroppo non lo posso fare perché ho una figlia in iperventilazione per il semplice fatto che suo padre, che non ha mai conosciuto, si è rifatto vivo, e io devo dimenticarmi di me ed essere forte per lei. Però un minimo di comprensione non mi farebbe male.

Ruby: Rosie, prendi fiato.

Rosie: No, è così che mi piombano addosso tutti i problemi. Se non respirassi, andrebbe tutto alla grande.

Ruby: Non dire queste cose.

Rosie: Oh, piantala. Non ho il tempo per ammazzarmi. Sono troppo occupata a godermi il mio esaurimento nervoso.

Ruby: Be', suppongo che questa sia una buona notizia, almeno credo. E come è andato l'incontro con Brian?

Rosie: Bene. Ha prenotato un volo per venire qui non appena ha messo giù il telefono con me, e quindi sembrerebbe che stia prendendo molto sul serio il suo nuovo ruolo di padre. Mi ha detto che in questi ultimi tredici anni è vissuto in Spagna, dove è proprietario di un nightclub. Offrendo a irlandesi minorenni, bevitori e dotati di vigorosi impulsi sessuali qualche piacevole ricordo di passate baldorie.

Ruby: È abbronzato e affascinante?

Rosie: Non mi è mai venuto in mente di mettere le parole "Brian la Lagna" e "abbronzato e affascinante" nella stessa frase. È più o meno lo stesso, con meno capelli e più pancia.

Ruby: Cosa hai provato quando lo hai visto?

Rosie: Ho dovuto chiamare a raccolta tutte le mie forze per impedirmi di prenderlo a pugni. Katie era talmente nervosa all'idea di incontrarlo che tremava come una foglia e si stringeva a me. Contava sul fatto che quella forte fossi io. Pensa un po': qualcuno faceva affidamento su di me. L'abbiamo incontrato in un bar del centro commerciale di Jervis Street e, devo ammetterlo, mentre ci avvicinavamo al suo tavolo, mi sentivo male. Male per la rabbia che quel miserabile omuncolo, con il quale avrei dovuto impormi di essere gentile per un'ora e che avrei dovuto aiutare a entrare a far parte della vita di mia figlia, era la stessa persona che mi aveva causato tanto dolore in passato. Io dovevo aiutare *lui*. Mi sembrava anche strano che, per quanto fragile mi sentissi quella mattina sull'autobus mentre accompagnavo Katie in città, e stanca, nervosa, arrabbiata e contrariata com'ero nel doverlo fare, mi rendevo conto che quei due avevano bisogno che io li riunissi. Quindi, in nome del legame che unisce Katie a Brian, devo tenere per me qualsiasi sentimento di rancore io possa provare per lui.

Ruby: Hai fatto una buona cosa, Rosie. Deve essere stato difficile per te. E probabilmente sarà difficile ancora per molto tempo, vedendoli diventare sempre più uniti.

Rosie: Lo so. Dovrò mordermi la lingua per impedirmi di dire a Katie che suo padre non è certo un eroe quando lei mi racconterà di quello che lui ha fatto nella vita.

Ruby: Come si è comportato con lei?

Rosie: Era ancora più nervoso di Katie, così è toccato a me avviare una conversazione. Sai, essere la più forte dei tre mi ha aiutata a capire che rinunciando ad andare a Boston ho preso la decisione giusta. Katie aveva bisogno di me. Tutti e due avevano bisogno di me. Lui sembrava sinceramente interessato alla mia vita e a quella di Katie. Voleva sapere tutto di lei, e mi ha fatto piacere rievocare il passato. A dire il vero, in un primo momento ho provato un senso di rabbia, dal momento che lui non vi aveva preso parte, poi però ho capito che mi stavo vantando. In un certo senso rievocare gli anni lontani mi ha dato coraggio e mi ha fatto capire quanto io sia stata fortunata, anche se non faccio che recriminare e lamentarmi delle responsabilità della maternità. Mi ha aiutata a vedere quanto Katie fosse "speciale" e a riconsiderare la mia situazione; noi due siamo le uniche a condividere tanti ricordi. E quello che scegliamo di far conoscere agli altri dipende esclusivamente da noi. E anche se Brian ha scompigliato i miei progetti per il futuro, quanto meno, senza volerlo mi ha aiutata a capirlo.

D'altro canto, malauguratamente, questo non è proprio il momento migliore per ritrovare un mio ex. In simili circostanze si suppone che si sia fatto qualche passo avanti rispetto all'epoca in cui ci si frequentava; che si sia felici e si abbia raggiunto un certo successo nella vita, tanto da poter dire: "Lo vedi che cosa ho fatto da quando te ne sei andato?" Un matrimonio fallito, nessun lavoro e l'essere costretta a vivere con i genitori non hanno sortito l'effetto desiderato.

Ruby: Ma niente di tutto questo ha importanza, Rosie. Tu dovresti sentirti soddisfatta che lui sia un pochino cresciuto. Per quanto tempo rimarrà qui?

Rosie: Per qualche settimana, dopo di che dovrà ritornare in Spagna. I mesi estivi sono i più impegnativi per la sua attività. Ritornerà qualche volta per vedere Katie, naturalmente, quindi affiderà a qualcuno la gestione del nightclub per poter rimanere a Dublino, quest'inverno. Sembra proprio che stia prendendo la faccenda molto seriamente, e ne sono felice per Katie. Avere Brian attorno non è certo l'ideale per me, ma ne vale la pena, se serve a risvegliarle il sorriso.

Ruby: E per quanto riguarda il lavoro, ancora niente?

Rosie: Mah, avevo appena acceso il computer per cercare su Internet quando mi hai chiamata tu.

Ruby: Oh, d'accordo, adesso me ne vado di modo che tu possa cercare in pace. A proposito, sto facendo venire il mio Gary alle lezioni di salsa. La signorina Behave ha bevuto una sangria di troppo alla festa di primavera, la settimana scorsa, ed è precipitata da quei suoi zatteroni alti trenta centimetri. Tutto quello che abbiamo sentito è stato un tremendo CRACK! Mi sono voltata e l'ho vista per terra supina con una gran smagliatura nelle calze e la parrucca accanto a lei sul pavimento.

Rosie: Oddio, avete dovuto portarla all'ospedale?

Ruby: No, si è solamente rotta il tacco di una scarpa e, visto come sono le sue scarpe "solo per ballare", si rifiuta di venire alle lezioni fino a che non le avrà rimpiazzate. Purtroppo scarpe del genere le vendono soltanto in un negozio di New York, perciò dovrà aspettare che gliene spediscano un paio. Così sono rimasta senza compagno, e non provo nemmeno a chiederlo a te perché so che mi diresti di no.

Rosie: È così. Ma come diavolo hai fatto a convincere Gary a venire alle lezioni? L'hai minacciato di morte?

Ruby: Sì.

Rosie: Oh, spero che si divertirà.

Ruby: Non dire sciocchezze! Lo odierà e mi urlerà dietro per settimane, ma almeno così mi parlerà di nuovo. Be', adesso sarà meglio che mi dia una mossa. Durante la pausa pranzo devo andare a comperargli il body e la calzamaglia. So che non siamo tenuti a indossarli, ma ne varrà la pena soltanto per vedere la sua espressione quando li tirerò fuori dalla borsa.

Rosie: Diavolo di una donna.

Ruby: Ti ringrazio. E adesso vatti a cercare un lavoro. In un albergo. Dopo tutte le stupidate che hai combinato nella vita, voglio che tu diventi la più brava del mondo in questo campo. NIENTE PIÙ FIASCHI. Hai capito bene?

Rosie: Forte e chiaro.

Caro Alex,

quanto andrà avanti il tuo silenzio? Devi capire che io non posso prendere decisioni che vanno bene soltanto per me. Devo pensare anche a Katie. È molto importante che lei impari a conoscere Brian. Tu più di tutti dovresti sapere che cosa significa desiderare e aver bisogno di stare vicino al proprio figlio. Brian ha finalmente capito che vuole stare vicino a Katie. Meglio tardi che mai, come dici sempre tu. Per certe cose è così.

Nei messaggi che ti ho lasciato in segreteria non ho fatto altro che scusarmi, ma ora ti scrivo per ringraziarti. Per ringraziarti del fatto di essermi stato sempre vicino. Per esserti incaricato di organizzare tutti i preparativi al posto mio in un momento in cui non riuscivo nemmeno a connettere. Quella settimana, la mia vita è stata sconvolta, e tutto quello che una volta era sicuro e solido è stato sradicato e mi è crollato addosso. Non permettiamo che la tua disapprovazione per la mia decisione pregiudichi la nostra amicizia.

Forse un giorno ci riuniremo come avevamo progettato quando avevamo sette anni. Sono fortunata ad avere un amico come te, Alex Stewart; tu sei veramente il mio "raggio di luna", che mi illumina e mi guida. Non so quanto fosse campata in aria la promessa che ci siamo fatti da bambini – stare per sempre l'uno al fianco dell'altra – comunque siamo amici da più di vent'anni pur vivendo sulle sponde opposte dell'oceano, e questa, ne sono certa, è un'impresa non indifferente.

È tutta la settimana che sono a caccia di un lavoro. Avrei voluto trovare qualcosa in un albergo ma, sorpresa sorpresa, a quanto pare, dato che l'estate è già cominciata, studenti e immigrati fin troppo desiderosi di essere sottopagati hanno già occupato tutti i posti disponibili per i prossimi mesi. A ogni modo la paga non sarebbe sufficiente per permettere a me e a mia figlia di camminare con le nostre gambe. Mi unirò alle insopportabili lamentele dell'Irlanda del ventunesimo secolo che ripetono il ritornello: "Oggigiorno è tutto così caro". Aspetto notizie dal consiglio comunale per l'assegnazione di una casa, ma ci sono stata poco fa e la lista d'attesa è lunghissima.

Purtroppo il mio posto al Two Lakes Hotel è già stato occupato. Brian si è offerto di provvedere al mantenimento della bambina, io però non voglio i suoi soldi. Finora me la sono cavata senza di lui; e di certo non ho bisogno del suo aiuto adesso. Può dare a Katie tutte le mancette che vuole, ma i suoi soldi io non li chiedo né li pretendo.

Comesichiama ha fatto una fugace apparizione. Quell'uomo ha paura persino della sua stessa ombra, figuriamoci di me. La settimana scorsa ho presentato istanza di divorzio; ho bisogno che esca per sempre dalla mia vita. Gli ho dato fin troppo amore e fin troppe occasioni, e lui me li ha sbattuti in faccia. Sarei una pazza a continuare a riporre le mie speranze in un uomo del genere. Non è salutare né per me né per Katie. Quando il divorzio sarà concluso ballerò nuda per le strade.

Hai sentito che Stephanie è incinta? Il bimbo nascerà a novembre, e ovviamente tutta la famiglia è al settimo cielo. Mamma e papà sono in gran forma; chiedono sempre di te e Josh, e si stanno godendo insieme la pensione. Stanno pensando di vendere casa e di andare a vivere in campagna dove la vita è meno cara, in modo da poter usare i soldi risparmiati per andare in giro per il mondo per il resto della loro vita. Mi sembra una grande idea. Non hanno bisogno di tutte quelle stanze vuote (tranne quando io mi rifugio piangendo da loro) né di vivere in città. Però questo significa che mi devo sbrigare a trovare un impiego per lasciare libera la casa. I miei non mi fanno fretta, ma vorrebbero concludere le trattative quest'estate. Per allora sarò l'unico membro della famiglia a vivere ancora a Dublino, il che sarà piuttosto triste. Kevin è a Kilkenny, Stephanie in Francia e mamma e papà saranno chissà dove. Saremo solamente io e Katie. E Brian la Lagna.

La mia amica Ruby sta portando suo figlio Gary alle lezioni di salsa. Deve essere davvero spassoso. Tu hai conosciuto Gary... Te lo immagini a ballare? Comunque credo che sia una buona idea. Anche Katie e io dovremmo fare qualcosa insieme. Lei passa anche giornate intere con suo padre, cosa che io e lei non facciamo mai: di solito rimaniamo in casa a bisticciare come cane e gatto. Penserò a qualcosa che le piaccia, tipo portarla a un concerto. Quando c'era Greg, io ero sempre la mamma coraggiosa che arrivava in suo soccorso, ma adesso che c'è Brian è lui il nuovo eroe, il fantastico papà che gestisce un nightclub alla moda, mentre io sono la mamma noiosa che la costringe a tenere in ordine la stanza. Naturalmente, il fatto che Brian abbia un nightclub non ha fatto altro che rafforzare il desiderio di Katie di diventare una DJ. Forse abbiamo creato un mostro. Tiene la musica a tutto volume, al limite del sopportabile. In questi ultimi anni i miei genitori si sono talmente abituati al silenzio che ho paura che mio padre esploderà, se Katie continua di questo passo.

Be', queste sono le mie novità. Le giornate trascorrono lentamente; prendo ogni giorno così come viene. Ti prego rispondimi. L'ultima cosa che vorrei è perdere il mio migliore amico.
Nonostante sia un uomo.

Con tanto affetto,
Rosie

Phil: E così tu saresti incavolato perché lei non si trasferisce più a Boston, perché il padre di Katie, che lei non vede da più di tredici anni, si è fatto vivo e vuole conoscere la figlia?
Alex: Sì.
Phil: Santo Dio! Ma chi te li scrive i testi?

Cara Rosie,
mi spiace tanto. Mi rendo conto che queste sono state delle settimane d'inferno per te, e che avrei dovuto tenermi in contatto. A volte, pensando alla tua vita, provo un senso di grande frustrazione, ma purtroppo non posso controllarla al posto tuo.
Sei tu che devi decidere. Io non ero in collera con te, solo deluso per te. Vorrei vederti sempre felice, e capivo che con Comesichiama non lo eri. E andava avanti così da anni. Per quanto disastrosa ti sembri la tua situazione in questo momento, non essere più assieme a lui è una benedizione. A ogni modo, discuteremo al telefono nel corso della settimana. Potrei andare avanti a parlare di Comesichiama in eterno.
Se posso esserti di aiuto finanziariamente, fammelo sapere, anche se sono sicuro che tu preferisci cambiare discorso e che ti dà fastidio anche solo il fatto che io te lo proponga. Comunque, la mia offerta è sempre valida. Ultimamente il lavoro mi sta andando alla grande. Grazie all'alimentazione e allo stile di vita del mondo moderno, la cardiochirurgia è molto richiesta. D'accordo, questa non era una gran battuta.
Fatti viva, Fiorellino.
Sono sicuro che te la cavi benissimo.

Alex

Da: Rosie
A: Alex
Oggetto: Messaggi

Alex Stewart, sai che me la CAVERÒ benissimo.

Da: Alex
A: Katie
Oggetto: Risentirsi

Sono il tuo amato padrino. Ti sto scrivendo questa e-mail per sapere come stai e per chiederti come vanno la cose con tuo padre. Tienimi informato. Da un po' di tempo non ho tue notizie, e ho saputo che avete avuto qualche problema. E come va con la musica? Vuoi sempre diventare una DJ?

Da: Katie
A: Alex
Oggetto: Re: Risentirsi

Scusa, questa è 1 e-mail telegrafica solo x dire ciao e che sto OK. Ho fretta xché devo uscire con papà. Mi porta a 1 concerto al Point Theatre. Ha i biglietti gratis xché conosce la band. Sono rimasta male xché ma' aveva comprato i biglietti x me e x lei x farmi 1 sorpresa. Dice che io e lei dobbiamo fare + cose insieme. Non so di cosa parla io e lei c vediamo ogni giorno. Comunkue papà a i biglietti migliori così vado con lui e ma' porta Ruby. Hanno posti merdosi in fondo. Brian è forte. Mi a detto ke tu e lui eravate compagni di skuola e ke tu 6 andato alla festa x il suo 10 compleanno e ke lui ti a fatto la festa d addio prima ke tu partissi per gli USA. Ma a detto che tu e mamma siete spariti dopo 10 minuti. È stato 1 po villano!

Ma' a riso qdo lui glielo a ricordato. Non mi a voluto dire dove tu e lei siete andati. Dove siete andati?

È arrivato papà – devo andare.

Katie: Forte, vero Toby?

Toby: Sì.

Katie: Quando finisco la scuola potrò andare in Spagna a lavorare come DJ nel suo nightclub. È assolutamente perfetto. Combacia in pieno con il mio più grande progetto.

Toby: Ha detto che potevi lavorare nel suo nightclub?

Katie: No, ma non credo che mi dirà di no, non ti pare?

Toby: Non so. Come si chiama il nightclub?

Katie: Dyma Nite Club. Forte, vero?

Toby: Sì.

Katie: Puoi venirci anche tu, se vuoi.

Toby: Grazie. Ma vuoi veramente vivere in Spagna?

Katie: Sì, per cominciare. Prima mi farei un'esperienza nel suo locale e poi potrei viaggiare per il mondo e lavorare in mille altri locali nei vari Paesi. Te lo immagini potersi mantenere mettendo su CD e ascoltando musica? Sarebbe fantastico.

Toby: Dovrai procurarti le piastre di registrazione.

Katie: Certo. Papà ha detto che ci pensa lui a procurarmele. Ha un sacco di amici che fanno i DJ e loro possono procurarci l'attrezzatura migliore a prezzi più bassi che nei negozi. Fantastico, vero?

Toby: Sì. È strano: lo chiami papà.

Katie: Sì, lo so. Quando parlo con lui non lo faccio, solamente quando ne parlo con gli altri. Mi sembrerebbe strano. Chissà, prima o poi mi ci abituerò.

Toby: Sì, penso di sì. Hai notizie di Greg?

Katie: No. Perché?

Toby: Non dirlo a tua madre, ma ieri sera sono andato con i miei in un ristorante cinese e lui era lì con una tipa. Quando mi ha visto è sembrato molto imbarazzato e ha cercato di essere gentile invitandomi al suo tavolo.

Katie: Oddio. E tu che cosa gli hai detto?

Toby: Niente. L'ho ignorato. Sono passato davanti al loro tavolo senza fermarmi.

Katie: Perfetto. Ben gli sta. E i tuoi erano imbarazzati?

Toby: No, mia madre mi ha fatto l'occhiolino e mio padre ha fatto finta di non averlo visto.

Katie: E con chi era?

Toby: Chi, mio padre?
Katie: No, stupido, Comesichiama.
Toby: Con una bionda.
Katie: Oh, povera mamma.
Toby: E tu non dirglielo. L'ha trovato un lavoro?
Katie: No, ma va a fare colloqui ogni giorno. Da un po' è di pessimo umore: fa un gran casino per tutta la casa neanche fosse l'Anticristo. Il nonno dice che questo è il comportamento che ci si aspetterebbe da me che ho tredici anni. È scorbutica.
Toby: Fra poco devi andare dal dentista?
Katie: Sì, il nonno mi ci porta domani. Il mio apparecchio si è rotto di nuovo. Perché?
Toby: Posso venire con te?
Katie: Perché vuoi sempre venire con me? Mi sono venute le vesciche in bocca e quello mi dà dei gran colpi sui denti mentre tu te ne stai lì a succhiarti un lecca lecca.
Toby: Mi piace venirci. Scommetto che stamattina a colazione hai mangiato cornflakes.
Katie: Che cosa sei, un sensitivo?
Toby: No, ti è rimasto tutto attaccato all'apparecchio.
Katie: Oddio, Toby! Perché non cerchi di allargare i tuoi orizzonti?
Toby: Ma a me va benissimo così. E allora, posso venire?
Katie: Sei proprio strano. Cosa diavolo è questa ossessione per gli apparecchi per i denti?
Toby: Sono interessanti.
Katie: Sì, proprio interessanti come il compito di geografia. Dai, su, qual è la risposta alla domanda numero 5? La capitale dell'Australia è Sydney?
Toby: Sì, Katie, è Sydney.

Gentile signora Rosie Dunne,

abbiamo il piacere di comunicarle che ha superato brillantemente la selezione e che le è stato assegnato l'impiego. Gradiremmo che lei si rendesse disponibile a partire dal prossimo mese di agosto. La preghiamo di volerci rispondere con cortese sollecitudine, chiamando Jessica al numero qui sotto indicato.

34

✉ **C'è posta per te da: Ruby**

Ruby: Ringraziamo il Signore perché fa miracoli. Adoro mio figlio, è perfetto, un genio assoluto!
Rosie: Questo sì che è un colpo di scena!
Ruby: Be', mi daresti ragione se, come me, fossi stata testimone della rinascita di Fred Astaire. Non soltanto sono piena di dolori per aver ballato come mai in vita mia, ma sono sciоccata! Non appena è partita la musica, si è accesa la magia! Vedi, Ricardo c'è andato giù pesante con Gary, anche se era il suo primo giorno. Ha detto: "Rubii, questou è il corso superiorei, Gerii dovrà cercare di mettersi in pari con gli altri". E, Dio, come si è messo in pari, il mio Gary! Io non riuscivo a stargli dietro. Ricardo ha persino messo su *1, 2, 3, Maria* di Azuquita... e tu lo conosci quel pezzo, Rosie: è veloce, talmente veloce che io e te siamo cadute lunghe e distese per terra, e abbiamo visto tutte le stelle del firmamento. Ma Gary si muoveva in un modo incredibile. Era così aggraziato! Volteggiava e piroettava per la sala con la fronte imperlata di sudore che gli brillava come... un sistema solare. Ricardo ha detto che Gary era una futura stella e che io e lui formavamo una grande coppia.
Teddy non è rimasto particolarmente colpito quando gliel'ho raccontato. Per la verità, ero talmente eccitata al ritorno a casa che mi sono messa a parlare a raffica e non mi sono accorta degli amici camionisti di Teddy, che non hanno fatto una piega. Teddy è diventato più rosso del solito e si è messo a sbraitare e a inveire contro i ballerini che sono

tutti gay e contro di me che non dovrei spingere Gary sulla cattiva strada. Io gli ho risposto che stavo soltanto cercando di farlo uscire dal guscio, non di fargli fare *outing*. Ma quelli non capivano. Loro pensano solo a schiacciarsi in testa lattine di birra vuote, a scorreggiare (e poi odorare l'aria e mettersi a sghignazzare), a gridare ai giocatori di football in tivù (neanche fossero capaci di fare chissà che), a fare commenti su tutte le donne in sovrappeso che vedono alla tivù (come se non avessero delle pance smisurate per via della birra che ingurgitano e non si fossero lasciati andare già da una decina d'anni), e a chiamarmi ogni dieci minuti per portare altre lattine di birra, come se non bastasse dandomi lezioni su cosa fa di un uomo un *vero uomo*... Bastardi pigri ed egoisti...

Rosie: Ehi, Ruby, mi sembra che stiamo uscendo dal seminato. Cosa ha fatto il povero Gary quando Teddy e compagni gli sono saltati in testa a quel modo?

Ruby: Be', quel povero ragazzo era così imbarazzato che è schizzato fuori dalla stanza, si è trascinato su per le scale e si è chiuso in camera sbattendo la porta.

Rosie: Oh, povero! Spero che Teddy gli abbia chiesto scusa.

Ruby: Sei matta? Certo che no. Soltanto più tardi Gary gliene ha dette quattro, assicurandogli di essere tutt'altro che gay. Comunque mi sono consolata con sei deliziosi pasticcini ricoperti di una squisita glassa rosa. In conclusione, fatevi da parte, Fred Astaire e Ginger Rogers: stanno arrivando Ruby e Gary Minnelli!

Rosie: Minnelli??

Ruby: Be', insomma, ho cambiato il cognome in qualcosa un po' più da superstar. Ricardo ha detto che ci poteva allenare per le gare. Se siamo abbastanza bravi, potremo persino viaggiare per il mondo. Per una che considera un'avventura arrivare fino in fondo al suo giardino, poter viaggiare sarebbe un sogno. Naturalmente a patto che siamo sufficientemente bravi.

Rosie: Ruby, è una splendida notizia! E che cosa dirà la signorina Behave quando scoprirà di essere stata rimpiazzata?

Ruby: Questo mi preoccupa: sai quanto diventa gelosa se soltanto mi azzardo a guardare altri uomini. Comunque, indipendentemente da quello che lei possa pensare, porterò Gary con me fino al Campionato Mondiale di Salsa a Miami. Lo sai che bisogna saper guardare oltre il proprio limitato orizzonte. *Vedere* le possibilità, *fiutare* il successo nell'aria, *assaporare* la ricompensa.

Rosie: Hai visto di nuovo Oprah in tivù?

Ruby: Sì, quella rubrica "Ricorda il tuo spirito d'iniziativa" mi conquista sempre. Forse un giorno Gary e io saremo ospiti del programma per parlare di come siamo venuti su dal niente e siamo diventati milionari ballando la salsa soltanto *credendoci.*

Rosie: Oh, non ricordarmi le *mie* "iniziative". Tutto quello che mi viene in mente è la bottiglia di vino che mi sono scolata ieri sera.

Ruby: Sei la solita ubriacona... Notizie sul fronte lavorativo?

Rosie: Ieri tra la posta c'era un'offerta.

Ruby: Fantastico! Era ora. È un lavoro che volevi oppure no?

Rosie: Mi conosci da tanti anni da dovermelo domandare? In realtà non è né uno né l'altro: è un impiego che io proprio non vorrei e che accetterei solamente se fosse l'unico disponibile in tutta Dublino, se i miei mi buttassero fuori di casa e se io e Katie fossimo ridotte alla fame.

Egregi signori Dunne,

con riferimento alla vostra richiesta, l'Immobiliare Hyland & Moore sarà ben lieta di assumere l'incarico per la vendita della vostra casa. Vi ringraziamo per aver scelto la nostra agenzia.

Cordiali saluti,
Thomas Hyland

C'è posta per te da: Rosie

Rosie: Ciao, sono io.

Rosie: Ehi, ci sei?

Rosie: So che sei lì. Lo vedo benissimo che sei in linea.
Alex: Chi è?
Rosie: Oh, ah ah, ma quanto sei divertente. Pensa un po' che sfiga! Sto per spiattellarti tutta la storia strappalacrime della mia miserevole esistenza, che tu lo voglia o no. Allora... Mi hanno offerto un lavoro. Ma io l'ho rifiutato perché non pensavo di essere così disperata da doverlo accettare. Adesso salta fuori che avevo torto marcio. Il *giorno dopo* mamma e papà mi comunicano di punto in bianco che hanno messo in vendita la casa e, prima che il mio cervello abbia modo di registrare l'informazione, comincia ad arrivare a ondate ininterrotte una marea di gente che si aggira di qui e di là, ficcando il naso in camera mia, criticando l'arredamento, ridendo della carta da parati, storcendo il naso alla vista dei tappeti, discutendo su quali pareti abbattere, su quali armadi smontare e non salvando nemmeno i miei orsacchiotti di quando ero bambina che secondo loro andrebbero bruciati in un grande falò nel giardino dietro casa, attorno al quale loro danzerebbero urlando con le facce dipinte col sangue (be', veramente non dicevano proprio così). Alla fine una coppia ha accettato il prezzo proposto – ti rendi conto? – dopo aver visto la casa solamente una volta! Mamma e papà ci hanno pensato su non più di venti secondi e alla fine hanno accettato!
Alex: No!
Rosie: Sì! A quanto pare, la moglie è incinta di otto mesi e adesso loro vivono in un appartamento molto piccolo, quindi devono traslocare in fretta e furia prima che nasca il bambino e sia costretto a fare il bagnetto nel lavandino e a giocare sul balcone.
Alex: No!
Rosie: Sì! Mamma e papà si sono scusati con me, ma io non li posso biasimare perché dopotutto si tratta della loro vita, e francamente avrebbero dovuto smettere di preoccuparsi per me fin dal momento in cui me ne sono andata di casa la prima volta. E così nel giro di pochi giorni hanno venduto, tutto è stato inscatolato, e loro hanno comperato praticamente per niente una casa nel Connemara. I mobili verranno bat-

tuti all'asta domani (tranne i pezzi che sono riuscita ad accaparrarmi), e il resto della roba verrà spedito domani alla casa in Connemara (che dista ore da qui). I miei hanno già i biglietti per una crociera di due mesi e partiranno lunedì.

Alex: No!

Rosie: Sì! Questo significa che ho dovuto richiamare quelli che mi avevano offerto il lavoro che a suo tempo avevo rifiutato – non troppo gentilmente, devo aggiungere. Ho dovuto profondermi in mille scuse e cercare di convincerli che quell'impiego lo volevo veramente. Loro erano proprio incavolati e mi hanno risposto che non avevano bisogno di me fino ad agosto. E così oggi Katie ha passato la giornata con Brian mentre io mi sono precipitata a cercare casa.

Alex: No!

Rosie: Sì! Gli appartamenti che ho visitato nelle zone che erano alla portata delle mie tasche erano uno peggio dell'altro: troppo cari, troppo piccoli o troppo lontani dal lavoro e dalla scuola di Katie. E così mamma e papà hanno parlato dei miei problemi personali (come fanno di solito) con la giovane coppia disgustosamente felice che sta per imbarcarsi in una felice vita famigliare facendo a pezzi la casa della mia infanzia. E dato che i miei sono stati tanto svelti e comprensivi lasciandola libera in pochi giorni, i due piccioncini hanno proposto che io mi trasferissi nell'appartamento che loro lasciavano libero e che avevano deciso di dare in affitto.

Alex: No!

Rosie: Sì! L'unico problema è che loro avevano già affittato l'appartamento a degli studenti per alcune settimane, così mi tocca aspettare che quelli se ne vadano. Per allora l'appartamento sarà disgustosamente sporco e puzzolente.

Alex: No!

Rosie: Sì! E allora tu mi chiederai: con chi andrai ad abitare nell'attesa? Be', vediamo... Mamma e papà si sono trasferiti nel Connemara, come sai. Kev vive nei locali per il personale al Two Lakes Hotel di Kilkenny, Steph sta in Francia, Ruby ha soltanto due camere da letto e non ha posto per me e per Katie, e tu sei a Boston, e per me non è certo comodo fare la spola da laggiù. E così, in questo momento, chi è l'unico essere umano a Dublino che io conosco (e non ti venga in mente di pensare a Comesichiama)? Nientedimeno che Brian la Lagna.

Alex: No!

Rosie: Sì! Ho paura di sì. Ti sto scrivendo questa mail dalla dispensa dell'appartamento che Brian la Lagna ha preso in affitto, dove dovrò rimanere per qualche settimana. Potrò scendere ancora più in basso? E questa non è nemmeno la notizia peggiore. Non ti ho ancora detto chi è il mio nuovo capo. Nientedimeno che la signorina Nasona Alito Pesante Casey.

Alex: No!

Rosie: Sì! Adesso sono la segretaria della donna che abbiamo odiato più di chiunque altro al mondo da ragazzini, la donna che ha reso un inferno la vita di mia figlia e che ora è diventata la preside della scuola elementare St Patrick e mio capo. Per quale motivo la signorina Nasona Alito Pesante Casey mi abbia assunta è al di là della mia comprensione, eppure lo ha fatto, e finché non troverò un impiego in un albergo non mi lamenterò né farò domande. Forse vuole rendermi la vita impossibile anche adesso che sono adulta e magari fino alla vecchiaia. E, a proposito di vecchiaia, lei era già vecchia quando io avevo *cinque anni*, santo cielo, e lo è ancora. Quella donna ha nove vite.
E allora, che cosa ne dici? Hai dei messaggi per la tua insegnante preferita?

Rosie: Ehi, Alex!

Rosie: Alex!

Alex: Ehm... mi spiace, Alex non c'è.

Rosie: Oh, ah ah. Be', e come mai compare il suo nome sullo schermo?

Alex: Veramente sono stata io a entrare in rete usando il suo computer. Probabile che il suo nome compaia automaticamente sul tuo schermo. Non la conoscevo ancora questa cosa, è divertente. Mi spiace, non sapevo che stessi cercando Alex.

Rosie: Che cosa?? Ma tu credi che io mi metta al computer per parlare a ruota libera della mia vita privata con il primo che capita? Chi sei?

Alex: Bethany.

Rosie: Bethany?

Alex: Bethany Williams. Ti ricordi di me?

Rosie: Che cosa diavolo stai facendo al computer di Alex?

Alex: Oh, mi dispiace, adesso tutto si spiega. Alex non te l'ha detto, vero? Pensavo che voi due vi raccontaste tutto. Comunque farò in modo di passargli tutti i tuoi messaggini. Erano molto divertenti. Buona fortuna per il tuo nuovo lavoro, Rosie. Ti farò spiegare tutto da Alex. A proposito, adesso Alex lavora con mio padre. Sta guadagnando piuttosto bene, ha molto successo. Forse, se hai problemi di soldi, potrebbe farti un prestito.

Rosie si disconnette.

35

Benvenuti nella chat room dei Dublinesi Divorziati Felici e Contenti.

In questo momento cinque persone stanno chattando.

Fiorellino entra in rete.
Divorziata_1: Mandalo a farsi fottere!
Fiorellino: Ciao a tutte.
Fiore Selvatico: Giusto! Diglielo, Divorziata_1!
Insicura: Lo so, Divorziata_1, ma il problema è proprio questo, non credi? Io non posso più "mandarlo a farsi fottere": lui se ne è andato. Non avrei mai dovuto lasciarlo andare. Oh, è tutta colpa mia.
Fiorellino: Ehm... ciao a tutte. Sono in rete? Riuscite a leggere quello che sto scrivendo?
Divorziata_1: Oh, piantala, Insicura. Sono stufa di sentire in continuazione le tue lamentele. Perché mai dovrebbe essere colpa tua? Sei stata tu a trascinarlo in macchina e a portarlo in quella stanza d'albergo? Sei stata tu a tirargli giù i pantaloni e a spingerlo addosso a lei su quel letto?
Insicura: Ti prego, smettila, Divorziata_1! Smettila! Smettila! Smettila! No, non sono stata io!
Cuore Solitario: Ma lasciala in pace. Non c'è bisogno di scendere nei particolari.
Divorziata_1: Senti, io sto solo cercando di essere d'aiuto. Se non hai fatto nessuna di quelle cose, come diavolo fai a dire che è colpa tua?
Fiorellino: Non sono sicura di essere in rete. Ehilà, mi sentite? Accidenti a questo computer. C'è qualcuno che può rispondermi?

Insicura: Be', forse inavvertitamente gli ho fatto pressione perché si desse da fare nel lavoro. Sai bene quanto sia cara la vita oggigiorno e i bambini hanno bisogno di sempre più cose. Dovevano tornare a scuola e le divise e i libri costano una fortuna e io continuavo a ripetergli che avevamo bisogno di più soldi e non ne sono sicura ma forse è stata colpa mia, sai?

Cuore Solitario: Oh, per favore, Insicura...

Fiore Selvatico: Be', per stasera ne ho sentite abbastanza.

Divorziata_1: Senti, dimenticalo. È un bastardo, tutto qui. Mandalo a farsi fottere.

Fiorellino: Be', non che importi a qualcuno, ma c'era solamente un tipo di lavoro a cui tuo marito stava pensando quella sera, e non si trattava certo di una giornata in ufficio.

Fiore Selvatico: Ehilà! Benvenuta, Fiorellino!

Divorziata_1: Hai ragione, Fiorellino, mandalo a farsi fottere.

Insicura: Sei sicura, Fiorellino?

Cuore Solitario: In linea di massima penso di essere d'accordo con le altre, Insicura. Benvenuta, Fiorellino. Vuoi chattare?

Fiore Selvatico: Ti prego, Cuore Solitario, ogni volta che chiedi a una nuova arrivata se vuole chattare, la metti in fuga. Sembra che tu voglia dire sconcezze o roba del genere.

Cuore Solitario: Mi dispiace, sai che non è quello che intendo. È soltanto che ho questa orribile abitudine di far scappare via tutti.

Fiore Selvatico: Quali sono i tuoi dati, Fiorellino?

Fiorellino: I miei cosa?

Divorziata_1: Oh, sentite un po', una vergine delle chat!

Fiore Selvatico: I tuoi dati anagrafici, tesoro: età, sesso, cose del genere.

Fiorellino: Be', ecco, ho trentadue anni, sono una donna, ho una figlia di tredici anni e sono felicemente divorziata.

Fiore Selvatico: Evviva!

Divorziata_1: Congratulazioni, tesoro. Mandalo a farsi fottere: ecco come la penso.

Insicura: Fiorellino, chi è stato il responsabile della rottura del vostro matrimonio? Tu o lui?

Fiore Selvatico: Ignorala, Fiorellino. Lei è fissata con la faccenda della "responsabilità".

Fiorellino: No, va tutto bene, non c'è problema. È stata al cento per cento colpa sua.

Divorziata_1: *Quelle surprise*.

Cuore Solitario: Almeno tu hai una figlia, Fiorellino, e non sei rimasta sola. Mio marito – be', veramente il mio ex marito – mi ha lasciata prima ancora che avessimo la possibilità di creare una famiglia. Credo che non sarebbe stata tanto dura se avessimo avuto dei figli. In quel modo per lo meno io non mi sentirei così...

Divorziata_1: Sola, sì, sì. Be', credimi, è molto più dura *con* i figli. Purtroppo i miei frugoletti sono tali e quali al padre e quando li guardo mi viene voglia di strangolarli, piccoli bastardi. I tuoi figli assomigliano al tuo ex, Insicura?

Insicura: Sì e no. Alcuni dicono di sì e altri dicono di no. Non saprei proprio...

Fiore Selvatico: Non facciamo le maleducate, gente, e presentiamoci a Fiorellino. Io ho sessantadue anni, cinque figli e mio marito mi ha lasciata l'anno scorso.

Fiorellino: Oh, è terribile. Mi dispiace.

Divorziata_1: AH! Non c'è bisogno che ti dispiaccia, tesoro. Quel tizio aveva i suoi buoni motivi per lasciarla: lei andava a letto con il loro giardiniere.

Fiorellino: Oh!

Fiore Selvatico: Oh, *per favore*, come se non aveste mai pensato di farlo anche voi.

Insicura: Il mio giardiniere era una donna.

Fiore Selvatico: Non intendevo *quello*.

Cuore Solitario: Io non avrei mai fatto una cosa simile al mio Tommy. Mai.

Divorziata_1: Ciao, Fiorellino. Io ho quarantanove anni, quattro bambini e il mio ex marito si faceva la sua segretaria. Bastardo.

Fiorellino: E tu, Cuore Solitario?

Cuore Solitario: Io ho ventisette anni, mi sono sposata l'anno scorso, ma Tommy mi ha piantata. Non sopportava la vita matrimoniale, ha detto. E così un giorno mi ha lasciata... sola.

Fiorellino: E tu, Insicura?

Insicura: Ho trentasei anni, tre figli e tecnicamente non sono ancora divorziata. Viviamo ancora insieme... E tu, Fiorellino, come mai vi siete separati tu e tuo marito?

Fiorellino: Oh, lui si vedeva regolarmente con un certo numero di donne, e io ne ero completamente all'oscuro.

Divorziata_1: Bastardo. Che vada a farsi fottere.

Fiore Selvatico: Be', io credo che noi siamo stati messi su questa terra per avere tutti i partner che vogliamo.

Divorziata_1: Chiudi il becco, razza di hippy della new-age.

Fiore Selvatico: Non vedo cosa ci sia di male nell'esprimere il mio punto di vista. Non ricordo di aver mai attaccato le tue opinioni.

Divorziata_1: È perché le mie opinioni sono sempre sensate. E dimmi, Fiorellino, la casa l'hai avuta tu?

Fiorellino: Non ho avuto un bel niente. Ma è stato un bene.

Divorziata_1: Io sono stata fottuta nella causa di divorzio. Al mio ex è toccata la casa delle vacanze e a me la custodia dei figli. Che cosa pagherei per qualche mese di pace e di tranquillità beatamente sdraiata al sole.

Cuore Solitario: Io ho potuto tenermi la casa e questo vuole dire che ho dovuto restarmene qui tutta sola in queste stanze piene di ricordi.

Divorziata_1: Oh, piantala, Cuore. Oggi sembri proprio un disco rotto.

Cuore Solitario: Cosa? Io avrei voluto rimanere con Tommy anche se era uno stronzo. Non me ne importa, io voglio lui.

Fiore Selvatico: Ignorala. Il suo equilibrio è definitivamente compromesso. Il modo migliore per passare sopra a un uomo è passare sotto un altro. È un fatto arcinoto.

Insicura: Non sono sicura che questo sia l'atteggiamento giusto. Io di certo non ho la benché minima intenzione di dividere il mio letto con un uomo che non sia mio marito.

Fiorellino: Non capisco, Insicura: tu sei ancora sposata?

Insicura: Tecnicamente non siamo divorziati. Lui dorme nella nostra camera da letto e io nella camera degli ospiti.

Fiore Selvatico: E tu gli hai permesso di sbatterti nella camera degli ospiti quando è stato lui a fare lo stronzo?

Insicura: Oh, è sbagliato? Non ne sono poi così sicura. È tutto talmente nuovo per me...

Cuore Solitario: A me non importerebbe se Tommy e io non dormissimo nello stesso letto. Io voglio soltanto che lui stia a casa con me.

Divorziata_1: Santo Dio, ma non ho insegnato niente a voi signore...? Be', lasciamo perdere. Fiorellino, adesso dove vivi se lo stronzo si è tenuto la casa?

Fiorellino: Be', ecco, potrà sembrare bizzarro, ma in questo momento vivo con il padre di mia figlia.

Insicura: È come dovrebbe essere, mi pare.

Cuore Solitario: Ooh, che meravigliosa storia d'amore!

Fiorellino: Oh, no, no, no! Non fraintendetemi; l'amore non c'entra niente in questa storia. Al contrario, io odio quell'uomo.

Fiore Selvatico: Quanto ti lamenti! Sei un po' complicata.

Fiorellino: Proprio così, e se voi lo conosceste lo sareste anche voi.

Divorziata_1: Non ne sarei tanto sicura. Da quando questa donna ha varcato i sessant'anni, gli uomini se li mangia per colazione.

Fiorellino: Questo qui non se lo mangerebbe, te lo garantisco, a meno che non scambi la sua testa per un uovo sodo.

Insicura: Fiorellino, perché hai scelto questo nome?

Fiorellino: Oh, è il soprannome che mi ha dato il mio migliore amico. Quando avevamo sei anni abbiamo fatto una recita scolastica, e io ero la principessa Fiorellino e lui il principe Raggio di Luna. Da allora lui mi chiama sempre così.

Divorziata_1: E siete ancora in contatto dopo ventisei anni??

Fiorellino: Sì, lui è sempre il mio migliore amico, e viceversa.

Divorziata_1: Tu sei la migliore amica di un uomo? Hai mai dormito con lui?

Fiorellino: Sì, abbiamo dormito insieme ma non per fare sesso.

Divorziata_1: Allora è gay.

Fiorellino: No, niente affatto.

Insicura: Be', a me sembra una cosa bellissima. Io ho perso i contatti con i miei compagni non appena la scuola è finita e mi sono sposata. Leonard non sopportava che avessi degli amici maschi.

Cuore Solitario: Quando io e il mio Tommy ci siamo trasferiti da

Belfast a Dublino, io ho lasciato laggiù tutta la mia famiglia e i miei amici, e ora che Tommy se n'è andato, i miei amici sono tutti al nord e io sono...

Divorziata_1: Tutta sola, sì, sì, abbiamo ricevuto il messaggio. Fiorellino, il tuo amico è single... che cosa fa, dove vive e non sta per caso cercando un'ardente quarantanovenne con quattro figli? I bambini può tenerli o mollarli, io non me la prendo.

Fiorellino: No, purtroppo non è single.

Fiore Selvatico: Perché "purtroppo"?

Fiorellino: Perché lei è un'autentica sgualdrina. È il suo primo amore, di quando lui aveva sedici anni. Allora io la odiavo e la odio ancora adesso. A ogni modo lui è finito a lavorare con il padre di lei a Boston, fra tutti i posti che ci sono al mondo, e credo che il loro amore si sia riacceso.

Divorziata_1: E tu sei gelosa.

Fiorellino: Per niente.

Divorziata_1: Sì che lo sei. Lo sento dal tuo tono.

Fiorellino: Ma tu non puoi sentirmi; ci stiamo parlando per iscritto!

Fiore Selvatico: Quello che vuole dire è che lo *sente* e, devo ammetterlo, io sono d'accordo.

Insicura: Ma andiamo, siete amici da quando avevate sei anni e adesso ne avete trentadue, tu sei stata sposata e adesso tutti e due vivete con qualcun altro in due *nazioni* diverse: se non è ancora successo niente tra voi, *sicuramente* non succederà mai più.

Fiore Selvatico: Oh, Insicura, non essere così pessimista. Le anime gemelle hanno un'abilità particolare nel ritrovarsi.

Cuore Solitario: Questo significa che il mio Tommy ritornerà?

Fiore Selvatico: No.

SingleSam è entrato nella chat room.

Divorziata_1: Sam!

Fiore Selvatico: Ciao, Sam!

Cuore Solitario: Ciao, Sam, benvenuto. Come stai?

Insicura: Ciao, Sam.

SingleSam: Ciao, ragazze, è bello ritrovarvi tutte qui, stasera.
Divorziata_1: Sam, ti presento Fiorellino. Ha trentadue anni, ha una figlia di tredici e il marito le metteva le corna. Tesoro, ti presento Sam: ha cinquantaquattro anni, due figlie e sua moglie è lesbica.
SingleSam: Felice di conoscerti, Fiorellino.
Fiorellino: Anch'io sono felice di conoscerti, Sam.
Insicura: E allora, che novità, Sam? Oggi sei felice o triste?
SingleSam: Oh, oggi è stata una gran brutta giornata.
Fiore Selvatico: Oh, per favore! Questa è la chat-room dei Dublinesi Divorziati Felici e Contenti, non dei Dublinesi Divorziati Depressi. Io me ne vado a letto.
Fiorellino: Sarà meglio che me ne vada a letto anch'io. È stato bello conoscervi.
Divorziata_1: Ci ritroviamo domani sera, Fiorellino.
Insicura: È meglio che vada a mettere a letto i bambini.
Cuore Solitario: Credo che mi riguarderò il video del matrimonio ancora una volta prima di andare a dormire.

Fiorellino si disconnette.
Cuore Solitario si disconnette.
Insicura si disconnette.
Fiore Selvatico si disconnette.

Divorziata_1: Be', Sam, sembra che siamo rimasti soltanto tu e io. Tu metti la musica, e io accendo le candele.

Clicca sull'icona a sinistra per stampare la conversazione.

Da: Stephanie
A: Rosie
Oggetto: Signorina Casey!

Non *posso* credere che lavorerai per la signorina Casey! La mamma me lo ha detto per telefono e io non ci capivo niente perché rideva come una matta. Si domandava che cosa potrebbero fare lei e papà se, mentre si trovano in Australia, ricevessero una lettera della signorina Casey che chiede di vederli il lunedì mattina a causa del tuo comportamento sul lavoro!

Cosa diavolo ti ha convinto ad accettare quell'impiego? Sei impazzita, per caso? Personalmente non ho mai avuto problemi con quella donna, ma so che ti ha quasi perseguitata quando eri bambina e poi di nuovo quando Katie l'ha avuta come maestra! Che cosa ne pensa Alex? Sono sicura che abbia delle considerazioni molto interessanti da fare sull'argomento!

Cara Stephanie,

certo che tu non hai mai avuto problemi con la signorina Casey, perché tu eri la signorina Perfettina "Due Piedi in una Scarpa". Lei adorava te e i tuoi testi lindi e precisi, i tuoi compiti senza un errore, la tua divisa ordinata e la tua educazione!

Probabilmente sono una pazza ad accettare questo lavoro, ma a essere sincera è di gran lunga il migliore che abbia trovato, con lo stipendio più allettante. L'orario è dal lunedì al venerdì, dalle 9 alle 15.30, il che mi sembra semplicemente fantastico, visto che nell'ultimo impiego dovevo lavorare a tutte le ore compresi i fine settimana. È proprio accanto alla scuola media di Katie, il che significa che possiamo prendere l'autobus insieme ogni giorno. Siamo a pochi minuti da dove abitiamo, e così potrò fare una scappata a casa ogni giorno per l'ora di pranzo. Con tutte le altre complicazioni che ci sono nella vita, queste piccole cose mi saranno di grande aiuto. In realtà non ho intenzione di stare lì per molto, solo fino a che non salti fuori qualcosa nel settore alberghiero.

Comunque, la ragione principale per cui ho accettato è che avevo ben poca scelta. Ho ancora una settimana da passare qui in purgatorio (l'appartamento di Brian) prima di potermi trasferire nell'appartamento che ho preso in affitto: una vera topaia. Dovrò impiegare tutti i miei risparmi per rimetterlo a posto e dargli l'aspetto di una vera casa. Dio solo sa quante case ha avuto Katie fino adesso. Quando la catena di alberghi Rosie Dunne avrà comperato gli Hilton, potrò permettermi il lusso di infischiarmene del budget.

In questi anni a mia figlia sono successe un sacco di cose,

ma nessuna è tanto bizzarra quanto sua madre e suo padre che vivono sotto lo stesso tetto. Quello che per alcuni bambini è perfettamente normale, a lei la fa ridere istericamente. In effetti, non è che io e Brian non ci sopportiamo, solo non sappiamo niente l'uno dell'altra. Siamo due estranei che sono stati insieme una sola volta nella vita (e per pochi minuti, credimi) in un momento che non riesco nemmeno a ricordare, per fare la cosa più incredibile. Come hanno potuto due pazzoidi del genere creare qualcosa di tanto meraviglioso come Katie? Quando Katie torna a casa da scuola e dà vita a una delle solite istrioniche rappresentazioni della sua giornata, io guardo lei, guardo lui, e mi domando come abbia potuto *lui*, unendosi con me, fare *lei*.

Dato che né io né Brian lavoriamo, cerco di stare in casa il meno possibile. Passo gran parte della giornata passeggiando avanti e indietro per Henry Street, tanto per stargli alla larga. Quando sono in casa, me ne sto in camera mia oppure mi metto a spedire e-mail. Tu magari pensi che potremmo essere uniti dall'amicizia o da qualche altro tipo di legame, o comunque avere un minimo di rapporto. E invece siamo due completi estranei.

Ancora oggi sono arrabbiata con lui, ma è un altro tipo di rabbia. Prima ero furiosa perché aveva lasciato *me*. Ho dovuto fare tutto io. I miei rapporti sociali sono stati compromessi, ho dovuto dar fondo a tutte le mie finanze e non ho potuto trovarmi un lavoro. Ma adesso, quando lo guardo scherzare con Katie, penso: quanto tempo sprecato. Essere presente mentre lei stava crescendo è tutto quello che gli si chiedeva; e Katie lo avrebbe accettato, come fanno i bambini, a prescindere da quello che lui era veramente. Adesso mi sento furiosa con lui perché non c'era per *lei*. Finalmente mi sono liberata del mio lato egoistico.

Per l'ennesima volta, non ho la minima idea di dove io stia andando, Steph. Sembra che, immancabilmente dopo un certo numero di anni io debba spazzare via i cocci della mia vita per ricominciare da zero. Non importa quello che faccio o quanto mi dia da fare, a quanto pare non riesco a raggiungere le vette della felicità, del successo e della sicurezza, come tanta altra gente. E non sto parlando di diventare milionaria e di vivere per sempre nella più completa felicità. Intendo semplicemente arrivare a un punto in cui possa fermarmi, guardarmi attorno tirare un sospiro di sollievo e pensare: adesso sono arrivata dove volevo arrivare.

Mi sto perdendo qualcosa, sai? Quella particolare "scintilla" che si suppone ti porti la vita. Ho un lavoro, ho una figlia, ho la famiglia, la casa e gli amici, ma mi sono persa la scintilla.

E per rispondere alla tua domanda su Alex, non so che cosa lui pensi del mio nuovo impiego perché non lo sento da molto. È talmente occupato a salvare vite molto più preziose della mia e a fare opere di beneficenza che non posso pretendere che si metta in contatto con un'amica come me. È già fin troppo preso ad agganciare "vecchie" amiche. Per giunta sgualdrine.

36

Bon voyage!

Mi mancherete da morire. Le cose non saranno le stesse senza di voi ma spero che vi divertiate tanto!

Baci, Rosie

Alla nonna e al nonno

Divertitevi, mandateci un sacco di cartoline.

Baci, Katie (la vostra nipotina preferita)

✉ **C'è posta per te da: Alex**

Alex: Ciao.
Rosie: Oh, ma allora sei ancora vivo. Dove sei stato in queste ultime settimane?
Alex: Mi sono nascosto.
Rosie: Da chi?
Alex: Da te.
Rosie: Perché?
Alex: Perché sto uscendo di nuovo con Bethany e avevo paura di dirtelo perché tu la odi con tutte le tue forze, e hai saputo tutto proprio da *lei*, il che ha peggiorato ulteriormente la situazione. E così mi nascondevo da te.
Rosie: Perché?
Alex: Perché temevo che tu venissi qui ad ammazzarmi.
Rosie: Perché?
Alex: Perché tu pensi che sia una sgualdrina e che non vada bene per me.

Rosie: Perché?
Alex: Perché sei la mia iperprotettiva migliore amica e hai sempre odiato le mie ragazze (e mia moglie) e io ho sempre odiato i tuoi ragazzi (e tuo marito).
Rosie: Perché?
Alex: Be', tanto per cominciare perché aveva una storia con un'altra...
Rosie: Perché?
Alex: Perché era un cretino integrale e non si rendeva conto della sua fortuna. Ma non parliamo più di lui perché se ne è andato e non tornerà più.
Rosie: Perché?
Alex: Perché io l'ho terrorizzato.
Rosie: Perché?
Alex: Perché sono il tuo migliore amico e mi prendo cura di te.
Rosie: Perché?
Alex: Perché non ho niente di meglio da fare.
Rosie: Perché?
Alex: Perché questa è la dannazione della mia vita. Qualunque cosa succedeva, mi costringeva a prendermi cura di te. A ogni modo è un sollievo non dovermi più nascondere.
Rosie: Perché?
Alex: Perché ti ho chiesto scusa.
Rosie: Perché?
Alex: Perché sono stanco di non sentirti e mi manchi.
Rosie: Perché?
Alex: Perché (e lo dico a denti stretti) TU SEI LA MIA MIGLIORE AMICA. Però ti avverto: questa volta non ho intenzione di ascoltare i tuoi commenti maligni su di lei.
Rosie: Perché?
Alex: Perché lei mi piace veramente, Rosie, e mi rende felice. Mi sento di nuovo il ragazzino che lavorava nell'ufficio di mio padre. E pensa un po': se non fosse stato per te che il giorno del tuo sedicesimo compleanno ti sei sbronzata tanto che ti hanno dovuto fare la lavanda gastrica, non ci avrebbero scoperto, non ci avrebbero sospeso e io non sarei stato messo per punizione ad archiviare ogni più piccolo pezzetto di carta nell'ufficio di mio padre, dove, devo aggiungere,

non avrei mai conosciuto Bethany. E quindi è tutto merito tuo, mia cara amica!

Rosie: OH, PERCHÉÉÉ? Santo Dio, perché?

Alex: Ah ah. Adesso sarà meglio che vada perché fra qualche ora devo operare.

Rosie: Perché?

Alex: Perché si dà il caso che sia un cardiochirurgo, e c'è un pover'uomo che si chiama Jackson, se proprio vuoi saperlo, che ha bisogno di un intervento alla valvola aortica.

Rosie: Perché?

Alex: Perché ha una stenosi aortica.

Rosie: Perché?

Alex: Be', generalmente le cause che provocano l'insufficienza aortica sono reumatiche. Ma non preoccuparti (perché so che lo sei), il signor Jackson starà benissimo.

Rosie: Perché?

Alex: Perché, grazie a settantacinque anni di studi, ho imparato a eseguire l'intervento per la sostituzione della valvola cardiaca, che gli salverà la vita. Altre domande?

Rosie: L'aorta si trova... nel cuore, giusto?

Alex: Molto divertente. Be', adesso devo proprio andare. Sono felice di aver parlato con te e di aver completamente chiarito l'argomento Bethany. E allora, sono perdonato?

Rosie: No.

Alex: Fantastico, grazie. Ci sentiamo.

Alex si disconnette.

Rosie: Grazie per avermi chiesto del mio nuovo lavoro, *dottore*.

Da: Rosie
A: Ruby
Oggetto: Aiuto!

Aiuto... aiutami... Oddio, la mia testa, la mia povera, povera testa. E le mie ancora più povere cellule cerebrali non hanno avuto nemmeno occasione di riprendersi. Sono andate. Morte. Sono le quattro del pomeriggio e io sono costretta a letto (e non è un divertimento come potrebbe sembrare) e in un letto rimarrò per gli anni che mi rimangono da vivere. Addio, mondo, addio a tutti, grazie per il ricordo che serberete di me.

E quanto ai ricordi che mi rimangono di ieri sera, cercherò di spiegarti con la maggior precisione possibile che cosa ho combinato, anche se sento che una fitta nebbia si sta lentamente impadronendo del mio cervello. Cercherò di spiegartelo prima di essere avvolta dall'oscurità.

Dopo un incontro molto frustrante con il funzionario della mia banca sono tornata nell'appartamento di Brian la Lagna, sentendomi completamente svuotata, arrabbiata e incerta circa il mio futuro. Non ero dell'umore adatto per conversare o stare in compagnia, ma in salotto ho trovato i genitori di Brian che erano arrivati in volo da Santa Ponsa con l'intenzione di conoscere Katie. Io già ero debole e fiacca, ma mi è venuto un gran nervoso al pensiero che Katie avrebbe avuto un'altra coppia di nonni – altra gente nella sua vita che avrebbe potuto conoscere ma di cui ignorava l'esistenza. E mi sono incavolata ancora di più perché in tutti questi anni io conoscevo benissimo loro, e loro conoscevano me; in varie occasioni mi sono passati accanto per la strada, all'epoca in cui ero incinta e poi ancora dopo che Katie era nata; sicuramente sapevano che la bambina era figlia di Brian, eppure non si sono mai preoccupati di stabilire un contatto o di offrirmi un qualche aiuto. L'ultima cosa che ho saputo di loro è che avevano venduto tutto e si erano trasferiti al sole del sud per curare l'artrite della signora Lagna.

Io ho detto loro ciò che pensavo, la conversazione è salita di tono, e ha preso una brutta piega. Per farla breve, ho porto le mie scuse e me ne sono andata.

Ovviamente non avevo un posto dove andare, così ho vagato ore e ore per le strade, riflettendo sulla mia vita. Dopo un po' ho concluso che odiavo tutto e tutti (lo so, lo so: di nuovo) e, dal momento che Katie era fuori a dormire e Brian la Lagna aveva compagnia, mi sono diretta al pub più vicino ad affogare il mio dolore.

Il locale era orribile ma dato che ero sconvolta non ci ho fatto caso.Tutto quello che ho notato è stato un barman cordiale e due serial killer in fondo al bar, impegnati in un'accanita discussione. Il barista ha notato che ero molto agitata, così mi ha domandato che cosa avessi. Sembrava sinceramente preoccupato. Gli ho raccontato che Greg aveva distrutto la mia vita. (Procedendo per eliminazione, sono arrivata alla conclusione che era stata colpa sua al cento per cento.) Gli ho spiattellato proprio tutto, Ruby: di Alex che non era riuscito a venire al ballo della scuola, di Brian la Lagna, della nascita di Katie, di non essere potuta andare al college, di Alex che si è sposato, di aver conosciuto Greg, e poi di averlo sposato, del tradimento di Greg, di aver dovuto rinunciare alla promozione, dell'ennesimo tradimento di Greg... Gli ho raccontato di tutte le avventure che aveva Greg, mentre a me diceva che doveva partecipare a delle conferenze, e io credevo che fosse davvero tenuto ad andarci dato che era un funzionario di banca.

A un certo punto gli altri due tizi nel locale hanno improvvisamente cominciato a mostrare interesse per me e, vedendo quanto ero sconvolta, mi hanno offerto un sacco di bicchierini. Erano grandi e grossi, Ruby, alti più di un metro e ottanta, con muscoli da body builders, teste rasate, uno aveva persino una testa mozzata tatuata sull'avambraccio, però erano gentili. Erano sinceramente costernati per me, mi hanno fatto un sacco di domande, mi davano i fazzolettini di carta quando piangevo e mi hanno detto che io ero migliore di Greg. Ero davvero stupita, Ruby. Sono stati tanto gentili da riaccompagnarmi in macchina per essere certi che tornassi a casa sana e salva, dato che non ero in condizione di camminare. Passando davanti alla casa di Greg gliel'ho indicata e sembrava che fossero molto interessati e, pensando a Greg tutti insieme, gli abbiamo fatto un gestaccio. Dei ragazzi così gentili. Questo dimostra che non si può mai giudicare un libro dalla copertina.

Adesso però ho un tale mal di testa che devo smettere di scrivere, ma ieri sera ho avuto la dimostrazione che a questo mondo esistono uomini premurosi che non pensano soltanto a se stessi.

FUNZIONARIO DI BANCA ASSALITO IN CASA

Ieri mattina un funzionario di banca è stato vittima di una brutale aggressione cui è seguita una rapina nel corso della quale sono stati rubati migliaia di euro. La vittima è il quarantaduenne Greg Collins della AIB in Wall Road a Dublino.
Nelle prime ore del mattino, Collins è stato svegliato da due intrusi penetrati nella sua abitazione, sita in Abigail Road. I due uomini mascherati hanno fatto irruzione in casa della vittima e hanno ingiunto all'uomo di aprire la banca e di vuotare la cassaforte. Collins, terrorizzato, ha cercato di difendersi ma è stato colpito al volto dai malviventi. Il suo naso, già compromesso a seguito di un precedente infortunio, è stato seriamente danneggiato.
Un Collins molto scosso ha raccontato come sia stato bendato e costretto con la forza a entrare, ancora in pigiama, nel furgone degli assalitori.
Si ritiene che i malviventi fossero alti più di un metro e ottanta e, a detta di Collins, avevano l'aspetto di body builders. Sebbene non li abbia visti in volto, Collins ha notato un tatuaggio raffigurante una testa mozzata sul braccio di uno dei due.
I due si sono impossessati di 20.000 euro, dopo di che si sono dati rapidamente alla fuga lasciando il funzionario all'interno della banca ferito e con addosso solo il pigiama. La polizia è giunta sul luogo pochi istanti dopo che i malviventi si erano dileguati, essendo stato azionato l'allarme.
La vittima non sa spiegare come i ladri potessero conoscere il suo indirizzo. "Ogni giorno faccio sempre molta attenzione a ravvisare eventuali individui sospetti che mi seguano fino a casa, ma quella sera non ho notato nessuno. È stata la peggiore notte della mia vita, un vero incubo", ha dichiarato, visibilmente scosso. "Quei malfattori hanno invaso la mia casa e mi hanno assalito. Sono terrorizzato."
Collins era in casa da solo, dopo la recente rottura del suo matrimonio. È in corso un'inchiesta sulla rapina, ma la polizia dubita di poter individuare i colpevoli a causa della totale mancanza di indizi.
Chiunque abbia informazioni riguardanti il fatto è vivamente pregato di farsi avanti.

Nella foto: il quarantaduenne Greg Collins, davanti alla banca, mostra il naso rotto.

✉ **C'è posta per te da: Ruby**

Ruby: Hai letto il giornale oggi?
Rosie: No. Ho rinunciato a leggere l'oroscopo.
Ruby: Be', posso suggerirti di comperare velocemente il *Daily Star* e di ritornare con la mente a sabato sera?
Rosie: Oh, no! Non sarò mica stata ripresa dai paparazzi mentre esco dal pub! Ah ah.
Ruby: Non è affatto divertente, Rosie. Sto parlando di quei due tizi. E adesso sbrigati a leggere il giornale.
Rosie: Cosa? Quali tizi? Di che cosa stai parlando?
Ruby: Del giornale. Svelta. Vai. Adesso.
Rosie: E va bene.

Rosie si disconnette.

Da: Rosie
A: Alex
Oggetto: L'articolo di oggi

Sono io, Rosie. Vai a controllare il tuo fax, svelto! Ti ho mandato un articolo pubblicato sul giornale di oggi. Mentre lo leggi, tieni a mente il racconto del mio sabato sera di cui abbiamo già parlato. Leggi il giornale e dimmi che cosa ne pensi. Svelto! Ho bisogno del tuo consiglio.

Da: Alex
A: Rosie
Oggetto: Re: L'articolo di oggi

Ah ah ah ah ah ah ah ah ah ah ah ah ah ah ah ah ah ah ah ah ah ah ah ah ah ah ah ah ah ah ah ah ah.

37

✉ **C'è posta per te da: Rosie**

Rosie: Oh, mio Dio, Alex.
Alex: Sì, Rosie?
Rosie: Puoi parlare o sei occupato?
Alex: Veramente sto lavorando un po', ma parla pure.
Rosie: Santo cielo, chirurgia via Internet... Non c'è limite al tuo talento, dottore.
Alex: A quanto pare, no. Che succede?
Rosie: Non indovinerai mai che cosa è arrivato oggi a casa di Brian.
Alex: Un mattone.
Rosie: No!
Alex: Un mandato di cattura per te.
Rosie: No! Non dirlo! Perché dici una cosa simile?
Alex: Per nessuna ragione in particolare. Mi stavo solo domandando quale condanna sia prevista per le persone che assoldano dei tizi per prendere a botte e terrorizzare il proprio ex marito.
Rosie: Alex Stewart, piantala di fare discorsi simili! È pericoloso parlare di queste cose via Internet, lo sai, e oltretutto io non ho fatto quello che dici!
Alex: Hai ragione, in questo momento la polizia è davanti a casa tua e ti sta sorvegliando con tanto di binocolo, tenendo d'occhio ogni tuo movimento.
Rosie: Piantala, Alex, mi metti in agitazione. L'unica colpa che mi si può rinfacciare è semmai un po' di ingenuità, ecco tutto.
Alex: Un po'? Credi che quei "tizi che sembravano serial killer"

abbiano l'abitudine di comportarsi tanto gentilmente con le donne sole nei pub come hanno fatto con te?

Rosie: Senti, ero ubriaca, non avevo sospetti e tenevo la guardia abbassata. Anzi, non avevo nessuna guardia. È stato stupido, lo so, ma sono ancora viva, quindi non continuate tutti a ripetermi quanto sia stata imprudente. A ogni modo, a ben vedere, erano dei ragazzi premurosi. Si dà il caso che stamattina, quando sono scesa dabbasso, sul tavolo della cucina c'era un pacchetto marrone con su scritto il mio nome. Dentro c'erano 5.000 euro, ci credi?! E tu che dicevi che non erano premurosi!

Alex: E non c'era dentro un biglietto, magari due righe di ringraziamento?

Rosie: Alex, ma tu non prendi mai niente sul serio? No, non c'era nessun biglietto, perciò il pacchetto magari non viene nemmeno da loro.

Alex: Rosie, un pacchetto marrone con dentro 5.000 euro è comparso durante la notte sul tavolo della tua cucina. A meno che il postino abbia la chiave dell'appartamento, credo che possiamo dedurre che fossero loro.

Rosie: E allora che cosa devo dire alla polizia?

Alex: Non ti tieni i soldi?

Rosie: Alex, io ho una figlia di tredici anni; avere informazioni su una rapina in banca (e anche su parte dei soldi) e tenersele per sé non credo sia la cosa più saggia da fare. Inoltre, che tu ci creda o no, ho una coscienza.

Alex: Be', di solito sarei stato d'accordo con la teoria secondo la quale bisogna dire la verità e attenersi alle regole, ma questa volta credo che dovresti tenere la bocca chiusa. Prima di tutto perché quei tipi sanno che tu sei l'unica persona al corrente di tutta la faccenda, sanno dove abiti e possono entrare in casa tua nel bel mezzo della notte senza farsi sentire dai vicini né da nessun altro. Non credo che ti abbiano dato quei soldi come regalo per un proficuo inizio della tua nuova vita, non mi sembrano i tipi.

Rosie: Oh, mio Dio, ho i brividi su per la schiena! È pazzesco, come in un film. Comunque non posso non dirlo alla polizia.

Alex: Vuoi morire?
Rosie: Sì, finalmente.
Alex: Rosie, sto parlando seriamente. Tieniti i soldi e sta' zitta. Dalli in beneficenza o fanne quello che vuoi se ti danno tanto fastidio. Puoi fare una donazione alla Fondazione Reginald Williams per le Malattie Cardiache.
Rosie: Bah, che schifo! No, grazie tante. Ma la beneficenza non è una cattiva idea. Credo che farò così.
Alex: E a chi devolverai i soldi?
Rosie: Alla Fondazione Rosie Dunne per Donne che non vedono da Secoli il loro Migliore Amico in America.
Alex: È un'idea eccellente. Sono sicuro che quella povera donna sfortunata sarà felice della tua donazione. Quando pensi che lei e sua figlia andranno a trovare il loro amico medico?
Rosie: Ho già prenotato per loro un volo per venerdì. Arriveranno alle nove del mattino e si fermeranno quindici giorni. Hai proprio ragione: essere altruista mi fa sentire una persona migliore.
Alex: Ah! Avevi già pianificato tutto! Verrò a prendervi all'aeroporto.
Rosie: Bene. A proposito, non mi hai ancora detto niente del mio nuovo lavoro.
Alex: Lavoro? Hai trovato un nuovo lavoro? Quando? Dove? Che cosa fai?
Rosie: Alex, ti ho lasciato più o meno 22.496 messaggi sulla segreteria telefonica per spiegarti tutto. Ma non la ascolti mai?
Alex: Lasciamo perdere. E allora, di che lavoro si tratta?
Rosie: Promettimi di non ridere.
Alex: Te lo prometto.
Rosie: In agosto comincio a lavorare come segretaria alla scuola elementare St Patrick.
Alex: Ritorni... *là*? Aspetta un momento... questo vuol dire che lavorerai con la signorina Nasona Alito Pesante Casey! Ma perché?
Rosie: Perché ho bisogno di soldi.
Alex: Ma non preferiresti morire di fame? Perché diavolo ti ha assunto?
Rosie: Me lo domando anch'io.

Alex: Ah ah ah ah ah.
Rosie: Avevi detto che non avresti riso.
Alex: Ah ah ah ah ah.
Rosie: L'avevi promesso!
Alex: Ah ah ah ah ah.
Rosie: Oh, va' a farti fottere.

Rosie si disconnette.

Care Rosie e Katie,
saluti da Aruba!
Ci stiamo divertendo un mondo in questo paradiso!
Ci auguriamo che lì da voi vada tutto bene.

Tanti baci,
mamma e papà

C'è posta per te da: Ruby

Ruby: Tienti forte, Irlanda, arriviamo!
Rosie: Chi arriva?
Ruby: Gary e Ruby Minnelli.
Rosie: Avete tenuto quel nome! Cosa stanno combinando in questo momento Gary e Ruby Minnelli?
Ruby: Sì, abbiamo tenuto il nome e a Gary va benissimo perché siamo in incognito e nessuno dei suoi colleghi di lavoro lo potrà riconoscere. I Campionati Nazionali di Salsa cominceranno tra pochi mesi. In ogni contea verrà prescelta una coppia e quella che vincerà diventerà la coppia campione d'Irlanda; poi ci saranno i Campionati Europei e i Campionati Mondiali.
Rosie: E così ti prepari a dominare il mondo?
Ruby: Be', non proprio il mondo, però io e Gary vorremmo tanto avere successo in Irlanda.
Rosie: E Teddy che cosa dice?
Ruby: Lui non ne sa niente e così dovrà essere. In ogni modo non abbiamo ancora superato nemmeno le eliminatorie qui

a Dublino, quindi non c'è motivo di provocare discussioni e scenate della malavita finché non passiamo il turno. La gara è prevista tra qualche settimana. Ci sarai?

Rosie: C'è da chiederlo?

Ruby: Grazie.

Da: Stephanie
A: Rosie
Oggetto: Visita

Spero che tu stia bene. Con tutte le cose che ti sono successe, te la sei cavata benissimo; sono veramente fiera di te. So che questo è stato un periodo difficile e, visto che vivo così lontano, mi rendo conto di non esserti stata vicina come avrei dovuto. Se per te va bene, vorrei tanto venirti a trovare e magari fermarmi per una settimana o giù di lì.

Con papà e mamma che se ne vanno a zonzo per il mondo, il resto della famiglia purtroppo non si riunisce più, e tu ti devi sentire molto sola. Magari potremmo andare a Kilkenny a trovare Kevin. Noi tre non stiamo nella stessa stanza tutti insieme da non so quanto tempo. (Non ti preoccupare, non andremo all'albergo. Se vuoi, potremmo rimanere fuori a tirare uova alle finestre!)

Se devo essere sincera, ho anche bisogno di un po' di riposo. Jean-Louis è veramente pesante per me in questo momento. È un fascio di energia, e io no; così Pierre si prenderà una settimana di ferie per badare al piccolo, e io potrò venire a trovarti.

So che abiti nell'appartamento di Brian, perciò andrò a stare da un'amica: non voglio certo disturbare la felice famigliola!

Non vedo Brian dai tempi del ballo della scuola, quando è arrivato a casa con indosso uno smoking blu scuro (hai ragione: era sicuramente blu, non nero). Sarà interessante vedere come è diventato, e gli dirò anche chiaro e tondo quello che penso di lui. Se però tu avessi altri progetti, non farti problemi a dirmelo.

Da: Rosie
A: Stephanie
Oggetto: Re: Visita

Certo che sono felice che tu venga! La settimana prossima va benissimo, non potrebbe esserci momento migliore. Vedi, i genitori di Brian sono ritornati dalle profondità dell'inferno (e non fanno che lamentarsi del freddo che fa qui, anche se siamo in piena estate e tutti vanno in giro in calzoncini corti. Ogni volta che apro la finestra quei due rabbrividiscono e si mettono addosso un'altra coperta. Non so come siano abituati nella loro *villa*, che si dà il caso sia un appartamento con una sola camera da letto a Santa Ponsa).

A ogni modo la cosa sconvolgente è che loro stanno qui in casa di Brian nel disperato tentativo di conoscere meglio me e la loro "nipotina". Il fatto è che siamo in pieno periodo di vacanze estive, e Katie vuole andarsene a spasso con Toby, e non rimanere chiusa in casa con due vecchie cariatidi piagnucolose.

Con quei due che si sono piazzati qui, siamo ancora più impiccati di prima nell'appartamento, e io mi sento soffocare da un senso di claustrofobia. Pensa un po', non vedo l'ora di cominciare il nuovo lavoro soltanto per poter stare fuori di casa. Toby è molto divertente: non fa che raccomandare a me e a Katie di essere gentili con loro perché così potremo continuare ad abitare in questo appartamento per tutto il tempo che vorremo. E così Katie e lui continuano a preparare tazze di tè e a portarle ai vecchietti mentre ancora stanno a letto. So bene che quel ragazzo ha soltanto tredici anni, però ha ragione, e così da un po' di tempo a questa parte ho cominciato a mettere dei biscotti sui piattini.

Quindi la tua visita, mia cara sorella, non potrebbe giungere in un momento più opportuno. È un'idea nello stesso tempo geniale e provvidenziale.

Oltretutto, anch'io ho una grande nostalgia di te! Almeno passerò un'estate divertente prima di sottomettermi al supplizio del mio nuovo lavoro.

Da: Rosie
A: Kevin
Oggetto: La visita di Steph

Steph starà qui una settimana. Dimmi quali sono le tue giornate libere, così verremo a trovarti. Magari potremmo andare fuori a mangiare. È un bel pezzo che non facciamo niente di simile.

Da: Kevin
A: Rosie
Oggetto: Re: La visita di Steph

Ottima idea. Noi tre non ci ritroviamo più da quando mamma e papà ci costringevano a fare il bagno tutti insieme. Ho il martedì libero, quindi potreste venire qui lunedì. Vi offro il pranzo.

Da: Rosie
A: Kevin
Oggetto: Re: La visita di Steph

Non in albergo, però. Soltanto sapere che Comesichiama è stato lì con *quella* è sufficiente per non farmici mettere piede. Ah, e mettici via un bel po' di uova, fratello. Ci vediamo lunedì.

Fattura n° KIL000321
Rif. 6444421

Risarcimento per danni alle finestre della sala da pranzo del Kilkenny Two Lakes Hotel	€ 6.232,00
IVA (21%)	€ 1.308,72
Totale fattura	€ 7.540, 72

Nota bene:
controllare sempre prima del lancio che le uova non siano sode.

Da: Rosie
A: Alex
Oggetto: Informazioni sul volo

Il mio aereo atterra alle nove del mattino, non dimenticartelo!

Saluti dalle Barbados!

Ci stiamo divertendo un mondo! Il tempo è magnifico e abbiamo conosciuto tantissime persone deliziose.

Vi vogliamo bene,
mamma e papà

✉ **C'è posta per te da: Rosie**

Rosie: Sono tornata!!!
Ruby: Oh, e così finalmente ti sei decisa! Sono stupita.
Rosie: Be', a momenti non tornavo. Non fosse stato per Brian la Lagna e i suoi genitori che volevano diventare i miei nuovi migliori amici e che hanno mandato a monte tutti i miei piani.
Ruby: Pensa un po', dover pensare ad altra gente. E allora, com'è andata?
Rosie: È stato assolutamente meraviglioso. E con questo ho detto tutto. Il paradiso.
Ruby: Voi due vi siete trovati bene insieme?
Rosie: Anche meglio del solito.
Ruby: E avete...
Rosie: No!
Ruby: Ma tu gli hai detto che...
Rosie: No! Perché diavolo avrei dovuto? Non c'era motivo. Se lo avessi fatto, lo avrei perso come amico per sempre, e poi sarebbe stata una perdita di tempo. Lui non mi ha mai lasciato intendere di provare qualcosa nei miei confronti; ricordati che sono stata io a baciarlo, l'ultima volta. È stato già abbastanza imbarazzante in passato, figurati un po' doverlo fare ancora. A ogni modo, lui sta già con

qualcuno e, anche se si tratta di quella sgualdrina di Bethany, non riuscirei a portarglielo via. Abbiamo parlato a lungo di lei.

Una sera mi ha portata fuori a cena in un bellissimo ristorante italiano con le pareti decorate con splendide pitture murali che raffiguravano edifici veneziani. Il ristorante era a due piani, ogni tavolo si trovava in una piccola alcova a cui si arrivava passando sotto ponti e arcate. L'intento era quello di creare l'atmosfera di una romantica gita in gondola. In sottofondo si sentiva un leggero mormorio di acqua che scorre, il che era molto rilassante anche se mi ha fatto correre in bagno almeno una decina di volte. Le sale erano illuminate unicamente da candele disposte in grossi candelabri di foggia gotica: un incubo per le case assicuratrici, immagino, comunque molto romantico. Credo che Alex mi abbia portata là per parlare di quella sgualdrina di Bethany e per spiegarmi come stanno le cose.

Pare che non sia una relazione così importante. Lui ha detto che gli piace stare in compagnia di Bethany dopo essere stato solo per tanto tempo, che è positivo il fatto che lei comprenda le lunghe assenze che il suo lavoro richiede, però non è che si frequentino molto, e secondo Alex lei si rende perfettamente conto che il loro non è un rapporto impegnativo. Anzi, mi sa tanto che stanno per rompere, perché a un certo punto è diventato serio e mi è sembrato addirittura sul punto di piangere. Che strano... ha detto che non era lei quella giusta per lui.

Ruby: E poi cos'è successo?

Rosie: E poi Josh ha telefonato al ristorante in preda al panico. Lui e Katie si erano scatenati, Katie era caduta ed erano convinti che si fosse fratturata un polso. Ce ne siamo andati in fretta e furia, a ogni modo avevamo già finito il dessert, e così poco male. La conversazione è finita lì.

Ruby: Da quello che mi dici, mi sa che era appena cominciata.

Rosie: Che cosa vuoi dire?

Ruby: Oh, Dio, come rompi, Rosie! Com'è possibile che un essere umano sia tanto stupido?

Rosie: Senti, Ruby, tu non eri lì. Va benissimo che tu mi dia consigli, ma sono io quella che fisicamente deve andare là e farlo. Gli dirò quello che sento quando sarà il momento giusto.

Ruby: E quando mai sarà il momento giusto per te?

Rosie: Quando ci sarà di nuovo quel silenzio.

Ruby: Quale silenzio?

Rosie: Non ha importanza. Comunque, Katie sta bene. Era solo una slogatura. Questa settimana, però, non potrà giocare a pallacanestro, ed è un po' arrabbiata per questo.

Ruby: Hai annotato sulla tua agenda i campionati di salsa a Dublino?

Rosie: Certo! Verranno anche Katie e Toby. E Teddy ha cambiato idea?

Ruby: Non posso dirgli della gara, Rosie. Se lo facessi, probabilmente si precipiterebbe al Red Cow Hotel assieme ai suoi amici camionisti per protestare contro gli uomini che ballano vestiti di lustrini. Io e Gary ci divertiremo molto di più senza dover temere che Teddy piombi nella hall dell'albergo come Homer Simpson in missione. Sono orgogliosa di mio figlio. Non voglio che Teddy e la sua ignoranza allo stato puro rovinino qualcosa che ci è costato anni di fatica.

Rosie: Non vedo l'ora di vedervi ballare insieme. Porterò la videocamera, così, se mai Teddy dovesse ricredersi, non si sarà perso del tutto questo momento. Che vestito ti metterai per l'esibizione?

Ruby: Ecco, questo è stato un bel problema. So che tutte le altre ballerine in gara metteranno in mostra un bel po' di pelle, invece lo scopo del mio costume sarà quello di coprire quanto più possibile. Purtroppo, nelle taglie forti non vengono prodotti abiti sexy per ballare la salsa. Anche Gary era nei guai. E così la signorina Behave, dopo che l'ha piantata di sentirsi offesa per essere stata rimpiazzata, si è offerta di confezionarci qualcosa. Ha detto che è abituata a "fare abiti da donna per gente che non ha la normale figura di una donna". Quello che mi preoccupa è che non vuole dirci che cosa sta combinando. Comunque io le ho raccomandato di tenersi alla larga dal rosa, dalle piume e dal tessuto elastico.

Rosie: Non vedo l'ora di vederlo!

Ba'ax ka wa'alik dal Messico!

Che avventura stiamo vivendo! Ci auguriamo che sia tutto a posto lì da voi.

Baci, mamma e papà

Buon compleanno, Toby

Spero ti piaccia l'automobile telecomandata che ti ho regalato. Il commesso del negozio ha detto che le automobili da rally sono le migliori (e sono anche le più costose!). L'ho comperata per te negli Stati Uniti, quindi penso che qui non ce l'abbia nessuno. Anche Josh ne ha una. È proprio su quella che sono inciampata e mi sono slogata il polso. Filano che è una meraviglia!

Comunque, un altro anno è passato. Forse fra dieci anni starai trapanando i denti della gente. Perché tu voglia diventare un dentista non riuscirò mai a capirlo, ma del resto sei sempre stato un po' strano. Ho sentito che Monica Doyle esce con Sean. Bella sfiga, eh?

Katie

Da: Toby
A: Katie
Oggetto: Buon compleanno

Grazie per l'automobile. La porterò a quel ballo del cavolo domenica. Voi ragazze potete dipingervi le unghie e guardare quelli là ballare mentre io la faccio andare nel corridoio.

Aloha dalle Hawaii!

Vi ho mandato delle fotografie che ci ritraggono assieme ad alcune persone che abbiamo conosciuto in crociera. Ci stiamo divertendo un mondo. Siamo diretti alle Samoa e da lì alle Fiji. Non vediamo l'ora!

Baci a te e a Katie,
mamma e papà

Ruby e Gary Minnelli!

Buona fortuna!

Farete faville e noi tutti saremo lì ad applaudirvi!

Baci,
Rosie, Katie e Toby

✉ **C'è posta per te da: Rosie**

Rosie: Congratulazioni, regina della danza! Sono orgogliosa di te! Sei ancora eccitata per la vittoria?

Ruby: A dire la verità, non so ancora bene come mi dovrei sentire. Non credo proprio che avremmo dovuto essere noi i vincitori.

Rosie: Oh, non essere sciocca! Voi due avete ballato splendidamente. E la signorina Behave ha fatto davvero un ottimo lavoro con il tuo abito. Sono stupita che si sia mantenuta tanto sobria, visto lo stile delle sue creazioni. Quell'abito nero con i lustrini era veramente *très chic* in confronto a tutti gli altri. Sembravano tanti arcobaleni. Ascoltami bene, voi avete vinto lealmente: siatene fieri.

Ruby: Ma non siamo nemmeno arrivati al turno finale...

Rosie: Be', non è colpa vostra se la coppia che era al primo posto si stava esercitando nel corridoio. Chiunque sarebbe inciampato in quella stupida automobilina telecomandata di Toby. È stata soltanto colpa loro. Comunque la caviglia della ragazza guarirà con il tempo, e l'anno prossimo lei potrà farsi di nuovo avanti per reclamare il titolo.

Ruby: Sì, ma tecnicamente noi non avremmo dovuto vincere, Rosie. Soltanto le due coppie che erano arrivate in finale avrebbero dovuto giocarsela. Avrebbe dovuto vincere la coppia che era arrivata seconda in finale...

Rosie: D'accordo, ma anche in questo caso non è stata colpa vostra. È stata la ragazza in viola che è incespicata nell'automobile di Toby (certo che vanno veloci, non ti pare?), facendo saltar via il bicchiere dalle mani di Katie, il che a sua volta ha fatto scivolare la ragazza in giallo che è andata a finire a gambe all'aria. Questo vi ha automaticamente portato in testa alla classifica. Non è stata colpa vostra. Dovreste essere felici!!!

Ruby: Be', mi sento un po' confusa. Comunque io e Gary presenteremo il pezzo con cui abbiamo vinto il Campionato allo spettacolo della signorina Behave, al George.

Rosie: Ma è fantastico! Sono felice per te, Ruby. La mia amica superstar!

Ruby: Oh, tutto questo non sarebbe stato possibile se tu non mi avessi regalato quei buoni quando ho compiuto quarant'anni. Ti ringrazio tanto, Rosie. E grazie per avermi incoraggiata gridando con tutto il fiato che avevi in gola. Ti ho sentita. E mi dispiace tanto che tu, Katie e Toby siate stati invitati a lasciare la sala...

38

Rosie e Katie,

magandang tanghali po dalle Filippine!

Abbiamo lasciato l'Australia qualche giorno fa. Siamo stati a Brisbane e a Sydney: bellissime. Staremo qui per un po', poi andremo per qualche giorno in Cina.

Vi vogliamo bene e ci mancate tanto.

Mamma e papà

Da: Rosie
A: Alex
Oggetto: Bethany la Sgualdrina

E allora, Alex, non l'hai ancora scaricata?

Da: Alex
A: Rosie
Oggetto: Pensa agli affari tuoi

Rosie, piantala! Te lo dirò quando lo avrò fatto!

Ni *hao* dalla Cina!

Ci spiace di non essere lì ad aiutarti per il trasloco. Buona fortuna nel tuo nuovo appartamento. Siamo sicuri che ti porterà tanta felicità.

Baci, mamma e papà

Rosie: Questo posto è disgustoso, Ruby. Assolutamente disgustoso.
Ruby: E piantala, non può essere peggiore del mio.
Rosie: È cento volte peggiore del tuo.
Ruby: Esiste un posto simile? Che Dio ti benedica. E che cosa c'è di tanto brutto?
Rosie: Be', vediamo, da dove cominciare? Uhm... posso dirti che l'appartamento è al primo piano sopra una serie di negozi tra i quali un salone per tatuaggi e un negozio indiano di cibi da asporto che è già riuscito a impregnare i miei vestiti dell'odore di *tikka masala*.
Forse dovrei dirti della *sontuosa* carta da parati a fiori verdi e grigi anni Settanta che penzola dalle pareti, e non devo dimenticare che ci sono anche le tendine abbinate alla carta.
Uhm... in effetti forse dovrei partire dalla moquette marrone che presenta curiose macchie e bruciature di sigarette e oltretutto emana odori misteriosi. Credo che sia lì da almeno trent'anni e che non sia mai stata pulita. La cucina è talmente piccola che quando ci sono due persone in piedi, una delle due deve uscire per permettere all'altra di uscire a sua volta. Però l'acqua c'è e lo sciacquone del gabinetto funziona.
Non mi meraviglia che l'affitto sia tanto modesto: nessuno con un minimo di cervello vorrebbe abitare qui.
Ruby: Tu ci abiti.
Rosie: Sì, ma non per molto. Come per magia riuscirò a mettere via una montagna di soldi e porterò me e Katie fuori di qui.
Ruby: E aprirai un albergo.
Rosie: Esatto.
Ruby: E abiterai all'attico.
Rosie: Esatto.
Ruby: E Kevin sarà il capo chef.
Rosie: Esatto.
Ruby: E Alex sarà il medico dell'albergo, così potrà salvare la vita di quelli che tu avvelenerai.
Rosie: Esatto.
Ruby: E tu sarai la proprietaria e la direttrice.
Rosie: Esatto.

Ruby: E io che cosa potrei fare?

Rosie: Tu e Gary potreste organizzare l'intrattenimento serale. Potreste ballare la salsa fino a che non stramazzate a terra.

Ruby: Dio, che meraviglia! Be', Rosie, sarà meglio che tu ti dia da fare per far decollare questo progetto dell'albergo prima che diventiamo tutti quanti vecchi.

Rosie: Ci sto lavorando. E come sta Teddy dopo lo choc della tua vittoria alla gara di salsa?

Ruby: Diciamo che prende ogni giorno così come viene. Ma seriamente, Rosie, trovo difficile venire a patti con il suo comportamento. Quando ha scoperto che avevamo vinto la gara e che ci saremmo esibiti al George, è andato su tutte le furie. Però nel frattempo deve aver picchiato la testa o qualcosa del genere, perché l'altra sera si è offerto di accompagnarci in macchina alla lezione di danza, il che mi ha fatto quasi schiattare per la sorpresa, e venerdì verrà al gay club: o è veramente orgoglioso di me e Gary, oppure è stufo che io mi rifiuti di stirargli le camicie. Si porterà dietro un suo amico grande e grosso per essere certo che nessuno gli giochi qualche brutto scherzo. Come se qualcuno, uomo o donna che sia, potesse azzardarsi a fare delle *avances* a Teddy. Ma adesso basta parlare di me. Tu che progetti hai per la settimana?

Rosie: Io comincio a lavorare part-time con compitini semplici semplici tipo stampare le lettere in cui si comunica la data del rientro a scuola degli alunni, il mese prossimo; infilare le lettere nelle buste; attaccare i francobolli; leccare il risvolto delle buste, chiuderle e impostarle. Non so tu, ma io sono elettrizzata alla sola idea. Meno male che sarà soltanto per poche settimane; quando i bambini ricominceranno la scuola, lavorerò a tempo pieno.

A parte questo, sto cercando di dare a questo posto l'aspetto di una casa. Brian la Lagna mi è stato molto d'aiuto, che tu ci creda o no. Ha preso a nolo per un giorno una levigatrice e domani strapperemo via quella moquette puzzolente e poi levigheremo e verniceremo i pavimenti di tutte le stanze. Tremo al pensiero di quello che potremmo trovare sotto la moquette. Probabilmente dei cadaveri.

Katie e Toby si stanno divertendo un mondo a strappare la

tappezzeria dalle pareti – almeno quello che ne rimane. Tinteggeremo tutti i muri di bianco, perché anche con una lampada da un milione di watt quel buco assomiglia sempre a una cantina. Ha bisogno di essere reso più luminoso. E credo che opterò per lo stile minimalista, non tanto perché io sia alla moda quanto perché ho ben pochi pezzi d'arredamento. E ho intenzione di tirare giù le vecchie tendine e bruciarle.
Il mio caro fratello Kevin è stato felicissimo di venire a Dublino a fare un'incursione nella casa di Comesichiama per riprendere le cose che avevo lasciato là, e Comesichiama gliele ha prontamente consegnate, forse perché era terrorizzato all'idea di farsi rompere il naso un'altra volta. Mi sono persino ritrovata il divano di pelle nera che era già in casa sua prima che lo sposassi... Comunque me lo merito.

Ruby: Credo che diventerà molto carina, Rosie. Una vera casa.

Rosie: Sì, adesso tutto quello che devo fare è sbarazzarmi di quell'odore di curry che aleggia dappertutto e filtra attraverso le pareti dell'intero palazzo. Mi ha fatto venire la nausea del cibo indiano.

Ruby: Ecco, questa è la dieta più efficace che abbia mai sentito. Vivi sopra un ristorante e l'odore ti farà venire la nausea del cibo.

Rosie: Mi sa che hai fatto una bella scoperta.

Ei Je da Singapore!

Ce la stiamo godendo un mondo. Non vogliamo più ritornare a casa.

Buona fortuna per il tuo nuovo lavoro, tesoro. Pensiamo a te mentre ce ne stiamo distesi accanto alla piscina! (Stiamo scherzando.)

Baci, mamma e papà

C'è posta per te da: Alex

Alex: Hai un minuto per fare quattro chiacchiere?

Rosie: No, scusa, sono occupata a leccare francobolli.

Alex: D'accordo, d'accordo. Posso chiamarti più tardi?

Rosie: Stavo scherzando, Alex. La signorina Nasona Alito Pesante Casey mi ha chiesto di redigere il primo bollettino dell'anno, e così sono sul sito della scuola e sto cercando di trovare avvenimenti passati e presenti che valga la pena di segnalare. Credo che come avvenimento più importante indicherò il fatto che lavoro qui.

Alex: E come va lì?

Rosie: Direi bene. Ci lavoro ormai da alcune settimane e mi sono ambientata e va tutto alla perfezione. Nessuna nota da mandare a casa.

Alex: Mi spiace di non essermi fatto sentire prima. Non mi ero reso conto che era passato un bel pezzo. Il tempo è proprio volato.

Rosie: Non fa niente. L'ho capito che eri occupato. Mi sono trasferita nel nuovo appartamento.

Alex: Oh, cavoli, è vero! E com'è?

Rosie: Non c'è male. Era veramente spaventoso quando siamo entrate, ma Brian la Lagna ci è stato di grande aiuto. Ha riparato tutto quello che era rotto e ha pulito quello che era sporco. Proprio come un autentico schiavetto.

Alex: E così voi due vi trovate bene insieme?

Rosie: Va un po' meglio. Ho solamente l'irresistibile impulso di strangolarlo una decina di volte al giorno.

Alex: Be', è un buon inizio. Sarà amore?

Rosie: Che cosa? Con Brian la Lagna? Non sarai fuori di testa? Quell'uomo è stato creato unicamente per raschiare la muffa e levigare i pavimenti.

Alex: Oh. Non c'è nessun altro nella tua vita?

Rosie: Ma certo che c'è. Una figlia di tredici anni, un nuovo lavoro e un cassetto zeppo di conti da pagare. In questo momento sono occupatissima. Anche se il mio vicino mi ha chiesto di uscire con lui questo fine settimana.

Alex: E uscirai con lui?

Rosie: Prima lascia che ti racconti qualcosa di lui e poi forse mi potrai dare un consiglio su questo dilemma che devo affrontare. Si chiama Sanjay, ha sessant'anni, è sposato e vive con la moglie e due figli ed è il proprietario del ristorante indiano qua sotto. Oh, e non indovinerai mai dove mi ha invitata a cena.

Alex: Dove?

Rosie: Nel suo ristorante! Ha detto che avrebbe offerto lui.

Alex: E allora quale sarebbe il dilemma?

Rosie: Molto spiritoso.

Alex: Be', almeno hai dei vicini cordiali.

Rosie: Comunque non è certo il più simpatico. Accanto a me abita il proprietario del salone per tatuaggi (anche questo si trova sotto il mio appartamento). Ha il corpo completamente ricoperto di tatuaggi, dalla testa alla punta dei piedi. Ha dei bellissimi capelli lunghi, neri e setosi che tiene legati in una treccia, e un pizzetto ben curato che gli incornicia la bocca. È alto più di un metro e ottanta, indossa ogni giorno pantaloni, gilet di pelle e stivali da motociclista con la punta d'acciaio. Quando non è occupato a perforare la pelle di qualcuno, giù da basso, mette su musica a tutto volume nell'appartamento accanto al mio.

Alex: Gran bella cosa trasferirsi vicino a un patito della musica heavy metal!

Rosie: È qui che ti sbagli. Lui si chiama Rupert; ha trentacinque anni e ha frequentato il prestigioso Trinity College di Dublino, dove si è laureato in Storia irlandese e ha preso il dottorato in Letteratura irlandese. James Joyce è il suo idolo, e sul suo petto compare la frase: "Gli errori sono il portale della conoscenza".

È un grande appassionato di musica classica e operistica, e ogni sera, alle cinque in punto, chiude il salone e, mentre fa il conto degli incassi, suona a tutto volume il Concerto Numero 2 per Pianoforte in Si bemolle, Op. 83 di Brahms. Dopo di che sale in casa e si prepara la cena diffondendo nell'aria profumini deliziosi e si mette comodo a leggere l'*Ulisse* per la milionesima volta mentre ascolta le melodie del *Meglio di Pavarotti* sparate a tutto volume dalle casse dello stereo (con un'attenzione particolare per il "Nessun dorma").

Katie e io ormai sappiamo praticamente tutte le parole, e Toby s'infila un cuscino sotto la camicia, si mette in piedi sul divano e mima i gesti del cantante seguendo la musica. Per lo meno, Rupert provvede all'istruzione dei ragazzi. Katie si sta divertendo come una matta a fare il missaggio tra il "Nessun dorma" e un pezzo di musica dance sulla sua nuova piastra di registrazione. Gliel'ha comperata Brian la Lagna, il che mi ha fatto incavolare perché avevo in mente di regalargliela io per Natale. Però le ho ordinato di tenerla nell'appartamento di suo padre, per non disturbare i vicini. Per quanto, per la verità, non capisco proprio perché mi dovrei preoccupare, con tutti i rumori e gli odori che ci circondano. Ah, dimenticavo: ti ho detto che Giovanna d'Arco abita nell'appartamento di fronte al mio?

Alex: No, non l'hai fatto.

Rosie: Be', ecco, questa tizia (si chiama Joan o Mary o Brigid, o qualcosa del genere) ha quasi trent'anni. È venuta a salutarmi il giorno in cui siamo arrivate, e quando ha capito che eravamo soltanto io e Katie e che io ero rimasta sola non in seguito alla tragica fine di mio marito se ne è andata via piuttosto sgarbatamente, e da allora non ci ha più rivolto la parola.

Alex: Almeno lei è tranquilla.

Rosie: Solamente perché ignora me, la peccatrice del palazzo, non vuol dire che sia tranquilla. Ho notato che, ogni lunedì sera, quello che sembrava un grosso branco di elefanti saliva le scale fino al nostro piano ed entrava nell'appartamento di Giovanna d'Arco. Dopo ulteriori indagini ho scoperto che una ventina di persone, sempre le stesse, vanno a casa sua ogni settimana e ciascuno tiene in mano una Bibbia. La mia grande capacità investigativa mi ha portato a concludere che tiene ogni settimana gruppi di lettura. Adesso ha appeso un cartello sulla porta che dice "Tu seguirai il tuo Signore, e lo temerai, e osserverai i suoi comandamenti e ascolterai la sua voce, e tu lo servirai, e gli sarai dedita". Ma, dico io, cosa diavolo vuol dire "dedito"? Chi ha mai sentito una parola simile?

Alex: Proprio non lo so, Rosie!

Rosie: Poi, più avanti sul mio pianerottolo, c'è una famiglia che viene dalla Nigeria. Zareb e Malika e i loro quattro bambini.

E io che pensavo che l'appartamento fosse troppo piccolo per me e Katie!

Alex: Come stanno tua madre e tuo padre?

Rosie: I miei genitori multilingue, vuoi dire? Be', se la stanno spassando lontano da tutti noi. La mamma ha da poco festeggiato i sessant'anni; mi ha mandato una cartolina che diceva: "*Zdravstvuite* dalla Russia!" Mi immagino quei due che se la godono un mondo come una vecchia coppia alla *Love Boat*. A proposito di *love*, perché tutte quelle domande personali sulla mia vita sentimentale?

Alex: Perché voglio che tu trovi qualcuno, ecco perché. Voglio che tu sia felice.

Rosie: Alex, io non ho mai trovato la felicità con un altro essere umano, e tu lo sai. Sono separata da mio marito; non sono ancora alla ricerca di un'altra vittima. E probabilmente non lo sarò mai.

Alex: *Mai*?

Rosie: Probabilmente. A ogni modo, non mi sposerò mai più, questo è sicuro. Mi sto abituando alla mia nuova vita. Ho una nuova casa, un nuovo lavoro, una figlia adolescente, ho trentadue anni e sto entrando in una nuova fase. Penso proprio di stare finalmente crescendo. E poi, non c'è niente di sbagliato nell'essere single. Essere single è l'ultimo grido, oggigiorno. Tu dovresti saperlo.

Alex: Io non sono single.

Rosie: Non ancora.

Alex: No, non lo sono. E non lo sarò.

Rosie: Perché, hai già cambiato idea circa il fatto di rompere con quella sgualdrina di Bethany?

Alex: In primo luogo, non sono uno che cambia idea tanto facilmente, e poi, ti prego, non chiamare Bethany sgualdrina. Non ho mai detto di avere intenzione di rompere con lei.

Rosie: Be', io invece avevo proprio avuto questa impressione quando ne abbiamo parlato a cena, il mese scorso.

Alex: Sì, be', lascia perdere quella cena. Avevo la testa da un'altra parte. Quello che voglio dire è che desidero essere felice con Bethany e desidero che anche tu sia felice con qualcuno, e così saremo entrambi felici con il nostro prossimo.

Rosie: Lo so io quello che vuoi dire. Tu non vuoi che io sia single per il semplice fatto che questo ti crea un senso di turbamento. Se io stessi con un uomo, allora tu potresti pensare che *forse* riusciresti a non mettermi le mani addosso. Ho capito perfettamente che è proprio di questo che si tratta. Ti ho scoperto, Alex Stewart. Tu mi ami. Vuoi che ti dia dei figli. Non puoi sopportare di vivere ancora un solo giorno senza di me.

Alex: Io... non so cosa dire...

Rosie: Rilassati, sto scherzando! Che cosa è successo per farti cambiare idea su Bethany?

Alex: Oh, non torniamo su questo discorso...

Rosie: Alex, io sono la tua migliore amica, ti conosco da quando avevamo cinque anni. Nessuno ti conosce meglio di me. Te lo chiedo per l'ultima volta, e non mentire. Che cosa è successo per farti cambiare idea sul fatto di rompere con quella sgualdrina di Bethany?

Alex: È incinta.

Rosie: Oh, santo Dio! A volte, dato che sei il mio migliore amico, penso che tu sia normale, come me. Poi, di tanto in tanto, mi fai venire in mente che sei un uomo.

Phil: Aspetta un momento, Alex. Un paio d'anni fa stavi cercando di mandare a monte il matrimonio di Rosie e adesso mi stai dicendo che vuoi che lei conosca qualcun altro?

Alex: Sì.

Phil: Soltanto perché mentre stai con Bethany non vuoi sentirti *tentato*?

Alex: No! Non è questo che ho detto!

Phil: Be', invece sembrava proprio così. Visto come vi comportate, non credo che voi due vi meritiate l'un l'altra.

Parte Quarta

39

Bentornati a casa, mamma e papà! (Fáilte go h-Eirinn!)

Siamo contente che siete arrivati a casa tutti interi! Non vediamo l'ora di sentire i racconti delle vostre avventure e di vedere tutte le fotografie.

Ci vediamo nel fine settimana.

Baci, Rosie e Katie

Cari Stephanie e Pierre,

felicitazioni per la nascita della vostra bambina!

Non vediamo l'ora di conoscere la piccola Sophia. Nel frattempo, ecco qui qualche vestitino perché sia alla moda come la sua mamma!

Un mondo di baci,
Rosie e Katie

Buon compleanno, Josh.

Tanti baci da
Rosie e Katie.

Ciao Katie,

grazzie per il biglietto e per il regalo che mi ai mandatto pre il mio compleanno. Credo che il papà vi ha detto che Bethinny è incinta. Questo vule dire che avro un fratello o una sorella.

Papà è triste perché dice che tutte le ragaze della sua vita sono arabbiate con lui. La tua mamma è arrabbiata, e anche la mia mamma e anche Bethinny. Bethinny è arrabbiata con lui perché lui non la vuole sposare. Bethinny piangeva e diceva che papà non le voleva bene e lui diceva che dovevano conoscersi meglio prima di sposarsi. Betinny ha detto che lui sapeva tutto quello che c'era da sapere su di lei e che se lui non la sposava il suo papà si sarebe molto arrabiato e lo avrebbe licenziato.

Io credo che il papà la dovrebbe sposare: Io voglio un fratello e al mio papà piace tantisimo il suo lavoro. Appena mi è possibile racconterò a te e a Toby altre cose. Siccome sono qui solo nei fine settimana mi perdo sempre le cose più interessanti.

Ringrazia la tua mamma per il regalo.

Da Josh.

P.S. Bethinny vuole una casa a Marthas Vineyard. Io non ho mai conosciuto Martha e non so che cosa penserebbe se tutto d'un colpo noi andassimo a stare nel suo vigneto comunque papà non sembrava molto felice. Credo che lui odi l'uva.

IL DOTTOR WILLIAMS PREMIATO

Il dottor Reginald Williams, insigne medico chirurgo, membro del Royal College of Surgeons, primario di Chirurgia cardiotoracica, è stato premiato ieri sera in occasione dei National Health Awards, a Boston. Il dottor Williams è stato designato a seguito di una severa selezione atta a identificare coloro che hanno maggiormente contribuito al progresso della scienza medica.

Questo premio è considerato una delle più alte onorificenze nel campo della medicina. Il dottor Williams era accompagnato alla cerimonia dalla moglie, Miranda, da sua figlia, Bethany, e dal dottor Alex Stewart, cardiochirurgo al St Jude Hospital di Boston, con il quale Bethany si è recentemente fidanzata.

A pagina 4 dell'inserto Salute, l'articolo di Wayne Gillespie.

✉ **C'è posta per te da: Rosie**

Rosie: Vuoi che venga a sapere queste cose dai giornali?

Alex: Mi dispiace, Rosie.

Rosie: Ti dispiace?! Ti fidanzi e lasci che io legga la notizia su un giornale? Che cosa diavolo ti è successo da un po' di tempo a questa parte?

Alex: Rosie, tutto quello che posso dirti è che mi dispiace.

Rosie: Non capisco proprio che cos'hai nella testa, Alex. Non sei nemmeno innamorato di lei.

Alex: Sì che lo sono.

Rosie: Be', questo è molto convincente.

Alex: Io non devo convincere nessuno.

Rosie: Solamente te stesso. Alex, tu mi hai detto che non ne eri innamorato. Anzi, qualche mese fa stavi addirittura pensando di rompere con lei. Mi domando che cosa sia successo per farti cambiare parere tutto d'un colpo.

Alex: Sai bene che cosa è successo. Adesso c'è di mezzo un bambino.

Rosie: Queste sono stronzate. L'Alex che conosco non sposerebbe una donna che non ama per il bene del bambino. È la cosa peggiore che potresti fare a quella creatura: crescerlo in un ambiente in cui i genitori non si amano nemmeno. Che scopo avrebbe tutto questo? Tu non stai più con Sally e le cose con Josh vanno bene. Può non essere la situazione ideale – tutti vorrebbero fare la parte della famiglia felice – ma non funziona sempre così. È ridicolo.

Alex: Per Josh sono un padre da fine settimana; non voglio ripetere lo stesso sbaglio. Non è giusto.

Rosie: Sposare qualcuno di cui non sei innamorato non è giusto.

Alex: Io sono molto affezionato a Bethany; abbiamo un ottimo rapporto e andiamo d'accordo.

Rosie: Be', sono felice che tu e la tua futura moglie "andiate d'accordo". Se non ci rifletti bene, Bethany diventerà un'altra Sally. Un altro matrimonio fallito non è certo quello che vuoi.

Alex: Questo matrimonio non fallirà.

Rosie: No, semplicemente sarai infelice per tutto il resto della vita; comunque andrà tutto alla perfezione fino a quando le malelingue non diranno malignità su di te.

Alex: Ma perché mai dovrei seguire i tuoi consigli? Che cosa diavolo hai fatto nella tua vita che ti abbia resa così esperta da potermi indicare come vivere la mia? Hai vissuto con un uomo che ti ha tradita per anni e ogni volta l'hai ripreso con te. Che cosa ne sai del matrimonio?

Rosie: Ne so abbastanza da non volermi precipitare lungo la navata di una chiesa accanto a qualcuno che conosco a malapena e di cui non sono innamorata. Ne so abbastanza da non permettere che le mie scelte siano condizionate dal mio desiderio di denaro, di potere e di prestigio. Ne so abbastanza da non sposare un uomo perché un branco di ricconi mi sorrida compiaciuto e mi ripeta quanto sono fantastica. Io non sposerei un uomo per avere la mia fotografia sui giornali e il mio nome su un'onorificenza da mettere in mostra né per qualche stupida promozione.

Alex: Oh, Rosie, mi fai ridere. Non hai la minima idea di quello che stai dicendo. Evidentemente stai troppo tempo in casa a immaginare assurde teorie di cospirazioni.

Rosie: È vero, non faccio altro. Me ne sto qui nella mia modesta casa popolare a non fare assolutamente niente, io, povera e ignorante madre single, mentre tu e i tuoi amici di Harvard ve ne state nei vostri club esclusivi, fumando sigari e dandovi pacche sulle spalle. Possiamo anche vivere in ambienti molto diversi, Alex Stewart, ma io ti conosco bene e mi fa star male vedere che cosa sei diventato.
Che cosa avrebbe fatto il buon vecchio Reginald Williams se fosse venuto a sapere che sua figlia era incinta e che il pazzo responsabile del fattaccio non la voleva sposare? Oh, quale disonore alla famiglia, quanto avrebbe sparlato la gente!
Comunque, adesso per lo meno lei ha ottenuto di mettersi l'anello al dito, e tu hai ottenuto la promozione, e d'ora in avanti noi tutti possiamo vivere felici e contenti.

Alex: Non tutti scappano, Rosie. Forse lo hanno fatto nella tua vita, non nella mia.

Rosie: Oh, per l'amor di Dio! Non sposare Bethany non vuol dire "scappare". Finché sarai presente per il bambino, non starai scappando. Non devi sentirti obbligato a *sposarla*.

Alex: Senti, Rosie, adesso ne ho abbastanza! Non fai altro che controllarmi, mi costringi a spiegarti sempre tutto. Tu non sei mia *moglie* e nemmeno mia madre, quindi falla finita. E poi chi lo dice che devo prendere le decisioni della mia vita in base a quello che pensi tu? Sono stufo dei tuoi rimproveri e delle tue recriminazioni sulla gente che frequento e sui posti dove vado. Sono in grado di decidere per conto mio, lo sai. Sono un adulto.

Rosie: E allora per una volta nella tua vita COMPORTATI DA ADULTO!

Alex: Ma chi sei tu per insultarmi e per volermi dare lezioni quando non ne hai combinata una giusta? Senti, fammi un favore: non disturbarti a chiamarmi fino a che non avrai qualcosa di decente da dire.

Rosie: Benissimo! Allora aspetterai un bel pezzo.

Rosie si disconnette.

Alex: Perfetto.

Phil: Che cosa stai facendo?

Alex: Lo sai che cosa sto facendo.

Phil: Ma perché sposi lei?

Alex: Si chiama Bethany.

Phil: Perché sposi *Bethany*?

Alex: Perché ne sono innamorato.

Phil: Davvero? Te lo chiedo perché l'ultima volta che sei entrato nel confessionale immaginario mi hai detto che avevi in mente di chiudere la relazione. Perché senti di doverti sposare? È suo padre che ti sta facendo pressione?

Alex: No, no, no. Nessuna pressione. Sono io che voglio farlo.

Phil: Perché?

Alex: Perché non dovrei? Perché tu hai sposato Margaret?

Phil: Io ho sposato Margaret perché amo tutto di lei e voglio rimanere con lei per il resto della vita, in salute e in malattia, finché morte non ci separi. Lei è la mia migliore amica, abbiamo cinque bambini meravigliosi e, per quanto a volte mi facciano impazzire, non potrei vivere un solo giorno senza di loro. Non mi sembra che tu provi sentimenti del genere per Bethany.

Alex: Non tutti i rapporti sono come il tuo con Margaret.

Phil: No, certo, comunque all'inizio ci dovrebbe essere un po' di entusiasmo. Con Bethany c'è stata quella faccenda del silenzio?
Alex: Oh, smettila! Non parlarmi del silenzio, Phil.
Phil: Ma sei tu che sei ossessionato da quella storia. E allora, avanti, c'è stato?
Alex: No.
Phil: Allora non dovresti sposarla.
Alex: E va bene, non la sposerò soltanto perché me lo dici tu.
Phil: E Rosie che ne dice?
Alex: Niente. Non mi rivolge la parola.
Phil: E tu come ti senti?
Alex: In questo momento sono talmente furioso con lei che non m'importa un bel niente di quello che pensa. Mi voglio sganciare da lei. Bethany e il bambino che deve nascere sono il mio futuro. Adesso posso uscire dal confessionale?
Phil: Sì. Dirai cinque Ave Maria e un Padre Nostro, e possa Dio dare pace alla tua anima inquieta.

C'è posta per te da: Katie

Katie: A quanto pare ti interessa parecchio imparare come è fatto l'apparato riproduttivo femminile.
Toby: Niente affatto. Preferisco scoprirlo da solo nella pratica.
Katie: Oh, divertente, ma sarai vecchio prima che qualcuna ti permetta di metterle le mani addosso.
Toby: La mia migliore amica è un'attrice comica. Hai mangiato un panino con l'insalata per pranzo?
Katie: Come fai a saperlo?
Toby: Vedo la lattuga attaccata al tuo apparecchio per i denti. Allora, che cosa vuoi?
Katie: Be', non te lo meriti, ma più tardi devo andare ancora dal dentista. Se vuoi venire... Puoi fargli un milione di domande su quello che sta facendo, come sempre, e rompergli le scatole fin che vuoi. È talmente divertente vedere come gli pulsa la vena sulla fronte quando ti vede.
Toby: Sì, lo so. Mi dispiace, non posso. Monica viene a casa mia a vedere la partita di football.

Katie: Monica, Monica, Monica. Sono stufa di sentir parlare di quella stupida di Monica Doyle. E perché non sono stata invitata anch'io a casa tua?
Toby: Perché devi andare dal dentista.
Katie: Sì, ma fino a un secondo fa tu non lo sapevi.
Toby: E va bene, ti piacerebbe venire oggi a casa mia a vedere la partita di football, lo sport che tu odi con tutto il cuore, giocata da due squadre che odi ancora di più?
Katie: Non posso. Ho un impegno.
Toby: Lo vedi? E adesso non dirmi che non ti invito mai a uscire.
Katie: Da quanto tempo sai che devo andare dal dentista?
Toby: Da cinque minuti.
Katie: E quanto tempo fa hai invitato Monica Doyle a casa tua?
Toby: La settimana scorsa.
Katie: Proprio come pensavo.

✉ **C'è posta per te da: Katie**

Katie: Mamma, odio gli uomini.
Rosie: Congratulazioni, tesoro. Benvenuta nel club. Il tuo posto è qui pronto per te. Sono talmente orgogliosa di questo momento che vorrei tanto avere una macchina fotografica.
Katie: Ti prego, mamma, sto parlando seriamente.
Rosie: Anch'io. E allora, che cosa ha combinato Toby questa volta?
Katie: Ha invitato Monica Doyle a casa sua a guardare la partita di football e non ha invitato me. Be', veramente lo ha fatto, ma soltanto dopo che ha saputo che ero occupata.
Rosie: Oddio, si è già preso il virus! Ma è di quella tale Monica piagnucolosa che stiamo parlando? Quella ragazzina che alla festa per i tuoi dieci anni non ha fatto altro che piangere perché aveva perduto un'unghia finta, fino a che i suoi genitori non sono venuti a prenderla?
Katie: Sì.
Rosie: Oh, santo cielo, odio quella bambina.
Katie: Non è più una bambina, mamma. Ha quattordici anni, ha il seno più grosso di tutta la scuola, si tinge i capelli di

biondo, si sbottona la camicetta per mettere in mostra le tette e si piega in avanti perché i ragazzi possano vederle. Fa la stupida persino con il signor Simpson e finge di non capire quello che lui spiega durante la lezione di informatica così lui si mette dietro di lei e si china su di lei per mostrarle come fare. Non parla d'altro che di andare a fare spese, quindi non riesco proprio a capire come possa essere interessata a una partita di football. Be', veramente il perché lo so.

Rosie: Ho la sensazione che questo sia un caso di Bethanite.

Katie: Cosa? Che cosa devo fare con Monica?

Rosie: Oh, è semplice. Ammazzala.

Katie: Per favore, mamma, per una volta nella tua vita cerca di essere seria.

Rosie: Io sono una donna assolutamente seria. L'unico modo per risolvere la situazione è ridurre Monica al silenzio. Altrimenti, andrà a finire che lei ritornerà a perseguitarti quando avrai trentadue anni. La morte è l'unica soluzione.

Katie: Grazie, ma sono aperta a qualunque altra soluzione vorrai propormi.

Rosie: Hai detto che lui ti ha invitata?

Katie: Sì, ma soltanto perché sapeva che non potevo andare.

Rosie: Mia cara, dolce, innocente figliola, un invito è un invito. Sarebbe scortese rifiutarlo. Ti suggerisco di presentarti a casa sua, stasera. Ti darò i soldi per l'autobus.

Katie: Mamma, non ci posso andare! Lo sai che ho appuntamento con il dentista.

Rosie: Be', il dentista può aspettare. Fisseremo un altro appuntamento. Questa partita di football è molto importante, sai. Non vorrei che te la perdessi per colpa di una stupidaggine come farti mettere a posto i denti. E adesso vieni via da quel computer prima che il signor Simpson ti sorprenda, vada a fare rapporto contro di me alla signorina Nasona Alito Pesante Casey e mi faccia licenziare.

Katie: Contenta tu. Non so come fai a lavorare con lei ogni giorno.

Rosie: Io per prima sono sorpresa di doverlo ammettere, ma non è poi tanto male. Visto come sono di solito i capi, lei è una persona gentile. Si chiama Julie. Ci crederesti? Ha anche un nome proprio. Ed è pure carino e normale; avrei pensato che fosse più qualcosa tipo Vladimir o Adolf.

Katie: Ah ah, anch'io. Ma non è difficile lavorare con qualcuno che una volta non faceva che prendersela con te ogni santo giorno?

Rosie: Fra noi c'è un certo senso di imbarazzo. È un po' come se lei fosse un mio ex ragazzo che ho ritrovato dopo anni. Giorno dopo giorno la conversazione diventa un pochino più lunga, un pochino più cordiale, incentrata meno sul lavoro e più sulla vita. Abbiamo passato talmente tanti anni a litigare che ci sembra strano trovarci d'accordo su tante cose. Sai che pensava che Alex fosse tuo padre?

Katie: Davvero?

Rosie: Comunque, le ho detto che tuo padre era Brian, e lei non la finiva più di ridere... Be', forse questa non è una cosa che dovrei raccontare a te.

Katie: Aspetta che Alex senta che ti sta simpatica. Cadrà a terra tramortito per lo choc.

Rosie: Semmai glielo dirai tu.

Katie: Oh, dimenticavo che non vi parlate ancora.

Rosie: Sì, be', è una lunga storia, tesoro.

Katie: Quelli che dicono che è una lunga storia in realtà vogliono dire che la storia è stupida e corta, che sono troppo imbarazzati e che non gli va di raccontarla. Mamma, perché non gli parli?

Rosie: Perché non mi importa più niente di quello che fa. La vita è sua e può buttarla per aria come vuole; io non c'entro più niente ormai. A ogni modo, lui non vuole nemmeno sentire quello che ho da dirgli.

Katie: Il nostro vicino, Rupert, dice che "gli errori sono il portale della conoscenza".

Rosie: Non è Rupert che lo dice, ma James Joyce.

Katie: James chi? Lo conosco?

Rosie: È morto.

Katie: Oh, mi dispiace. Tu lo conoscevi bene?

Rosie: Ma che cosa diavolo vi insegnano a scuola?

Katie: In questo momento, educazione sessuale. È una palla incredibile.

Rosie: Su questo dovrei essere d'accordo con te. Comunque, tornando ad Alex, è molto cambiato, tesoro. Non è più l'uomo che conoscevo. È molto diverso.

Katie: Lo hai conosciuto quando aveva cinque anni e parlava a vanvera. Se, alla tua età, Toby si comportasse come un quattordicenne, be', io mi preoccuperei.

Rosie: Allora, a titolo di avvertimento da parte di una donna che sa, preparati a incontrare molti uomini di trentadue anni che credono ancora di averne quattordici.

Katie: Sì, sì, sì. Tutto questo l'ho già sentito. Papà viene a casa per Natale, lo sai. Mi ha detto di chiederti se vogliamo fare il pranzo di Natale con lui e i suoi genitori. Visto che quest'anno siamo solamente tu e io, credo sarebbe una buona idea.

Rosie: Oh, che meraviglia! Sarà un Natale fantastico!

Ciao, tesoro,

spero vada tutto bene. È stato bello rivedervi, questo fine settimana. Grazie per essere venute fin qui a trovarci. Ti prometto che la casa sarà molto più in ordine per la vostra prossima visita, ma mi riesce talmente difficile sistemarmi dopo aver viaggiato per mesi.

Ambientarci in una nuova casa, in un nuovo paese, in una nuova contea, è una vera avventura. Tutti qui sono molto cordiali, e il nostro irlandese ci sta piano piano ritornando familiare. Non abbiamo vicini eccitanti come i tuoi, quantunque, se ti può consolare, tuo padre mi ha pregato di dirti che l'intera Irlanda ha una lamentela da avanzare a proposito dei vicini: quella di essere schiacciata tra l'America e la Gran Bretagna.

Tu sei la mia meravigliosa bambina, Rosie, e tuo padre e io siamo tanto, tanto fieri di te. Spero che te ne renda conto. Sei forte, non ti lasci mai abbattere, sei una madre meravigliosa per Katie. Si è fatta proprio una signorina tutto pepe, vero? È senza alcun dubbio la figlia di sua madre.

Mi spiace averti lasciata sola in un momento tanto importante per te; mi ha spezzato il cuore abbandonare te e Katie proprio mentre stavate affrontando tanti problemi con Comesichiama. Ma tu sei un tipo tosto e quello che non ti uccide ti rende più forte.

Sarebbe proprio un peccato se tu ti perdessi il matrimonio di Alex. Poco fa parlavo con Sandra e lei mi diceva che stanno organizzando un grande matrimonio natalizio. Vogliono sposarsi prima che nasca il bambino, e Bethany non vuole far notare troppo la gravidanza. A Sandra piacerebbe tanto che tu e Katie foste presenti; anche loro vi hanno visto crescere. Ho l'impressione che non sia particolarmente entusiasta di Bethany, ma vuole bene ad Alex e desidera stargli vicino.

Sandra ha invitato anche noi, ma purtroppo non potremo essere presenti perché (come sai) passeremo il Natale con Stephanie e Pierre a Parigi. Il Natale a Parigi sarà bellissimo, senza dubbio, e io sono elettrizzata all'idea di conoscere la mia nipotina numero due! È un vero peccato che non possiate venire anche tu e Katie, ma capisco che lei voglia passare il suo primo Natale con suo padre e i suoi nuovi nonni. Anche se non posso fare a meno di sentirmi un po' gelosa che loro vedano la mia Katie il giorno di Natale e io no!

Kevin ha conosciuto una ragazza – incredibile, vero? – e passerà il Natale con lei e con i suoi genitori nel Donegal. Deve essere una cosa seria! Credo che faccia la cameriera nel suo stesso albergo, ma non ne sono sicura. Tu conosci Kevin: dare informazioni non è esattamente il suo forte.

Papà ti saluta. È costretto a letto da una brutta influenza. Se l'è presa proprio il giorno in cui siete partite, perciò siete fortunate ad averla scampata. Da quando siamo tornati è sempre molto stanco. Non riesco a credere che abbiamo tutti e due sessant'anni, Rosie. È incredibile come il tempo sia passato in fretta: fa' in modo di assaporare ogni giorno. Adesso sarà meglio che vada perché tuo padre continua a chiamarmi. Detto fra noi, da come si comporta si direbbe che sia in punto di morte!

Sono tanto fiera delle mie due ragazze a Dublino.

Vi voglio bene,
mamma

Reginald e Miranda Williams
sono lieti di invitare **Katie Dunne** al matrimonio
della loro figlia
Bethany
con
Alex Stewart
presso la
Memorial Church della Harvard University
il 28 dicembre alle ore 14.00.
Seguirà un ricevimento al
Boston Harbor Hotel
RSVP Miranda Williams

40

Benvenuti nella chat room dei Dublinesi Divorziati Felici e Contenti.

In questo momento sei persone stanno chattando.

Divorziata_1: Oh, Cuore Solitario, smettila di piangere e rifletti. Dovresti essere arrabbiata. Ripeti: io sono una donna forte.
Cuore Solitario: Io sono una donna forte.
Divorziata_1: Io ho il pieno controllo della mia vita.
Cuore Solitario: Io ho il pieno controllo della mia vita.
Divorziata_1: Non è colpa mia se Tommy se ne è andato.
Cuore Solitario: Non è colpa mia se Tommy se ne è andato.
Divorziata_1: E non mi importa niente se lo ha fatto, perché è un bastardo.
Cuore Solitario: Questo non posso dirlo!
Divorziata_1: Stammi a sentire, lascia che ti mostri la situazione da un altro punto di vista. Lui ti ha piantata in asso dopo soli sei mesi di matrimonio, si è preso i mobili, gli utensili da cucina, persino il fottutissimo tappetino del bagno, e ti ha lasciato un *biglietto*, per la miseria, perciò ripeti con me: non mi importa niente se se ne è andato, perché è un bastardo.
Cuore Solitario: Non mi importa niente se se ne è andato, perché è un BASTARDO!
Divorziata_1: Che vada a farsi fottere!
Cuore Solitario: Che vada a farsi fottere!
Insicura: Ragazze, non sono sicura che questo sia il sistema migliore per aiutare Cuore Solitario.
Divorziata_1: Oh, chiudi il becco. Tu non sei mai sicura di niente.
Cuore Solitario: Oh, chiudi il becco. Tu non sei mai sicura di niente!

Divorziata_1: Cuore Solitario, *questo* non lo dovevi ripetere.
Fiore Selvatico: Ah ah ah ah.
Insicura: Diavolo, non sono sicura che qualcuno tranne te possa permettersi di avere un'opinione al riguardo, Divorziata_1.
Divorziata_1: Ma tu non hai mai un'opinione.
SingleSam: Calmatevi! Non essere sciocca, Insicura, noi vogliamo sentire la tua opinione. Quando Leonard si è innamorato di un'altra e ti ha lasciata, tu che cosa hai fatto?
Divorziata_1: Lei molto intelligentemente si è trasferita nella camera degli ospiti e ha smesso di avere una sua vita.
SingleSam: Calma, calma, Divorziata_1, dalle modo di spiegare.
Insicura: Grazie, SingleSam, sei molto gentile. Quello che volevo dire è che io non credo nel divorzio. Io seguo i dettami della chiesa cattolica, e il papa ha detto che il divorzio è un "male" che si sta "diffondendo come un'epidemia" nella società. Io, per me, sono d'accordo con lui. Lo scopo della famiglia è stare insieme. E noi staremo insieme, qualunque cosa accada.
Divorziata_1: Be', tutto quello che posso dire è che il papa non è mai stato sposato con il mio ex marito.
Insicura: Non voglio continuare questa conversazione. Non mi piace il tuo tono.
Fiore Selvatico: La chiesa cattolica crede nell'annullamento del matrimonio, Insicura, perché non lo chiedi anche tu?
Insicura: No.
Fiore Selvatico: Perché no? Praticamente è la stessa cosa, solo che in questo caso il papa concederà la sua... benedizione.
Insicura: No.
Fiore Selvatico: Ma non puoi almeno spiegarci perché?
Divorziata_1: Perché non vuole porre fine al suo matrimonio, punto e basta.
Insicura: No, Divorziata_1, è solo che non credo sarebbe giusto. Per i bambini.
Divorziata_1: Ma cosa c'è di "giusto per i bambini" quando tuo marito si piglia la camera matrimoniale con la tivù e tutto il resto e ti costringe ad andare a dormire nella camera degli ospiti, e come se non bastasse ti pianta a casa sola nei fine

settimana e se ne va a spasso con altre donne? I bambini si sposeranno con la convinzione che sia giusto dormire in camere separate e avere innumerevoli partner.

Cuore Solitario: Tu lo lasci uscire con altre donne?

Insicura: Ma non sono appuntamenti galanti. Non dar retta a Divorziata_1; stasera ha la luna per traverso. Lui va a cene di lavoro. Non posso certo impedirglielo, non ti pare? E non credo che mi dovrei preoccupare solo perché il suo capo è una donna. Non me la fareste tanto lunga se il suo capo fosse un uomo.

SingleSam: Sì, ma, Insicura, è stato proprio con il suo capo che tuo marito aveva una relazione...

Fiore Selvatico: Ah ah ah ah.

Cuore Solitario: Posso capire il ragionamento di Insicura. Almeno lei vive con l'uomo che ama, lo vede ogni giorno, parla con lui, sa dove si trova e quello che fa invece di stare da sola per tutto il giorno, ogni giorno. Che importa se lui non ricambia il suo amore?

Insicura: Tu dovresti proprio rimettere a posto le cose con Tommy, sai? Sei mesi non sono abbastanza per far funzionare un matrimonio.

Divorziata_1: Insicura, Tommy ha *svuotato* il loro conto corrente, le ha *rubato* il suo anello di fidanzamento, si è *fregato* tutti i mobili, la tivù, il lettore CD e tutti i CD, i vestiti e tutte le sue cose personali ed è *sparito*. Perché diavolo lei dovrebbe rivolerlo indietro se non per metterlo al muro?

Insicura: Perché lei lo ama e il matrimonio è per sempre.

Divorziata_1: Ma quello è un *ladro*. Voi due siete matte!

Fiore Selvatico: Be', sai come si dice: l'amore è cieco.

Divorziata_1: *E anche* sordo e muto in questa chat room.

Fiorellino entra nella chat room.

Divorziata_1: Oh, bene, ecco qui la voce della ragione che risolverà i vostri problemi.

Fiorellino: Sapete una cosa? È un maledetto bastardo. L'ha poi sposata.

Divorziata_1: Perfetto. Mandalo a farsi fottere.

SingleSam: Non ti ha ancora chiamata?
Fiorellino: No, non lo sento da quando mi ha detto di non chiamarlo più.
SingleSam: Pensavo che magari ti avrebbe mandato un invito all'ultimo minuto.
Fiorellino: Nemmeno per sogno, razza di egoista...
Insicura: Be', Fiorellino, tu sei stata molto scortese ad accusarlo di voler sposare quella donna per tutta una serie di motivi sbagliati.
Cuore Solitario: Vorrei tanto che mio padre concedesse a Tommy una promozione. In quel caso lui tornerebbe certamente da me.
Divorziata_1: Queste sì che sono valide fondamenta su cui basare un matrimonio. Molto efficace, Cuore Solitario.
Fiorellino: Figuratevi che ha invitato una ragazzina di tredici anni ad andare a Boston tutta sola. Quell'uomo è andato fuori di testa. Ufficialmente lui non è più il mio migliore amico, chiuso!
Cuore Solitario: Posso essere io tua amica?
Divorziata_1: Oh, povera donna sconsolata.
Cuore Solitario: Che cosa c'è, adesso?
Fiore Selvatico: Ma tu saresti andata al matrimonio se lui ti avesse invitata, Fiorellino?
Fiorellino: Nemmeno se mi pagava.
Cuore Solitario: Probabilmente lui non si è preoccupato di far stampare un invito perché sapeva che non saresti andata. Gli inviti sono molto costosi, sai. Mi ricordo quando io e Tommy abbiamo controllato insieme la lista degli invitati. Eravamo così felici, allora.
Divorziata_1: Probabilmente perché lui sapeva che si sarebbe trattenuto il tempo sufficiente per conoscere nemmeno la metà degli ospiti.
Cuore Solitario: Questo è sleale.
Fiorellino: Quella gente non è certo a corto di quattrini, credimi; oltretutto, per quale altra ragione avrebbe dovuto mandare un invito a Katie e non a me se non per sbattermelo in faccia? Spalmarmelo proprio lì come un impacco esfoliante che ti gratta via la pelle... Comunque, sono quasi sicura che

la loro felicità avrà vita breve. Fra non molto lui si unirà a noi in questa chat room perché quella donna è il male, lo sento.

Divorziata_1: No, il divorzio è un male, non è vero, Insicura?
Fiore Selvatico: Ah ah ah ah.
Insicura: Non è divertente.
Divorziata_1: Non ha fatto altro che ridere per tutta la serata. Credo che Fiore Selvatico abbia assaggiato il fiore selvatico, se capite quello che voglio dire.

Insicura si disconnette.

Fiore Selvatico: Sei troppo dura con lei, Divorziata_1.
Divorziata_1: Oh, non essere sciocca, lei ci gode da morire. Ritorna sempre, ogni sera, è vero o no? Credo che noi per lei siamo l'unica opportunità di conversazione con un adulto.
Fiorellino: E allora, avete passato un buon Natale?
Fiore Selvatico: Per tutta la settimana non ho fatto altro che festeggiare. È stato fantastico. In vita mia non mi sono mai seduta in braccio a tanti Babbi Natale. Ah ah. Comunque adesso vi devo lasciare. Devo prepararmi per una festa in maschera che si terrà stasera. Io mi vestirò da coniglietta di Playboy. Ciao!

Fiore Selvatico si disconnette.

Fiorellino: E gli altri che cos'hanno fatto?
Divorziata_1: Io penso di aver messo su una decina di chili.
Cuore Solitario: Be', per me è stato un Natale tranquillo.
SingleSam: Comunque quest'anno la televisione non era male.
Divorziata_1: Come no!
Fiorellino: È vero. Mi piacciono tanto gli special di Natale.
Divorziata_1: Sono perfetti anche per tenere occupati i bambini.
Fiorellino: Sì.
SingleSam: C'erano anche dei bei documentari.
Fiorellino: Hmm.
Divorziata_1: Ieri sera ho visto quello sugli orsi polari.
Fiorellino: Anch'io...

SingleSam: Non mi ero reso conto che tutti gli orsi polari sono mancini.

Fiorellino: Sì, quello era interessante... E le lumache...

Divorziata_1: Sono anche loro mancine?

SingleSam: No, ma sembra che possano dormire per tre anni.

Fiorellino: Fortunate...

Divorziata_1: Sì, la tivù è interessante a Natale...

SingleSam: Quasi quasi è bello essere soli a Natale per poter avere un po' di tranquillità.

Cuore Solitario: Una *assoluta* tranquillità.

Fiorellino: Sì, è molto tranquillo...

SingleSam: Sapete, io e la mia ex moglie davamo sempre una grande festa ogni Natale; eravamo sempre indaffarati, uscivamo ogni sera, oppure avevamo ospiti. Avevamo ben poco tempo per noi. Ma adesso è molto diverso. Nessuno che mi disturbi. Niente feste, niente ospiti quest'anno...

Fiorellino: Lo stesso per me.

Divorziata_1: Ma chi vogliamo prendere in giro? È orribile. Questo è il peggior Natale che abbia mai avuto.

Fiorellino: Anch'io.

SingleSam: Anch'io.

Cuore Solitario: Anch'io.

Clicca sull'icona a sinistra per stampare la conversazione.

Da: Julie Casey
A: Rosie
Oggetto: Un fax per te

Non voglio disturbarti mentre sei così "occupata" a lavorare (come sta Ruby?), ma qualche minuto fa è arrivato un fax nel mio ufficio. Non era indirizzato a te ma leggendolo ho capito che non poteva essere che per te. E poi, chi altri darebbe il mio numero di fax a scopo personale? Mi sembra di poter decifrare un "Da Josh" come firma. Vieni a prenderlo. Oh, già che ci sei, trasferisci le tue telefonate nel mio ufficio; porta due tazze di caffè e un pacchetto di sigarette.

LE CRONACHE MONDANE DI ELOISE PARKINSON

Quanti di noi hanno avuto la fortuna di presenziare al matrimonio dell'anno (in ogni caso, certamente il matrimonio della settimana) possono testimoniare la stravaganza, la raffinatezza e lo sfarzo dispensati ai trecento ospiti del dottor Reginald Williams e signora al matrimonio della loro figlia Bethany e del dottor Alex Stewart.
Non si è davvero badato a spese nell'allestimento della cerimonia che ha avuto luogo alla Memorial Church della Harvard University, dove vivaci composizioni di rose e candele rosse facevano ala lungo la navata come luci che illuminavano la pista dalla quale la splendida coppia sarebbe decollata incontro a una vita di felicità.
Bethany, 34 anni, era di un'eleganza impeccabile, come sempre, con un abito bianco disegnato per lei dal famoso amico delle star (e mio) Jeremy Durkin. Il corpetto rinforzato da stecche era ornato da diecimila perle (che mascheravano la gravidanza di cui tutti mormorano). L'ampia gonna, costituita da vari strati di morbido tulle, frusciava mentre lei avanzava lungo la navata al braccio del padre visibilmente orgoglioso, l'illustre chirurgo Reginald Williams.
Miranda Williams, la perfetta madre della sposa, era splendida nel suo tailleur pantalone di Armani color rosso fuoco completato dallo stupendo cappello di Philip Treacy. Le indossatrici (nonché amiche della sposa) Sara Smythe e Hayley Broadbank erano le damigelle d'onore e indossavano abiti molto sexy in seta rossa che ne metteva in risalto la linea perfetta, e tenevano tra le mani una mezza dozzina di rose. Il bouquet della sposa era costituito da sei rose rosse e sei bianche (e alla fine è toccato proprio a me). I biondi capelli di Bethany, di solito sciolti e fluenti, erano legati in uno chignon basso sulla nuca, un tocco di gran classe.
In cima alla navata, un Principe Azzurro molto disinvolto osservava con orgoglio la sua principessa, impeccabile nel tight nero a tre bottoni, camicia bianca e cravatta rossa, il tutto completato da una rosa rossa appuntata sul risvolto. Una giornata piena di "rose", non c'è dubbio.
Il sontuoso ricevimento è stato tenuto al Boston Harbor Hotel, dove il discorso più bello è stato pronunciato dal testimone, Josh Stewart, cinque anni, figlio dello sposo, nato da un precedente matrimonio con una compagna di college, Sally Gruber.

La giornata è stata all'altezza delle aspettative di "Cronache Mondane", e credo che chi ha osservato i neosposi danzare per la prima volta come marito e moglie abbia pensato: questo matrimonio sarà per sempre. Possano i due sposi vivere una vita lunga, ricca, felice e piena di glamour. Quanto a me, me ne vado con il mio bouquet a caccia di un cavaliere.

A Rosie

Buon compleanno, amica mia!

Un altro anno è passato... Siamo alle solite.

Ruby

Da: Stephanie
A: Rosie
Oggetto: La tua visita

Non vedo l'ora che veniate a conoscere Sophia, il mese prossimo. Anche lei è impaziente di vedervi e Jean-Louis è scatenato come al solito.

Buon compleanno, sorellina. Sono sicura che tu e Ruby stanotte farete le ore piccole.

Cari Alex e Bethany,

congratulazioni per la nascita del vostro bambino.

Vi auguriamo ogni bene e siamo felici che Josh abbia finalmente il fratellino che desiderava tanto!

Rosie e Katie

A Katie

Buon compleanno, angelo mio.

Divertiti in discoteca, stasera, e ricorda: niente alcool, niente sesso e niente droga.

Un mondo di baci,
mamma

✉ **C'è posta per te da: Rosie**

Rosie: Chi è quel ragazzo che a quanto mi hanno detto hai baciato e con cui hai ballato venerdì sera, Katie Dunne?

Katie: Non posso parlare, mamma. Il signor Simpson sta spiegando qualcosa di estremamente importante per gli esami di fine anno, ed è vitale che io ascolti.

Rosie: Bugiarda.

Katie: Non sto dicendo bugie. Sono sicura che è molto importante, di qualunque cosa si tratti.

Rosie: Su, avanti, vuota il sacco. Chi era quel ragazzo?

Toby: Ciao, Rosie.

Rosie: Ciao, Toby, tempismo perfetto. Stavo appunto interrogando mia figlia a proposito dell'uomo misterioso della discoteca, venerdì sera.

Toby: Ah ah ah. Le notizie viaggiano in fretta.

Katie: Non dirglielo, Toby.

Rosie: Allora è vero!

Toby: Sì.

Katie: Sì, e Toby si è sbaciucchiato con Monica per tutta la sera.

Rosie: Oh, no, Toby! Non quella piagnucolosa di Monica!

Toby: Ma perché voi due la chiamate sempre così? Lei non è piagnucolosa quando sta con me.

Rosie: Sarà perché noi non la baciamo davanti a tutti nella discoteca della scuola. Su, avanti, mia cara figliola, adesso ascolta me e mettimi a parte fin nei minimi particolari di questo amore in boccio.

Katie: Si chiama John McKenna, ha quindici anni, è un anno avanti a me ed è veramente simpatico.

Rosie: Ooh, un uomo più grande!

Katie: Lo so, mamma, io ho buon gusto.

Rosie: Che cosa pensi di lui, Toby?

Toby: È okay; è nella squadra di football della scuola. È in gamba.

Rosie: Dovrai tenerlo d'occhio per me, d'accordo?

Katie: Mamma! Adesso questo qui non starà più zitto!

Rosie: Hai fatto sesso con lui?

Katie: Mamma! Ho quattordici anni!
Rosie: Al giorno d'oggi si vedono alla tivù ragazzine di quattordici anni incinte.
Katie: Be', non io!
Rosie: Bene. Hai preso droghe?
Katie: Mamma! Piantala! Dove diavolo le andrei a prendere queste droghe??!
Rosie: Non lo so. Al giorno d'oggi si vedono alla tivù ragazzine di quattordici anni incinte e tossicodipendenti.
Katie: Be', non io!
Rosie: Bene. Hai bevuto alcolici?
Katie: Mamma! La mamma di Toby ci ha accompagnato a scuola e ci è venuta a prendere: quando avremmo avuto il tempo di bere?
Rosie: Non lo so. Al giorno d'oggi si vedono alla tivù ragazzine di quattordici anni incinte, tossicodipendenti e ubriache.
Katie: Be', certamente non io!
Toby: Ma che razza di programmi guardi alla tivù?
Rosie: Soprattutto i notiziari.
Katie: Senti, non preoccuparti; mi hai istruito abbastanza per sapere che è stupido fare tutte quelle cose. Va bene?
Rosie: Va bene, ma ricorda: i baci sono belli ma non bisogna andare oltre. Siamo d'accordo?
Katie: Mamma! Io non voglio altro!!
Rosie: Bene, e adesso tornate al vostro lavoro. Mi aspetto che prendiate i voti più alti in questa materia!
Katie: Sarà difficile se tu continui a disturbarci!

Ruby: E allora, che cosa farai per i prossimi due mesi adesso che i ragazzi sono a casa da scuola? Sei proprio fortunata ad avere delle vacanze così lunghe. Andy Manomorta mi ha detto che io ho già esaurito tutti i miei giorni di ferie, il che è semplicemente ridicolo, perché dovevano essere giorni di malattia. Ma lui ha detto che non è possibile che qualcuno possa essere stato malato per sessantacinque giorni in un anno lavorativo ed essere ancora vivo.
Rosie: E così non hai neanche un giorno di vacanza? Speravo

che questo fine settimana saremmo potute andare in Inghilterra in battello. A Blackpool per esempio.

Ruby: Adesso posso. Gli ho detto che, se mi dà due settimane di ferie, farò pubblicità alla Andy Manomorta Paperclip Company quando Oprah mi inviterà alla sua trasmissione per parlare della vittoria mia e di Gary al Campionato Mondiale di Salsa. Tu che cosa farai?

Rosie: Non ho ancora deciso. Julie mi ha fatto capire che potrei frequentare dei corsi per adulti qui a scuola. Dice che dovrei seguire il corso di gestione alberghiera, come ho sempre desiderato. Come se fosse semplice.

Ruby: Perché non dovrebbe essere semplice? Senti, Rosie, non puoi saperlo finché non ci provi. Da quando ti conosco, non fai che parlare di lavorare in un albergo. Sei ossessionata dagli alberghi; la tua casa è praticamente un tributo ai prodotti per alberghi. Si riesce a malapena ad aprire la porta del tuo bagno per tutti i tappetini rubati che ci sono a terra. Non capisco questa tua passione, ma so che lavorare in un albergo è il tuo sogno più grande.

Rosie: Julie ha detto che se non mi iscrivo al corso mi licenzia. E che, quando finirò il corso, mi licenzierà comunque.

Ruby: Devi darle retta; lei è stata una buona insegnante per te in tutti questi anni.

Rosie: Ma, Ruby, ci vogliono tre anni per ottenere il diploma ed è molto costoso, e oltretutto dovrei lavorare di giorno e studiare di notte. Sarà dura.

Ruby: Oh, ma, ma, ma, Rosie Dunne! Qual è il problema? Hai in programma qualcosa di meglio da fare nei prossimi tre anni?

Cara Rosie,

scusami se ho tardato a risponderti. I mesi passati sono stati molto impegnativi per Alex e me. Adattarsi tutto d'un colpo alla vita matrimoniale e a un bambino appena nato non è una cosa facile.

Siamo stati felici di ricevere il tuo bigliettino e speriamo che tu e Katie stiate bene, laggiù in Irlanda.

Cari saluti,
Bethany (e Alex, Theo e Josh)

C'è posta per te da: Rosie

Rosie: Hai ragione, Ruby, credo proprio che non avrò un granché da fare per i prossimi tre anni.

Perché non pensare alla mia istruzione?

41

Ciao, mamma!

È tornato l'inverno. È spaventoso come passano in fretta i mesi. Si trasformano in anni senza che nemmeno me ne accorga. Guardandola crescere e cambiare, Katie praticamente mi fa da calendario. Cresce incredibilmente in fretta, sta imparando ad avere opinioni tutte sue e anche che io non ho una risposta a tutto. E nel momento in cui una ragazza comincia a capirlo, tu sei nei guai.

Sono ancora in viaggio, mamma; ancora prigioniera di quello stadio intermedio della vita nel quale sono appena arrivata da qualche luogo, me lo lascio alle spalle, e adesso sto faticosamente riprendendo il cammino. Quello che cerco di dire è che non ho ancora messo radici. Voglio dire, tu e papà non avete fatto altro che viaggiare per un anno intero – ogni volta non vi siete fermati nello stesso Paese per più di qualche settimana – eppure siete molto più "radicati" di me, e pensare che io l'anno scorso non mi sono mai mossa. Voi sapete bene dove volete vivere. Forse perché tu hai lui e lui ha te e dovunque si trovi papà, per te è casa.

Ho imparato che "casa" non è un luogo, ma un sentimento. Posso far diventare il mio appartamento il più carino possibile, sistemare sui davanzali tanti vasi di fiori, mettere sulla soglia un tappeto con la scritta "benvenuti", appendere sopra il caminetto il cartello "casa dolce casa", cominciare a indossare grembiulini e a cuocere dolcetti, ma resta il fatto che non voglio rimanere a vivere qui per sempre.

È un po' come se fossi in attesa alla stazione, suonando e cantando per racimolare qualche soldo, quanto basta per prendere il primo treno che mi porti via di qui. E, naturalmente, la cosa più importante per me è Katie. Dovunque io sia, se sono con lei dovrei sentirmi a casa, ma non è così perché spetta a me farla sentire "a casa". Mi rendo conto che mia figlia fra qualche anno se ne andrà e non avrà più bisogno di me come adesso.

Devo organizzare la mia vita per quando Katie se ne andrà. È *necessario* che lo faccia perché non vedo nessun Principe Azzurro arrivare in mio soccorso. Le fiabe sono veramente dannose per i bambini. Ogni volta che ho dei guai, mi aspetto che un uomo dalla lunga chioma e dalle espressioni forbite arrivi al piccolo trotto a salvarmi. Poi mi rendo conto che non voglio un uomo che arrivi al piccolo trotto perché sono proprio gli uomini che mi mettono nei guai.

Ora come ora sono come l'istruttore di Katie: il mio compito è fornirle gli strumenti necessari a sostenere la lotta accanita che è poi la vita da adulti. Lei non pensa alla sua vita quando io non ci sarò più. Certo, sogna di viaggiare per il mondo a fare la DJ *senza di me*, ma questo concetto del *senza di me* non l'ha ancora toccata. E così deve essere: non ha che quattordici anni. A ogni modo, non è ancora pronta per prendere decisioni da sola, e infatti mi sono opposta con fermezza alla sua idea di lasciare la scuola.

Comunque, ultimamente non ho dovuto costringerla ad alzarsi dal letto la mattina, a causa di John, il suo nuovo ragazzo. Quei due sono inseparabili; ogni venerdì sera vanno a ballare al circolo del GAA, vicino a casa di lui. John fa parte di questo gruppo sportivo, e gioca a hurling nella squadra giovanile del Dublino. E infatti, domenica prossima andiamo tutti, eccitatissimi, a Croke Park a vedere la partita Dublino-Meath. Per me è una cosa un po' complicata perché non guido, perciò devo arruolare Ruby perché ci accompagni in macchina. Lei lo chiama "portare a spasso la signora Scansafatiche". La madre di John è una signora molto simpatica ed è tanto gentile da venire qualche volta a prendere Katie e riaccompagnarla a casa.

Da un po' non vedo né sento Toby, ma ho incontrato sua madre che portava a scuola il figlio più piccolo: mi ha detto che Toby si sta comportando con la sua nuova ragazza, Monica, più o meno allo stesso modo di Katie.

Io non sono mai uscita con i ragazzi quando avevo quattordici anni. La gioventù di oggi sta crescendo davvero in fretta... (sembro proprio VECCHIA a parlare così!). D'accordo, d'accordo, mamma, ti sento borbottare fin da qui. Io sono rimasta incinta a diciotto anni senza avere né un lavoro, né un'istruzione, né un uomo; e ti ho quasi spinta sull'orlo di un esaurimento nervoso, ma in alcuni Paesi del mondo questa è un'età avanzata per rimanere incinte, perciò dovresti ringraziare la tua buona stella se non ho cominciato molto prima.

Kevin è passato di qui, questo fine settimana; ha portato con sé la sua ragazza. Lei è molto carina, ma non riesco a capire che cosa ci trovi in lui. Lo sapevi che stanno insieme ormai da un anno? Francamente, quel mio fratello è talmente chiuso che devi tirargli fuori le informazioni con le tenaglie! Non si sa mai, ci potrebbe essere un altro matrimonio in vista per la famiglia Dunne! Di' a papà di tenersi pronto e di tirare fuori dal solaio il vecchio smoking, buttar via le palline di naftalina e spazzolarlo. Sarà felice di sapere che questa volta non dovrà camminare lungo la navata. (A dire la verità, aveva fatto innervosire *me* al mio matrimonio.)

Quanto al mio palazzo di lusso, potremmo benissimo non avere vetri alle finestre per tutti gli spifferi che lasciano filtrare. È una serata gelida e ventosa e la pioggia picchia furiosamente sui vetri. Dalla strada, la luce del lampione penetra direttamente qui; se soltanto potesse essere spostato un pochino verso destra potrebbe dare noia a Rupert invece che a noi. Comunque, mi fa risparmiare sull'elettricità. Quasi quasi mi aspetto di vedere giù in strada Gene Kelly che balla attorno al lampione con il suo ombrello. Ma com'è che i film riescono a far sembrare tutto divertente, persino la pioggia?

Ogni mattina mi alzo quando fuori è buio pesto (e, sai, non è naturale alzarsi a un'ora in cui è troppo presto persino per disturbare il sole), la casa è gelata, salto dalla doccia alla mia camera da letto, tremando come una foglia, esco di casa e devo camminare per dieci minuti per arrivare alla fermata dell'autobus, invariabilmente sferzata dal vento e dalla pioggia. Mi fanno male le orecchie, e i capelli mi penzolano come spaghi, tanto varrebbe non lavarli e non asciugarli. Il mascara mi cola lungo le guance, l'ombrello mi si rovescia e io sembro una Mary Poppins scarmigliata. In più, l'autobus è in ritardo. Oppure troppo pieno per fermarsi. E va a finire che arrivo tardi al lavoro, bagnata come un pulcino, dopo avere avuto almeno una discussione con un autista, mentre tutte le altre hanno trucco, vestiti e capelli in perfetto ordine, perché hanno potuto alzarsi dal letto un po' più tardi di me, sono salite sulle loro automobili e, guidando comodamente, sono arrivate a scuola quindici minuti prima dell'inizio delle lezioni in tempo per prendersi una tazza di caffè, così da iniziare bene la giornata.

Cantando sotto la pioggia... un bel cavolo!

Nota che oggi ti sto scrivendo una lettera e non ti mando una e-mail a causa di quel tizio dell'Internet caffè sotto casa che una volta di più mi ha beccata a fissarlo. Ha un viso talmente attraente che mi viene voglia di morderlo. Credo che lui l'abbia capito, e così stasera ho deciso di non uscire. L'altro motivo per cui ti scrivo è che in questo momento sto fingendo di studiare. Sia per me sia per Katie sono imminenti gli esami del trimestre, e ho raccomandato a Katie di prenderli con maggiore serietà. Quanto a me, mi ci sono buttata a capofitto, in questa avventura. E così, eccoci qua tutte e due sul tavolo della cucina con libri, cartellette, fogli e penne, cercando di darci un'aria intellettuale.

Ho ancora talmente tanto da recuperare che per tutta la settimana non ho proprio avuto il tempo di cucinare. In questi ultimi giorni ci siamo godute le delizie del negozio qui sotto. Per fortuna Sanjay ci fa uno sconto del quaranta per cento sui pasti che ordiniamo e ha persino creato un nuovo piatto che ha chiamato Pollo al curry Rosie. Ieri sera ce l'ha mandato su gratis. Lo abbiamo assaggiato e lo abbiamo rimandato indietro. Sto scherzando. Praticamente è un normalissimo pollo al curry: lui non ha fatto altro che aggiungere il "Rosie". A ogni modo sono lusingata nel vedere il mio nome su un menù indiano, ed è interessante, la sera tardi, sentirlo storpiare tra gli schiamazzi degli ubriachi. Continuo a illudermi che il mio Romeo sia sul marciapiede sotto la mia finestra e che mi chiami lanciando sassi contro il vetro per svegliarmi. Poi mi viene in mente che è sabato notte; all'una del mattino il pub ha appena chiuso: chi mi chiama sono gli ubriachi che gridano a squarciagola il mio nome, e i sassi contro la finestra non sono altro che le gocce di pioggia. Be', una ragazza può sempre sognare.

Ogni volta che passo vicino alla moglie di Sanjay, lei rotea gli occhi e assume un'espressione disgustata. Lui continua a invitarmi a uscire, me lo chiede persino quando la moglie è lì accanto. E allora io gli rispondo chiaro e tondo che quello che mi chiede è scorretto, dato che è sposato, che deve avere più rispetto per sua moglie e che anche se non fosse sposato, io gli risponderei comunque di no. Lo dico ad alta voce perché la signora possa sentire, ma nonostante ciò lei continua a squadrarmi con disprezzo, mentre Sanjay mi sorride e mi butta nella borsa qualche poppadom (dei dolci indiani) senza farmeli pagare. Quell'uomo è matto.

Rupert (l'altro mio vicino) mi ha chiesto se volevo andare alla National Concert Hall, questo fine settimana. A quanto pare, la National Symphony Orchestra suonerà il Concerto Numero 2 per Pianoforte in Si bemolle, Op. 83 di Brahms, che è in assoluto il suo preferito. Non è affatto un appuntamento galante. Credo che Rupert sia completamente asessuale e che voglia solo un po' di compagnia. E questo per me va benissimo. Come se non bastasse, il tatuaggio "Voglio bene alla mamma" che ha sul braccio sarebbe un vero e proprio disincentivo. Anche quella frase di James Joyce che ha sul petto mi disturba, perché Rupert è talmente alto che, quando io guardo dritto davanti a me, sono costretta a leggere "Gli errori sono il portale della conoscenza". Sembra quasi che Rupert sia stato messo nell'appartamento accanto al mio per farmi capire i miei sbagli. Vorrei soltanto che quel messaggio avesse più senso. Gli errori sono gli oblò della conoscenza. La strada verso la conoscenza è terribilmente lunga e accidentata, costellata di ostacoli e pericoli. Vorrei che quel tatuaggio dicesse "La cioccolata è buona".

A proposito di errori, non ho ancora parlato con Alex, ed è già passato un anno, ormai. Penso che sia arrivato il momento di farlo. Ci siamo limitati a scambiarci stupidi bigliettini. È come se stessimo facendo una gara a chi batte le ciglia per primo. Mi manca da morire. Mi capitano talmente tante cose, futili fatterelli di tutti i giorni che avrei una gran voglia di raccontargli!

Come per esempio stamattina, quando il postino che stava consegnando la posta qui di fronte è stato di nuovo attaccato da quello stupido cagnetto Jack Russell che si chiama Jack Russell. Ho guardato fuori dalla finestra e ho visto il postino che cercava di scrollarsi il cane dalla gamba, come fa ogni mattina, ma questa volta gli ha inavvertitamente dato un calcio nella pancia e la bestiola si è accasciata a terra e non si è più mossa. Poi è uscito il suo padrone e il postino protestava che Jack Russell era già così quando lui è arrivato. Il padrone del cane gli ha creduto, e allora tutti si sono dati un gran daffare per cercare di aiutare quella povera creatura. Alla fine Jack Russell si è alzato e, quando ha visto il postino, si è messo a uggiolare ed è scappato in casa. È stato divertente. Il postino si è stretto nelle spalle e se ne è andato. Quando è arrivato alla mia porta, stava fischiettando. Cose del genere avrebbero fatto ridere Alex, soprattutto se gli avessi raccontato che quel povero cane abbaia tenendomi sveglia tutta la notte e ruba sempre le mie lettere dalle mani del postino.

Aspetta un secondo, Katie sta cercando di spiare nella mia pagina.

LA TEORIA DELLA GERARCHIA DI MASLOW.

Ah ah, questo la metterà su una falsa pista. Be', adesso sarà meglio che lavori sul serio. Ci vediamo presto. Di' a papà che lo saluto e che gli voglio bene.

A proposito, Ruby mi ha organizzato un appuntamento al buio per sabato sera: avrei voluto ucciderla, ma non ho potuto annullarlo. Incrocia le dita per me: speriamo che non sia una specie di serial killer.

Con tanto affetto,
Rosie

✉ **C'è posta per te da: Rosie**

Rosie: Ciao, Julie. Ho segnato il tuo nome tra quelli dei miei amici di posta elettronica. Ogni volta che vedo che sei in linea, posso mandarti un messaggio.

Julie: Non se escludo il tuo nome dalla mia lista.

Rosie: Non oseresti.
Julie: Perché mai dovresti installare un servizio di posta elettronica con me se io sono nella stanza accanto?
Rosie: Perché così posso fare varie cose in una volta: posso parlare al telefono e anche lavorare con te on-line. A ogni modo, che cos'è che fai veramente, signorina Casey? A quanto mi risulta, terrorizzi bambini innocenti e parli con genitori infuriati.
Julie: Be', più o meno tutto, Rosie, hai ragione. Credimi, tu sei stata una delle peggiori alunne a cui ho insegnato e uno dei peggiori genitori con cui ho parlato. Odiavo convocarti.
Rosie: E io odiavo venirci.
Julie: E adesso mi hai inserito nella tua lista di posta elettronica. I tempi sono proprio cambiati. A proposito, la prossima settimana organizzerò una piccola festicciola per il mio compleanno e mi stavo chiedendo se ti piacerebbe venire.
Rosie: Chi altro c'è?
Julie: Oh, soltanto qualche altro bambino che ero solita terrorizzare a morte vent'anni fa. È così bello riunirci per ricordare i vecchi tempi!
Rosie: Sul serio?
Julie: No, giusto qualche amico e qualcuno della mia famiglia per bere e mangiare qualcosina, soltanto per mezz'oretta, tanto per sottolineare l'occasione, e poi potrete andarvene via.
Rosie: Quanti anni compi? Te lo chiedo per poter comperare il biglietto d'auguri con su scritto il numero. Magari potrei anche farne un distintivo.
Julie: Provaci e ti licenzio. Compirò cinquantatré anni.
Rosie: Hai soltanto vent'anni più di me. E io che ho sempre pensato che tu fossi vecchia!
Julie: Oh, che divertente! Pensa un po', avevo circa la tua età quando hai lasciato la scuola. I bambini devono pensare che adesso sei vecchia anche tu.
Rosie: Io mi sento vecchia.
Julie: I vecchi non vanno agli appuntamenti al buio. Su, avanti, vuota il sacco, com'era lui?
Rosie: Si chiama Adam ed è veramente molto carino. Per tutta

la sera è stato educato, un conversatore brillante e divertente. Ha pagato la cena, il taxi, le bibite, ogni più piccola cosa e non mi ha mai lasciato aprire la borsa (non che ci fossero soldi da spendere, visto il mio stipendio da fame...). È alto, castano, bellissimo, vestito impeccabile. Sopracciglia depilate, denti diritti e niente peli del naso in vista.

Julie: Che lavoro fa?

Rosie: Ingegnere.

Julie: E così è educato, affascinante e ha un signor lavoro. Sembra troppo bello per essere vero. Vi vedrete ancora?

Rosie: Be', dopo cena siamo andati nel suo attico. Vive sul Quay Sir John Rogerson, un posto meraviglioso. Ci siamo baciati, ho passato la notte lì, lui mi ha chiesto di uscire ancora e io gli ho detto di no.

Julie: Sei matta?

Rosie: È probabile. Era un uomo perfetto ma non c'era niente tra noi. Nessuna scintilla.

Julie: Ma era solo il primo appuntamento. Non puoi giudicare queste cose dal primo appuntamento. Che cosa volevi, i fuochi artificiali?

Rosie: No, anzi, l'opposto. Io voglio il silenzio, un perfetto momento di silenzio.

Julie: Silenzio?

Rosie: Oh, è una lunga storia. E quello che è successo l'altra sera dimostra che puoi anche mettermi accanto un ragazzo assolutamente perfetto sotto ogni punto di vista, ma io non sono ancora pronta. Dovete smetterla tutti quanti di farmi pressione. Mi troverò qualcuno quando sarò pronta e disponibile.

Julie: D'accordo, d'accordo. Ti prometto che la smetterò di cercare di organizzarti la vita finché non me lo permetterai. A proposito, come va lo studio?

Rosie: È dura lavorare, studiare e fare la madre tutto in una volta. Mi riduco a stare sveglia fino a tardi a riflettere sulla mia vita e sull'universo intero; tanto per fare un esempio, sul non lavorare affatto.

Julie: Non preoccuparti, abbiamo avuto tutti giornate del genere e, credi a me, quando arriverai alla mia età non te ne preoccuperai più. C'è qualcos'altro che posso fare per aiutarti?

Rosie: Veramente sì. Un aumento di stipendio sarebbe un aiuto favoloso.

Julie: Niente da fare. Come vanno i risparmi?

Rosie: Andrebbero bene se non dovessi nutrire, vestire, provvedere all'educazione di una figlia e anche gettare i soldi per l'affitto di quella scatola in cui vivo.

Julie: A quanto pare ci si mette sempre di mezzo il dover provvedere a tua figlia. Non hai ancora parlato con Alex?

Rosie: No.

Julie: Oh, Rosie, siete ridicoli! Ho passato la vita a cercare di separarvi, ma adesso il divertimento per me è finito. Digli che la signorina Nasona Alito Pesante Casey vi ha dato il permesso di sedervi di nuovo l'uno accanto all'altra.

Rosie: Non funzionerà mai; lui comunque non ti ha mai dato ascolto. E non è che non siamo in contatto. Katie gli manda e-mail in continuazione, io gli spedisco un biglietto nelle occasioni importanti, e lui fa lo stesso. Ogni tanto ricevo una cartolina da qualche località esotica con noiosi ragguagli sul tempo, e quando non è in vacanza è impegnato giorno e notte col lavoro. Quindi non è proprio che ci ignoriamo completamente. Il nostro è un dissidio molto civile.

Julie: Sì, a parte il fatto che non vi parlate. Il tuo migliore amico ha un bambino di sei mesi che tu non hai mai conosciuto. Quello che sto cercando di dire è che se lasci che la cosa vada avanti ancora per molto, gli anni passeranno e prima che tu te ne renda conto sarà troppo tardi.

42

Care Rosie e Katie Dunne,

auguri dal St Jude's Hospital.

Mia moglie, i miei due figli e io vi auguriamo che l'anno che sta per cominciare porti a voi e ai vostri cari salute, ricchezza e felicità.

Buon Natale e Felice Anno Nuovo dagli Stewart.

Dottor Alex Stewart, medico chirurgo, membro del Royal College of Surgeons, specializzato in Chirurgia cardiotoracica.

Al dottor Alex Stewart,

medico chirurgo e bla bla bla bla.

Con l'augurio che il prossimo anno sia prodigo di salute, ricchezza e felicità per te e la tua famiglia.

Rosie Dunne R.I.S.P.E.T.T.O.

✉ **C'è posta per te da: Alex**

Alex: Il tuo biglietto è arrivato stamattina.

Rosie: Ooh, adesso mi parli!

Alex: Questa storia è durata abbastanza. Uno di noi due doveva essere tanto adulto da ristabilire i contatti. Ricordati che non sono stato io a cominciare.

Rosie: Sì che sei stato tu.

Alex: Rosie, non sono stato io.

Rosie: E invece sì.

Alex: Oh, per favore! L'anno scorso ti ho detto che Bethany era incinta, e a quel punto tu hai dato i numeri. E, a titolo d'informazione, io ho chiesto a Bethany di sposarmi soltanto la sera prima della cerimonia della premiazione. Bethany mi ha detto di sì e, naturalmente elettrizzata, l'ha detto ai suoi genitori al tavolo, la sera dopo (come farebbe qualunque persona normale). Suo padre ha ricevuto il premio e, durante il discorso di ringraziamento, ha annunciato che sua figlia si era appena fidanzata (come farebbe qualunque padre orgoglioso nell'apprendere che sua figlia sta per sposarsi).

La stampa era presente; i giornalisti sono tornati ai loro tavoli e hanno fatto la cronaca della serata in tempo perché venisse pubblicata sui giornali del mattino seguente. Io sono uscito per festeggiare il fidanzamento con la mia fidanzata e i suoi genitori. Sono ritornato a casa a dormire e la mattina dopo mi sono svegliato tempestato dalle telefonate della mia famiglia che voleva sapere perché diavolo non avevo detto loro che stavo per sposarmi. La mia posta elettronica era piena di e-mail di amici sconcertati e stavo per rispondere a tutti quando ho ricevuto il tuo messaggio in cui mi accusavi delle cose più incredibili.

A ogni modo ho mandato a te e a Katie l'invito al matrimonio, pensando che, anche se disapprovavi la mia scelta e ti inventavi storie patetiche sul perché io la sposavo, ti saresti comportata da quell'amica che dichiari di essere, presenziando al mio matrimonio e offrendomi il tuo sostegno.

Quindi mi scuso per l'ultimo biglietto che hai ricevuto, il tuo nome era sul mio elenco di indirizzi, ma era destinato ai miei pazienti e non a te.

Rosie: Aspetta un minuto, io non ho ricevuto nessun invito per il tuo matrimonio!

Alex: Cosa?

Rosie: Non ho ricevuto nessuna partecipazione di nozze. Ce n'era una soltanto per Katie, ma nessuna per me. Ed evidentemente Katie non ha potuto venire perché aveva tredici anni, e poi dove avrebbe potuto stare? Oltretutto io non ho potuto accompagnarla perché francamente non potevo permettermelo...

Alex: Alt! Fammi capire. Non hai ricevuto l'invito al matrimonio?

Rosie: No, soltanto uno per Katie.

Alex: E i tuoi genitori?

Rosie: Sì, loro sì, ma non potevano venire perché andavano da Stephanie a Parigi e...

Alex: D'accordo! Ma non è che il tuo è stato spedito lì per errore?

Rosie: No.

Alex: Ma i miei... non te l'hanno detto?

Rosie: Mi hanno detto che sarebbero stati felici se io fossi venuta, ma gli inviti non dipendevano da loro, Alex. Tu non mi hai mai chiesto di venire.

Alex: Ma tu eri sulla lista. Ho persino visto il tuo invito sul tavolo della cucina.

Rosie: Oh.

Alex: E allora, che cosa è successo?

Rosie: Non chiederlo a me! Non sapevo nemmeno che ci fosse un invito per me! Chi li ha spediti?

Alex: Bethany e l'organizzatore della cerimonia.

Rosie: Hmm... Be', allora a un certo punto, dopo che Bethany si è avviata alla buca delle lettere e prima che il mio invito entrasse effettivamente nella fessura, è successo qualcosa.

Alex: Rosie, adesso non ricominciare. Non è stata Bethany. Ha cose molto più importanti da fare che ordire piani per disfarsi di te.

Rosie: Come per esempio andare a pranzo con le sue amiche?

Alex: Piantala.

Rosie: Be', sono scioccata.

Alex: E così per tutto questo tempo hai pensato che io non ti volevo al mio matrimonio?

Rosie: Sì.

Alex: Ma perché non hai detto niente? Un anno intero senza farti sentire! Se tu non mi avessi invitato al tuo matrimonio io avrei quanto meno detto qualcosa!

Rosie: Scusa tanto, ma per quale ragione non mi hai chiesto tu perché non c'ero? Se ti avessi invitato al mio matrimonio e tu non ci fossi stato, credo che te ne avrei chiesto il motivo.

Alex: Io ero arrabbiato.

Rosie: Anch'io.

Alex: E sono ancora arrabbiato per le cose che hai detto.

Rosie: Scusa, Alex... mi avevi detto o no, soltanto qualche mese prima, che Bethany non era la donna giusta per te e che non ne eri innamorato?

Alex: Sì, ma...

Rosie: E avevi o non avevi intenzione di rompere prima che lei annunciasse di essere incinta?

Alex: Sì, ma...

Rosie: Ed eri o non eri preoccupato per il tuo lavoro quando ti rifiutavi di sposare Bethany?

Alex: Sì, ma...

Rosie: Ed eri o non eri...

Alex: Piantala, Rosie. Tutto questo può anche essere vero, però è anche vero che io volevo far parte della vita di Theo e di Bethany.

Rosie: Ma allora, se tu mi hai invitata al tuo matrimonio e io a suo tempo ho detto, almeno in parte, delle cose giuste, perché abbiamo lasciato passare un anno intero senza parlarci?

Alex: Ora come ora, quello che voglio sapere è dove diavolo è andato a finire il tuo invito. L'organizzatore della cerimonia aveva predisposto tutto. A meno che non sia stato...

Rosie: Chi?

Alex: Non chi, ma che cosa...

Rosie: E allora che cosa?

Alex: Jack Russell il Jack Russell. La prossima volta che lo vedo gli torco il collo.

Rosie: Oh, no! Non puoi farlo.

Alex: Posso fare tutto quello che voglio a quel piccolo ladro...

Rosie: È morto. Il postino gli ha dato un calcio nella pancia per qualche mattina di fila, ma per sbaglio (posso testimoniarlo), finché una mattina Jack è rimasto a terra immobile.

Alex: Non mi dispiace affatto.

Rosie: Invece a me dispiace, Alex.

Alex: Anche a me. Di nuovo amici?

Rosie: Non ho mai smesso di essere tua amica.

Alex: Nemmeno io. Be', adesso purtroppo devo andare perché il mio bambino si sta versando in testa la pappa e se la sta spalmando per bene, tutto serio e compunto. Ho paura che sia di nuovo ora di cambiargli il pannolino.

Per la nostra splendida figlia

Ti vogliamo tanto, tanto bene.

Tanti auguri per il tuo compleanno, Rosie!

E buona fortuna per gli esami a giugno. Incrociamo le dita per te.

Mamma e papà

Per mia sorella

Finalmente mi stai raggiungendo, Rosie, il che mi consola perché non voglio certo essere l'unica ad avvicinarsi ai quaranta! Buona fortuna per gli esami. Hai due mesi per imparare tutto per bene: puoi farcela. Sono sicura che andrai benissimo!

Buon compleanno!

Baci,
Stephanie, Pierre, Jean-Louis, Sophia

Buon compleanno, mamma

Spero che il regalo ti piaccia. Se non va bene a te, lo prendo io!

Baci,
Katie

A un'amica speciale

Buon trentacinquesimo compleanno, Rosie. Sto lavorando a un nuovo esperimento per rallentare il tempo. Ti va di unirti a me?

Divertiti, e speriamo di rivederci presto!

Alex

A Rosie

Buon compleanno ancora. Dopo questi festeggiamenti non ci saranno altre distrazioni. Devi passare gli esami con il massimo dei voti. Puoi farcela, e sei la mia unica speranza per andarmene finalmente di qui. Non faccio che pensare a quella tua proposta di intrattenere gli ospiti di quel tuo bellissimo albergo.

Baci,
Ruby

C'è posta per te da: Rosie

Rosie: Sedici. Il mio angioletto ha sedici anni. Cosa diavolo dovrei fare io, adesso? Dov'è il libretto delle istruzioni?

Ruby: Non è che ieri ne aveva due, sai? Hai avuto, vediamo, la bellezza di sedici anni per prepararti. Non dovrebbe essere uno choc.

Rosie: Ruby, razza di strega senza sentimenti, ma non senti proprio niente? Sei insensibile? Che cosa hai provato quando Gary ha compiuto sedici anni?

Ruby: È solo che io non vedo le cose. Età e compleanni non mi dicono un granché: per me non sono altro che un giorno. Simboleggiano solo un mucchio di definizioni e stereotipi che la gente ha creato per fare conversazione e dibattiti in tivù e sui giornali. Per esempio, Katie non si darà alla pazza gioia perché improvvisamente una mattina si sveglia e ha sedici anni. La gente fa quel cavolo che vuole a qualunque età. Il mese scorso hai compiuto trentacinque anni. Questo vuol dire che ti mancano cinque anni per arrivare ai quaranta. Credi che il giorno che farai quarant'anni sarai molto diversa rispetto a come eri a trentanove o a come sarai a quarantuno? La gente si inventa delle stupide idee sull'età per poter scrivere futili libri di autocura, aggiungere commenti cretini sui biglietti di compleanno, creare nomi per le chat room e cercare scuse per le crisi e i problemi che si trovano ad affrontare nella vita.
Per esempio, la cosiddetta "crisi di mezza età" non è che una montatura pubblicitaria. Il problema non è l'età; il problema

è il cervello dell'uomo. Gli uomini sono traditori fin dai tempi in cui erano scimmie (qui ci vuole una tua battuta), fin dai tempi delle caverne (e anche qui) e su su fino ai giorni nostri, l'era del cosiddetto uomo civilizzato. Si tratta unicamente di come sono fatti gli uomini. L'età non c'entra niente.
La tua bambina rimarrà la tua bambina anche dopo che avrà a sua volta il suo bambino. Non preoccuparti per questo.

Rosie: Non voglio che la mia bambina abbia un bambino fino a che non sarà adulta, sposata e ricca. Insomma, quando penso alle cose che ho fatto il giorno del mio sedicesimo compleanno... In effetti, non riesco a ricordare bene che cosa ho fatto.

Ruby: Perché no?

Rosie: Perché allora ero incredibilmente giovane e stupida.

Ruby: Che cosa hai fatto?

Rosie: Io e Alex abbiamo falsificato le firme delle nostre madri e abbiamo scritto un biglietto agli insegnanti, nel quale dicevamo che per quel giorno saremmo stati assenti.

Ruby: Così, per coincidenza.

Rosie: Esattamente. Siamo andati nel pub di un tale giù in città dove non era richiesta la carta d'identità e abbiamo bevuto per tutto il giorno. Purtroppo è andata male perché io sono caduta e ho sbattuto la testa e hanno dovuto portarmi all'ospedale in ambulanza, dove mi hanno dato sette punti e mi hanno fatto la lavanda gastrica. I nostri genitori non erano molto contenti.

Ruby: Lo credo bene! Ma come hai fatto a cadere? Ti stavi esibendo in qualche strano passo di danza?

Rosie: A dire il vero, ero seduta su uno sgabello.

Ruby: Ah ah. Solo tu potevi cadere per terra mentre eri seduta.

Rosie: Lo so, è strano, vero? Mi domando come sia successo.

Ruby: Be', dovresti chiederlo ad Alex. Mi meraviglia che non ti sia mai venuto in mente di domandarglielo.

Rosie: Buona idea! Ooh, è in linea: adesso glielo chiedo.

Ruby: Non ha poi tanta importanza, ma è una scusa come un'altra per parlargli, suppongo. Io resto in linea e fingerò di essere occupata mentre tu glielo chiedi. Sono curiosa...

✉ **C'è posta per te da: Rosie**

Rosie: Ciao, Alex.

Alex: Ehi, ciao. Ma tu non lavori mai? Ogni volta che entro in rete, sei in linea.

Rosie: Stavo chattando con Ruby. Così ci costa meno. In ufficio non dobbiamo dare spiegazioni circa la bolletta telefonica. L'uso di Internet è illimitato se si paga un abbonamento mensile, inoltre scrivere al computer ci fa sembrare molto indaffarate. A ogni modo, volevo farti una domanda veloce.

Alex: Spara.

Rosie: Ti ricordi il giorno del mio sedicesimo compleanno, quando sono caduta e ho battuto la testa, bla bla bla?

Alex: Ah ah, come potrei dimenticarlo? Stai pensando a questo perché Katie sta per compiere sedici anni? Perché se lei è come te, dovresti avere proprio tanta ma tanta paura. Che cosa le dovrei comperare... un catino per vomitare?

Rosie: L'età è soltanto un numero, non uno stato mentale o un motivo per comportarsi in un modo particolare.

Alex: Oh... d'accordo. E allora, qual è questa domanda?

Rosie: Come diavolo ho fatto a cadere e a sbattere la testa per terra mentre ero seduta?

Alex: Oh, mio Dio. La domanda. La Domanda!!

Rosie: Che cosa c'è di strano nella mia domanda?

Alex: Rosie Dunne, sono vent'anni che aspetto che tu mi faccia questa domanda e cominciavo a credere che non sarebbe mai successo!

Rosie: Che cosa??

Alex: Non lo capirò mai perché tu non me l'abbia mai chiesto, ma il giorno dopo tu ti sei svegliata sostenendo di non avere idea di quello che era successo. Io non l'ho voluto tirare fuori. Tu avevi "tirato fuori" già abbastanza la sera prima.

Rosie: Tu non hai voluto tirare fuori cosa? Alex, dimmelo! Come mai sono caduta dallo sgabello?

Alex: Credo che tu non sia ancora pronta per saperlo.

Rosie: Oh, piantala. Io sono Rosie Dunne, dopotutto; sono nata per essere pronta a tutto.

Alex: E va bene, se sei tanto sicura di te...

Rosie: Certo che lo sono! E adesso parla!

Alex: Ci stavamo baciando.

Rosie: Ci stavamo cosa??

Alex: Sì. Tu eri seduta su uno sgabello molto alto e ti stavi chinando in avanti per baciarmi; lo sgabello era molto traballante e pericolosamente instabile. E così sei caduta.

Rosie: COSA?

Alex: Oh, che dolci svenevolezze mi hai sussurrato all'orecchio quella sera, Rosie Dunne. E il giorno dopo, quando ti sei svegliata e avevi dimenticato tutto, ci sono rimasto veramente male. Dopo che ti avevo tenuto la mano mentre vomitavi l'anima!

Rosie: *Alex!*

Alex: Cosa?

Rosie: *Perché non me l'hai detto?*

Alex: Perché per un po' non ci hanno permesso di vederci e non volevo scrivertelo in un biglietto. Poi tu hai detto che volevi dimenticare tutto quello che era successo quella sera, e così ho pensato che forse ti ricordavi vagamente di qualcosa e che te ne fossi pentita.

Rosie: Avresti dovuto dirmelo.

Alex: Perché, che cosa avresti detto?

Rosie: Ehm... mi metti in difficoltà, Alex.

Alex: Mi dispiace.

Rosie: Non posso crederci. Siamo stati beccati perché io sono caduta, e ho dovuto rimanere a casa per una settimana mentre tu, per punizione, hai cominciato a lavorare nell'ufficio di tuo padre dove hai conosciuto Bethany. La ragazza che dicevi di voler sposare...

Alex: È vero, ho detto proprio così!

Rosie: Sì...

Alex: Be', veramente io l'avevo detto soltanto per metterti alla prova ma, dato che sembrava che non te ne importasse molto, sono andato avanti con lei. È strano. Mi ero completamente dimenticato di averlo detto! Bethany sarà felice di sentirlo! Grazie per avermelo ricordato.

Rosie: No, no, grazie a te per averlo ricordato a me...

C'è posta per te da: Ruby

Ruby: Su avanti, signora Gambeallaria, ho bisogno di darmi un'aria indaffarata. Hai scoperto che cosa è successo?
Rosie: Sì, ho scoperto che sono la più grande deficiente del mondo. Aaaaaaaah!
Ruby: E ho dovuto aspettare per sentirmi dire *questo*? Avrei potuto dirtelo io *secoli fa*.

Cara Katie,
tanti auguri per i tuoi sedici anni!
Baci, mamma

Per la nostra nipotina
Felice compleanno!
Tanti baci,
nonna e nonno

Alla mia ragazza
Buon compleanno!
Con tanto amore, John

A Katie
Buon compleanno, cara rompiballe. Ancora qualche mese e l'apparecchio per i denti non ci sarà più. Così non potrò più dirti che cosa hai mangiato per pranzo.

Toby

Per mia figlia
Auguri, Katie! Buon compleanno.
Spero che John non cercherà di baciarti!
Baci, papà

Cari mamma e papà,

non rivolgerò mai più la parola a Rupert. Buon compleanno col cavolo!

Katie mi ha chiesto di dare a lei i soldi che avrei speso per il suo regalo perché così poteva andare in città a scegliersi da sola i vestiti, il che a me andava benissimo perché non avrei dovuto stare sveglia la notte a pensare al "perfetto" regalo che inevitabilmente lei avrebbe odiato e poi nascosto. A ogni modo, è entrata in casa mano nella mano con il suo gigante buono (John) e sfoderando un sorriso da un orecchio all'altro, al che ho capito che c'era qualcosa che non andava. Si è tirata su la maglietta, si è abbassata un po' i pantaloni ed eccolo lì.

Uno stramaledetto tatuaggio!

Uno spaventoso, sporco, disgustoso, orrendo tatuaggio (mi sono appena resa conto che sto cominciando a parlare proprio come te, mamma). Se ne stava lì, seduto sull'osso del bacino di Katie e mi tirava fuori la lingua.

Mamma, è orribile. Pensa che le usciva persino del sangue e stava cominciando a formarsi la crosta. Pare che Rupert abbia detto che i suoi clienti devono avere sedici anni per potersi fare un tatuaggio; siccome non ero per niente d'accordo sono andata da basso a controllare su Internet. È saltato fuori che Rupert ha ragione, ma se solo riuscissi a trovare una qualche scappatoia che mi permettesse di mollargli un bel calcione nel sedere...

Il ragazzo carino dell'Internet caffè mi ha chiesto se andava tutto bene e sembrava molto preoccupato, allora ho pensato: questo può essere l'inizio di qualcosa fra noi due. Ma subito dopo mi sono resa conto che stavo picchiando i pugni sulla tastiera, quindi probabilmente la sua preoccupazione era rivolta soltanto al computer. Non ho tempo per uomini tanto egoisti, quindi credo non ci sia alcuna possibilità che possa nascere una relazione appassionata.

Quel che è peggio è che stavo studiando per gli esami di fine anno ed ero distratta dal suono del trapano che proveniva dal salone per tatuaggi giù da basso. Quel che non sapevo era che stavo ascoltando la mutilazione del corpo di mia figlia.

È stato difficile dire a Rupert quello che pensavo perché non potevo esprimere la mia repulsione per i tatuaggi senza offenderlo, visto che lui è praticamente un tatuaggio ambulante. Sarebbe come insultare un membro della sua famiglia.

Comunque, il tatuaggio è l'ultimo dei miei pensieri. Si è anche fatta fare un piercing alla lingua. Rupert gliel'ha fatto gratis. Adesso, quando parla, sembra che abbia delle patate bollenti in bocca. Quindi nessuna meraviglia se sono rimasta scioccata quando Katie è entrata in casa con la faccia stravolta e mi ha detto: "Aah, uadda il io auagghio", dopo di che si è tirata su la maglietta. Anche John se ne è fatto fare uno sul bacino: una mazza e una palla da hockey irlandese. Non puoi nemmeno immaginare a cosa somiglia quel disegno. Rupert ha tatuato la palla troppo vicino e sul lato sbagliato del bastone... Non so se mi sono spiegata.

Probabilmente avrebbe anche potuto andare peggio: avrebbero potuto farsi tatuare i loro rispettivi nomi. E Katie avrebbe potuto scegliere tatuaggi peggiori di una piccola fragola non più grande di un'unghia.

Sto forse reagendo in modo eccessivo?

Ma come diavolo avete dovuto sentirvi tu e papà quando vi ho detto che ero incinta?

A pensarci bene, quasi quasi dovrei dare a Katie un premio. Be', adesso devo andare di sopra e affrontare la musica (a tutto volume), mentre continuo a studiare. Non posso credere di essere arrivata all'ultimo anno. Due anni sono proprio volati e, sebbene sembrasse virtualmente impossibile studiare di notte, lavorare di giorno e cercare contemporaneamente di fare la mamma, sono felice di non aver mollato, nonostante sia stata tentata di farlo almeno cento volte al giorno. Pensa, ci sarà una cerimonia per la consegna dei diplomi! Tu e papà potrete finalmente sedere tra la folla mentre io ritiro il mio con toga e tocco. In fondo sono passati soltanto quattordici anni da quando era stato originariamente previsto: meglio tardi che mai.

A ogni modo non arriverò alla cerimonia della consegna dei diplomi se non supererò gli esami, quindi basta con le distrazioni. Adesso mi metto a studiare.

Baci,
Rosie

Da: Rosie
A: Alex
Oggetto: Papà

È successa una cosa terribile. In ospedale mi hanno detto che eri in sala operatoria, ma ti prego, appena ricevi il mio messaggio, telefonami subito!

La mamma mi ha chiamata un minuto fa, in lacrime; papà ha avuto un violento attacco di cuore ed è stato portato all'ospedale. La mamma è sotto choc ma mi ha raccomandato di non raggiungerla perché domani devo dare l'esame. Non so che cosa fare. Non so quanto papà sia grave; i medici non vogliono dirci niente. Magari tu potresti chiamare l'ospedale per vedere come sta andando. Tu almeno ci capisci qualcosa. Io non so che cosa fare. Ti prego, leggi presto questa mail. Non so a chi altri rivolgermi.

Non voglio lasciare la mamma da sola, anche se Kevin la sta raggiungendo. E non voglio nemmeno lasciare papà da solo. Oh, è tutto così confuso.

Oh, Dio, Alex! Ti prego, aiutami. Non voglio perdere il mio papà.

Da: Alex
A: Rosie
Oggetto: Re: Papà

Ho cercato di chiamarti, ma devi essere al telefono. Ti prego, stai calma. Ho telefonato all'ospedale e ho parlato con il dottor Flannery. È il medico che ha in cura tuo padre, e mi ha spiegato le sue condizioni.

Ti suggerisco di mettere qualcosa in valigia e prendere il primo autobus per Galway. Capisci cosa intendo dire?

Lascia perdere gli esami, questo è più importante. Stai calma, Rosie, e stai vicina a tua madre e a tuo padre. Di' anche a Stephanie di venire a casa, se le è possibile. Questa notte tieniti in contatto con me.

43

Caro Alex,

la cassa deve essere larga al massimo 76 cm; può essere fatta di truciolato di legno impiallacciato e di plastica per la cremazione. Tu lo sapevi? Le viti di ferro sono consentite ma solo in numero ridotto e i sostegni di legno che rinforzano la struttura possono essere collocati unicamente all'interno della cassa.

Sul coperchio deve essere segnato il nome completo del deceduto. Per evitare eventuali scambi di persona, suppongo. La cosa che vorrei tanto non aver imparato è che la bara deve essere foderata con una sostanza chiamata Cremfilm, oppure con un tessuto assorbente o con un'imbottitura di cotone perché pare che i fluidi fuoriescano dal corpo.

Non sapevo niente di tutto questo.

C'erano moduli. Un'infinità di moduli. Modulo A, B, C, F e tutti i possibili certificati medici. Nessuno ha fatto cenno ai moduli D ed E. Non sapevo che ci fosse bisogno di tante prove per dimostrare che uno era morto. Pensavo che il semplice fatto di aver cessato di vivere e respirare fosse di per sé un indizio determinante. Ma, a quanto pare, non è così.

Suppongo che sia come andare a vivere in un altro Paese. Papà ha preparato le sue carte, ha indossato il suo miglior vestito, ha predisposto il suo mezzo di trasporto ed è partito per la destinazione finale, ovunque essa sia. Oh, alla mamma sarebbe tanto piaciuto partire con lui in questo viaggio del tutto particolare, ma sa bene che non è possibile.

Al funerale non ha fatto altro che ripetere a tutti: "Non si svegliava. Continuavo a chiamarlo, e lui non si svegliava". Non ha mai smesso di tremare da quando è successo ed è come se sia invecchiata di vent'anni. Eppure da come si comporta sembra una bambina. Una bambina sperduta che si guarda attorno e non sa dove andare, come se si trovasse improvvisamente in un posto del tutto sconosciuto e non sapesse ritrovare la strada.

Credo sia veramente così per lei, come del resto per tutti noi.

Non mi sono mai trovata in una simile situazione, prima d'ora. Ho trentacinque anni e non avevo mai perduto una persona cara. Ho preso parte a una decina di funerali, ma erano tutti parenti lontani, amici di amici o parenti di amici la cui perdita non ha minimamente pregiudicato la mia vita.

Ma papà? Dio mio, è una perdita troppo grande.

Aveva soltanto sessantacinque anni. Non era affatto vecchio. Stava bene. Com'è possibile che un uomo sano di sessantacinque anni si addormenti e non si risvegli più? Posso soltanto cercare di consolarmi pensando che abbia visto qualcosa di talmente bello da doversene andare. Una cosa del genere papà l'avrebbe fatta.

C'è qualcosa di sconcertante nel vedere i tuoi genitori sconvolti. Suppongo sia dovuto al fatto che dovrebbero essere loro quelli forti, invece non è così. Quando siamo bambini, ci serviamo dei nostri genitori per misurare la gravità di una certa situazione. Se facciamo una brutta caduta e non riusciamo a valutare se ci siamo fatti veramente male oppure no, guardiamo loro. Se ci corrono incontro preoccupati, allora noi piangiamo. Se invece si mettono a ridere e picchiano per terra dicendo "cattiva terra!", allora ci rialziamo e riprendiamo a giocare.

Se scopri di essere incinta e sei frastornata, osservi il loro comportamento: quando sia tua madre sia tuo padre ti abbracciano e ti assicurano che andrà tutto bene e che ti saranno vicini, soltanto allora ti convinci che non è la fine del mondo. Ma dovendo dipendere dai genitori, la situazione avrebbe anche potuto essere molto, molto difficile.

Per i figli, i genitori sono il barometro delle proprie emozioni, e questo ha un vero e proprio effetto domino. In tutta la mia vita non avevo mai visto mia madre piangere così disperatamente, il che mi ha riempita di sgomento facendomi piangere a mia volta, e questo ha riempito di sgomento Katie e l'ha fatta piangere. Piangevamo tutte insieme.

Quanto a papà, pensavamo che sarebbe vissuto per sempre. Lui era l'uomo che poteva fare tutto quello che agli altri non era concesso fare, che sapeva rimettere a posto ogni cosa, e davamo per scontato che dovesse essere così per sempre. Era l'uomo che mi metteva a cavalcioni sulle spalle, che mi faceva arrampicare sulla schiena, che mi rincorreva facendo versi spaventosi, che mi gettava per aria e poi mi ripigliava, che mi faceva girare vorticosamente fino a che non mi girava la testa e cadevo a terra ridendo.

E alla fine, senza nemmeno avere avuto la possibilità di ringraziarlo e dirgli addio come si deve, i miei ultimi ricordi di lui si trasformano in misure della bara e in certificati medici.

Sono ancora a Galway con la mamma. Nel selvaggio ovest. Ma è un'estate splendida, e non sembra nemmeno giusto. L'atmosfera non si addice al nostro umore; dalla spiaggia salgono gli echi delle risate dei bambini; nel cielo gli uccelli volteggiano cantando, per poi planare sul mare a caccia di cibo. Non sembra giusto amare il mondo e ammirare un simile splendore quando è accaduto qualcosa di tanto terribile.

È come sentire il borbottio dei bambini echeggiare in chiesa durante un funerale. Non c'è niente di più confortante dell'udire la voce di un bimbo innocente, spensierato, in un luogo di dolore. Ti rammenta che la vita va avanti, tranne per colui al quale stai dicendo addio. Le persone nascono e poi se ne vanno, e noi siamo perfettamente consci di questa realtà, eppure, quando questo accade, veniamo colti da una violenta emozione.

Per usare un vecchio detto, nella vita l'unica certezza è la morte. È una certezza, è l'unica condizione che ci viene imposta, eppure spesso ce ne sentiamo dilaniati.

Non so come comportarmi con la mamma per cercare di farla sentire meglio; non credo ci sia veramente qualcosa da fare in questo senso, ma vederla piangere fra sé tutto il santo giorno è una cosa che mi sconvolge. In quel pianto avverto tutto il suo dolore. Prima o poi esaurirà tutte le lacrime.

Alex, tu sei un cardiochirurgo. Conosci il cuore letteralmente dentro e fuori: che cosa si può fare quando il cuore di una persona è spezzato? Hai una cura per questo?

Ti ringrazio per essere venuto al funerale. È stato bello rivederti, anche se in circostanze così dolorose. Ed è stato bello anche da parte dei tuoi genitori voler essere presenti. La mamma lo ha molto apprezzato.

E grazie per avermi tolto di torno Comesichiama; non ero certo dell'umore adatto per sostenere una discussione con lui in chiesa. È stato gentile da parte sua venire ma, se papà lo avesse visto, sarebbe saltato fuori dalla bara e lo avrebbe sbattuto là dentro al posto suo.

Stephanie e Kevin sono tornati a casa loro qualche giorno fa; io mi fermerò ancora per un po'. Non posso proprio lasciare sola la mamma. I vicini sono veramente gentili con lei. So che sarà in buone mani quando alla fine me ne andrò. Non ho potuto dare gli esami e mi sa tanto che dovrò ripetere l'intero anno se voglio portare a termine il corso. Spero non mi peserà più di tanto dover rifare tutto.

Comunque, fra qualche giorno tornerò a casa perché senza dubbio i conti da pagare si saranno accumulati nella cassetta della posta. Bisogna proprio che torni prima che mi taglino tutti i fili e mi sfrattino.

Grazie per essermi stato vicino ancora una volta, Alex. A quanto pare, venire riuniti da una tragedia è proprio una nostra caratteristica.

Baci,
Rosie

Da: Rosie
A: Alex
Oggetto: Papà

Sono appena tornata a casa da Connemara per essere accolta da una cassetta della posta straripante. Nel mucchio dei conti da pagare c'era questa lettera. È stata spedita il giorno prima che papà morisse.

Cara Rosie,

la mamma e io stiamo ancora ridendo per la tua ultima lettera nella quale ci racconti del tatuaggio di Katie. Sono davvero felice quando ci scrivi! Spero tu abbia superato il trauma di vedere tua figlia che diventa un'adolescente in grado di volare da sola. Ricordo il giorno in cui è capitato a te. Credo che tu ci sia arrivata prima di Stephanie. Tu eri sempre impaziente di provare nuove cose, di vedere posti nuovi, mia impavida Rosie. Pensavo che, una volta finita la scuola, te ne saresti andata in giro per il mondo e noi non ti avremmo mai più rivista. Sono felice che non sia accaduto. Era sempre una gioia avervi per casa. Tu e Katie. Mi spiace soltanto di avervi dovuto lasciare nel momento in cui avevate bisogno di noi. La mamma e io abbiamo pensato a lungo al nostro comportamento. Speriamo di aver fatto la cosa giusta.

So che ti sei sempre sentita d'impaccio, che hai sempre pensato di aver deluso le nostre aspettative. Non è assolutamente vero. Semplicemente, avendoti vicino ho avuto l'opportunità di vedere crescere la mia bambina. Crescere da bambina ad adulta e crescere come madre. Tu e Katie siete una grande squadra, e lei è uno splendido esempio dell'ottima educazione che ha ricevuto da sua madre. Un po' d'inchiostro sulla pelle non macchierà la bontà né offuscherà la vivacità che lei sprigiona. Un tributo a sua madre.

La vita distribuisce a ciascuno carte diverse e non c'è alcun dubbio che fra tutti noi a te sia toccata la mano più sfortunata. Ma tu hai brillantemente superato i momenti difficili. Sei una ragazza forte e lo sei diventata ancora di più quando quell'imbecille (tua madre mi ha detto di chiamarlo Comesichiama) ti ha tradita. Ti sei ripresa, ti sei per così dire "rispolverata" e hai ricominciato tutto daccapo: hai messo su casa con Katie, ti sei trovata un nuovo lavoro, hai provveduto a tua figlia e ancora una volta hai reso il tuo papà orgoglioso di te.

E ora sei a un passo dagli esami. Dopo tutto quello che hai passato, finalmente avrai un diploma. Mi sentirò molto orgoglioso nel vederti ricevere quel pezzo di carta, Rosie; sarò il papà più orgoglioso del mondo.

Baci, papà

Da: Rosie
A: Alex
Oggetto: Diploma

Per nessuna ragione al mondo rinuncerò a questo corso di studi. Cosa vuoi che sia un altro anno? Io sosterrò questi esami e otterrò il diploma in gestione alberghiera. Papà non avrebbe voluto essere la causa della mia rinuncia.

È l'addio di cui avevo bisogno, Alex. È meraviglioso ricevere un dono del genere.

Da: Julie
A: Rosie
Oggetto: Stai con me?

E così starai con me un altro anno.

Te lo permetterò, ma dopo, una volta che avrai ottenuto il diploma, ti licenzierò. Sul serio. Ho cinquantacinque anni e non resterò al mio posto ancora per molto, in attesa di vederti realizzare i tuoi sogni.

Quest'anno il corso sarà un gioco da ragazzi per te, prima di tutto perché l'hai già frequentato e, cosa ancora più importante, perché sei sostenuta da buoni auspici e dall'orgoglio di tuo padre. Questa è la migliore motivazione che una persona possa avere.

Spiegami una cosa... Cos'è questa storia degli alberghi che ti piacciono tanto?

Da: Rosie
A: Julie
Oggetto: Perché *adoro* gli alberghi

È proprio questa la sensazione che provo quando entro in un bell'albergo. Per me gli alberghi rappresentano tutto quanto c'è nella vita di lussuoso e imponente. Adoro che la gente mi vizi e si prenda cura di me. Tutto è così pulito e immacolato, perfetto. Così diverso da casa... Be', per lo meno da casa mia.

Mi piace il fatto che la gente ci vada per godersi un po' la vita; non è tanto un luogo di lavoro quanto piuttosto un luogo in cui sei ospite in paradiso.

Amo alla follia i bagni scintillanti, i grandi, soffici accappatoi, le ciabattine da bagno e gli arredi. Dove altro potresti trovare un cioccolatino sul cuscino? È un po' come il topolino dei denti e Babbo Natale tutto in una volta. C'è il servizio in camera ventiquattr'ore su ventiquattro; ci sono morbidi tappeti, i letti già pronti, il mini-bar, ciotole di frutta e confezioni di shampoo gratis. Mi sento un po' come Charlie nella Fabbrica del Cioccolato. Tutto quello che desideri è a tua disposizione. Non devi fare altro che prendere il telefono e premere il bottone magico e le persone all'altro capo del filo saranno felici di accontentarti.

Alloggiare in un albergo è uno dei divertimenti più grandi; lavorarci sarebbe un piacere quotidiano. Quando finirò questo corso sarò automaticamente assunta in un albergo per un periodo di tirocinio come direttrice provvisoria, quindi sono sicura che c'è un impiego che mi aspetta alla fine dell'arcobaleno.

✉ C'è posta per te da: Ruby

Ruby: Ciao, ti ricordi di me?

Rosie: Oh, ciao, Ruby, scusa se ho lasciato passare tanto tempo; ultimamente ho avuto un sacco di cose da fare.

Ruby: Non devi scusarti, lo sai. Come sta tua madre?

Rosie: Così così. Il suo serbatoio di lacrime non si è ancora esaurito. Verrà a stare da me per un po'.

Ruby: In casa tua?

Rosie: Sì.

Ruby: E come farete? Non hai la camera degli ospiti.

Rosie: Oh, santo cielo, te l'ho detto secoli fa. Dopo aver valutato i pro e i contro per giorni e giorni con Brian la Lagna, alla fine ho ceduto e ho deciso di dare a Katie il permesso di andare a stare da lui a Ibiza per questa estate. Devo proprio essere impazzita, perché, nonostante Brian non faccia che assicurarmi che è un padre responsabile e che terrà d'occhio sua figlia, io non posso fare a meno di pensare che lui se l'è data a gambe appena ha saputo che ero incinta e si è rifatto vivo soltanto quando lei aveva tredici anni. Non credo sia una condotta così responsabile. Oltretutto, ogni sera fino a tarda notte sarà impegnato con il lavoro, quindi non capisco come farà a sapere che cosa sta facendo Katie.

Ruby: C'è di buono che Brian è il proprietario di uno squallido nightclub in una zona dell'isola dove è abituato a vedere quello che combinano i sedicenni. Come padre, certo non vorrà che sua figlia prenda parte a quel genere di divertimenti. Credimi. A ogni modo, lei sarà da sola, e come può divertirsi una ragazza da sola?

Rosie: Davvero vuoi che risponda a questa domanda? John la raggiungerà per qualche settimana e anche Toby e Monica ci andranno per un po'. In ogni caso non posso oppormi più di tanto perché Brian è tanto gentile da passare gran parte dell'anno qui per Katie, però durante l'estate ha bisogno di rimanere laggiù. Bisogna pur scendere a qualche compromesso, e poi Katie non ha mai visto la vera casa di suo padre. In più, Brian ha detto che vuole farle fare un po' di esperienza come DJ, il che per lei sarebbe fantastico.

Ruby: Bel lavoro di autoconvinzione.

Rosie: Dio, do veramente questa impressione?

Ruby: Eh, sì.

Rosie: Senza voler fare troppo la lagna (perché sappiamo che io non sono affatto una che si lamenta), questa estate sarò sola. Persino la mamma non si fermerà molto da me, perché presto partirà di nuovo. L'hanno chiamata alcune persone che lei e papà hanno conosciuto in crociera. Stanno progettando di andare in Sud Africa dove si fermeranno per un mese. Proprio il posto in cui papà voleva andare. Guardava sempre i documentari del National Geographic e giurava che prima o poi sarebbe andato a fare un safari. Be', adesso ci andrà perché la mamma porterà con sé le sue ceneri e le spargerà tra le tigri e gli elefanti. Lei è entusiasta dell'idea, e io non voglio certo metterle i bastoni tra le ruote. Kevin invece è un po' scettico: lui vorrebbe che papà fosse sepolto in un luogo che noi tutti possiamo andare a visitare, ma la mamma insiste nel dire che questa è la volontà di papà. Non capisco perché Kev stia facendo tante storie. Andava sì e no a trovare papà quando era vivo. Non riesco proprio a immaginarmelo ad andare ogni giorno sulla sua tomba. Se ci pensi bene, forse è proprio questo il suo problema.

Comunque, la mamma non vuole rimanere un minuto di più da sola nel Connemara, perciò verrà a stare da me per due settimane prima di partire. Dopo di che, se ne saranno andati tutti: mamma, papà, Katie, Steph, Kev e Alex. E io sarò tutta sola e, dato che siamo in estate e la scuola è chiusa, non avrò nient'altro da fare che studiare.

Ruby: Pensi che questo sia un segno per incontrare altra gente?

Rosie: Lo so, lo so, sono sola per mia scelta. Quando avevo diciotto anni tutte le ragazze della mia età volevano parlare di ragazzi, non di neonati; a ventidue anni di college, non di bambini ai primi passi; a trentadue di matrimonio, non di divorzio; e adesso che ho trentacinque anni e voglio finalmente parlare di uomini e di college, gli altri non vogliono fare altro che parlare di bambini. Ci ho provato mentre bevevo il caffè del mattino; ho provato a chiacchierare con le altre madri mentre aspettavamo i figli davanti a scuola. Non ha funzionato. Nessuno mi capisce come te, Ruby.

Ruby: Ma anch'io ho problemi del genere. Tu sei unica, Rosie Dunne, sei decisamente unica. Comunque io sono qui per te; a meno che io e Gary non diventiamo per miracolo i campioni irlandesi di salsa e veniamo spediti a Madrid per i Campionati Europei, non andrò da nessuna parte.

Rosie: Grazie.

Ruby: Non c'è problema. Ma torniamo all'argomento del "conoscere altra gente": quando ricomincerai a uscire con qualcuno? Sono anni che non ti dai da fare!

Rosie: Scusa tanto, non sono uscita con quell'Adam che mi hai procurato tu? A ogni modo, a parte la notte piacevole passata con lui, non è che uscire con un uomo sia mai stato tanto entusiasmante da farmene sentire la mancanza.

Ruby: Davvero?

Rosie: Oh, ti prego; fare sesso con Comesichiama era una cosa meccanica. Si muoveva a tempo con quella stramaledetta sveglia a fianco del letto che ticchettava tanto forte da tenermi sveglia (di notte, naturalmente, non mentre facevamo sesso). Il sesso con Brian la Lagna è stato un annaspare da ubriachi al buio, tanto che non riesco nemmeno a ricordarmelo. Certo, la notte passata con Adam è stata speciale: lui era diverso dagli altri due, ma penso che non incontrerò mai il mio Principe Azzurro. Comunque non ci tengo un granché. Non senti la mancanza di quello che non conosci.

Ruby: Ma quello che non conosci non ti suscita un minimo di curiosità?

Rosie: No. Ho un lavoro di merda con uno stipendio di merda, una casa di merda con un affitto di merda. Non ho tempo per il sesso di merda con un uomo di merda.

Ruby: Rosie!

Rosie: Cosa? Sto parlando sul serio.

Ruby: Non posso credere alle mie orecchie. D'accordo, questo fine settimana andiamo per nightclub.

Rosie: Nightclub? Credi davvero che portarmi in un posto dove ho almeno dieci anni più di tutto il resto della gente possa farmi stare meglio? Pensi che al giorno d'oggi i giovani maschi dal sangue caldo siano interessati alle madri single trentacinquenni giù di forma? Non credo proprio. Io penso che siano interessati a donne con il seno che sta *al di sopra* dell'ombelico.

Ruby: E dai, non esagerare. Hai *trentacinque anni*, non *novantacinque*. Io ho incontrato il mio Teddy in un nightclub, e magari lui non sarà proprio Brad Pitt, ma quello che gli manca quanto ad aspetto, lo recupera ampiamente nel ramo camera da letto.

Rosie: Davvero? Vorresti dirmi che il sesso *va bene* con Teddy?

Ruby: Diciamo che non sto con lui per fare conversazione, ti pare?

Rosie: Certo che no. Ma il sesso era l'ultima cosa a cui pensavo.

Ruby: Be', adesso tutto questo deve cambiare, perciò coraggio, usciamo e divertiamoci.

Rosie: Francamente, Ruby, ti ringrazio ma no, grazie davvero. Non mi interessa conoscere qualcuno. E comunque, nel caso accadesse, che cosa farei? Lo porterei a casa mia dove mia madre, affranta dal dolore, dorme nella camera accanto?

Ruby: Be', forse hai ragione. Però prima o poi dovrai pur ricominciare a divertirti. La riconosci questa parola, Rosie? Divertirsi. Godersela.

Rosie: Mai sentita.

Ruby: Benissimo, allora questo fine settimana andremo di nuovo al cinema, ma dopo ti rimetto sul mercato.

Rosie: E va bene, ma stai pur certa che non concederò alcun tipo di sconto. E se nessuno è interessato a comprare, non accetterò affittuari.

Ruby: Che ne dici degli abusivi?

Rosie: Ah ah ah. Tutti i trasgressori saranno puniti ai termini di legge.

Ruby: Già ti immagino con il fucile spianato a ordinare agli uomini di stare lontani dalla tua terra.

Rosie: Hai capito bene.

44

Cara mamma,

scusa se non ti ho scritto prima ma ho avuto così tanto da fare che non sono riuscita a prendere in mano la penna. Qui fa un gran caldo, e sto cercando di farmi una bella abbronzatura prima che arrivi John. Quando andrò a prenderlo all'aeroporto voglio avere l'aspetto di una vera pupa da spiaggia!

Papà è venuto a prendermi all'aeroporto ed è stata una sorpresa vederlo vestito, o forse dovrei dire svestito, in calzoncini e ciabatte. Non sapevo che avesse le gambe. Se tu lo avessi visto, ti saresti messa a ridere. Aveva una camicia in stile hawaiano blu scura a fiori gialli, anche se lui continuava a dire che era nera (a proposito, credo tu sappia che il vestito che portava al ballo finale della scuola era blu scuro; è decisamente daltonico).

Ha una decappottabile blu elettrico (lui crede che sia nera), il che è assolutamente fantastico perché non ero mai stata su una decappottabile prima d'ora. L'isola è davvero stupenda. Papà vive in un grazioso complesso residenziale appena fuori città costituito da una decina di villette bianche con la piscina in comune. C'è un tipo veramente carino che abita nella villetta di fronte a quella di papà e che non fa altro che nuotare e prendere il sole per tutto il giorno. È una vera bomba, così abbronzato e muscoloso, e io passo la giornata in piscina a sbavare per lui. Papà è in grande agitazione e non fa che ripetergli di rimettersi la camicia. Finge di fare lo spiritoso ma si vede benissimo che è incavolato nero.

Toby e Monica arriveranno la prossima settimana, e credo che ci divertiremo, a patto che Monica tenga la bocca chiusa. Alloggeranno in un albergo in città, e lì attorno c'è un mucchio di locali fantastici. Prima che tu vada su tutte le furie, ti dico una cosa: il giorno in cui sono arrivata papà mi ha portata nella strada dei bar e dei locali e mi ha presentata a tutti i buttafuori e ai proprietari. Credevo lo facesse perché quelli mi riconoscessero e mi lasciassero passare, invece, quando la settimana scorsa ho cercato di entrare in qualche locale, nessuno me lo ha permesso. Nessuno. Forse odiano papà, ho pensato, e stanno cercando di farlo smammare; ma ieri il buttafuori di un locale in fondo alla strada è venuto nel locale di papà con il figlio di quindici anni, anche lui qui per l'estate, e lo ha presentato a papà e ai buttafuori all'ingresso. Poi ho sentito papà raccomandare loro di ricordarsi la faccia del ragazzo e di non lasciarlo entrare.

E così sono andata quasi ogni sera nel locale di papà. Ieri sera mi hanno permesso di stare nella cabina dei DJ a guardarli al lavoro. Qui è tutto favoloso. Il locale è una vera bomba. Ogni sera è pieno zeppo e sulla pista ci si muove a malapena. Però nessuno ci fa caso; a quanto pare, più è pieno e senz'aria, più è alla moda.

Il DJ è DJ Sugar (è fa-vo-lo-so!) e mi ha mostrato come si fa e mi ha perfino lasciato prendere il suo posto per qualche minuto. Tutto stava nel far sì che la gente non se ne accorgesse, perché io volevo sembrare brava e professionale come Sugar, però quando ho alzato gli occhi ho visto che tutti mi guardavano perché papà aveva in mano un'enorme videocamera e invitava la gente a posare davanti alla cabina del DJ. È stato proprio imbarazzante.

Ho anche conosciuto la ragazza di papà. Ha ventotto anni, si chiama Lisa ed è una ballerina. Lei sta su un podio a circa tre metri da terra che si trova al centro della sala e balla dentro un cerchio di fuoco avvolta in un pezzo di stoffa tigrata (non lo chiamerei proprio vestito). È di Bristol ed è venuta qui per fare la ballerina quando aveva la mia età. Mi ha detto che lavorava in un locale in fondo alla strada (che credo sia di spogliarello), e lì ha conosciuto papà che le ha offerto un posto qui (non voglio sapere come o dove si sono conosciuti!).

Adesso Lisa sta pensando di introdurre un serpente nel suo numero perché si è comperata un nuovo costume in pelle di serpente, e pensa che farà una gran scena. Le ho suggerito di ballare con papà. (Credo che per un attimo tu ti sia impossessata del mio corpo.) Comunque lui dice che è matta e si rifiuta di comperarle un serpente ed è tutta la settimana che litigano per questo. Non ho avuto il cuore di spiegarle che qui sono tutti talmente ubriachi che non credo noterebbero nemmeno se lei stesse ballando con un elefante, figuriamoci con un serpente. Lei dice che vuole farlo perché così potrà inserirlo nel suo curriculum. Papà le ha chiesto se stava pensando di fare domanda di lavoro in un circo. È uno spasso stare ad ascoltarli.

Mi sono resa conto che tu e io non abbiamo mai fatto una vera e propria vacanza insieme. Anzi, a parte andare a trovare Alex e Steph, sei mai andata veramente in vacanza? Noi due potremmo farlo l'anno prossimo, quando avrò finalmente finito la scuola e potrò godermi la mia libertà. Tu per allora avrai finito il corso, e così tutte e due potremo festeggiare! Spero che i tuoi studi procedano bene. Almeno non hai tra i piedi me che ti distraggo. Se Rupert tiene la musica troppo alta, picchia sul pavimento e lui abbasserà il volume. Io faccio così.

Ti scriverò presto. Mi manchi!

Baci,
Katie

Cara Rosie,

ti scrivo da Città del Capo, in Sud Africa: è un posto talmente incredibile che moriresti d'invidia. Il resto del gruppo si prende cura di me, perciò non devi preoccuparti. E dato che tutti loro hanno conosciuto Dennis in crociera, è bello poter parlare di lui e ricordare i bei momenti passati insieme. Con noi c'è un'altra signora che ha perso il marito, e questa è la sua prima vacanza da sola, e così ogni tanto ci prende la malinconia. Sono felice che lei sia qui perché noi ci capiamo e sappiamo bene quello che stiamo passando.

Dennis mi manca moltissimo. Questa vacanza gli sarebbe piaciuta tanto. Ma in un certo senso lui è qui con me. Non m'importa se Kevin pensa che sia matta: ho sparso le ceneri di tuo padre. Un po' nell'aria, un po' sull'acqua e un po' al suolo.

Adesso lui è tutt'attorno a me. So che è questo che lui avrebbe voluto. Mi aveva raccomandato di non lasciare che il suo corpo si decomponesse tre metri sotto terra o che le sue ceneri rimanessero in un'urna sopra il caminetto. Così, lui si libra nell'aria del mondo. E vede il mondo molto più di me. La sua ultima avventura.

Certi giorni sono particolarmente difficili e vorrei telefonarti e farmi un bel pianto, comunque stare qui è una piacevole distrazione. E poi è il luogo ideale per vivere un dolore, se ne hai uno. Kevin non mi capisce affatto. Pensa che dovrei vestirmi di nero e andare sulla tomba di papà ogni giorno come un'anima sconsolata. Ma non intendo farlo. Francamente, non so proprio da dove gli vengano certe idee. Abbiamo ancora a disposizione tre settimane e già il gruppo sta progettando di proseguire il viaggio! Hanno molti contatti con le agenzie di viaggio e le occasioni fantastiche sono tante! E io preferisco dare fondo al mio budget, piuttosto che portarmi i soldi nella tomba.

Spero che Katie stia bene a Ibiza e che Brian si prenda cura di lei. Sembra sia diventato un uomo rispettabile e un buon lavoratore, perciò non mi preoccuperei, mia cara Rosie. Puoi spedire a Katie la lettera? Non ero sicura dell'indirizzo.

Penso che tu sia felice di avere finalmente un po' di pace mentre studi. Spero che Ruby ti lasci tranquilla e che non ti trascini a passare fuori tutte le sere.

Buona fortuna per i tuoi studi, tesoro.

Ti voglio bene e mi manchi tanto.
Mamma

Da: Ruby
A: Rosie
Oggetto: Ciao!

Ciao, Rosie. Solo due righe per darti la grande notizia! Oggi Teddy e io abbiamo trovato a un prezzo veramente stracciato una vacanza last-minute in Croazia. Centonovantanove euro a testa per quindici giorni, inclusi sistemazione e volo! È regalato! Il prezzo è così scontato perché il volo parte questa sera! E così sto buttando in valigia tutti i miei vestiti nello stesso momento in cui scrivo questa e-mail (sono pluridotata, lo so). Pensi che sia troppo tardi per ottenere un corpo perfetto da esibire in spiaggia? Magari potrei non mangiare niente sull'aereo... Almeno le infradito forse mi andranno bene, ah ah.

Volevo salutarti. Sono certa sarai felicissima che me ne vado perché così finalmente potrai avere un po' di pace per studiare. Spero ti divertirai quando Alex & C. verranno in vacanza, ma ricordati che lui è un uomo sposato, quindi non fare niente che io non farei!! Sta' attenta.

Ruby

Rosie,

saluti dalle Hawaii!

Come vedi, c'è stato un cambiamento di programma! Quella pazza di mia moglie ha deciso che sarebbe stato molto più divertente andare alle Hawaii in vacanza piuttosto che in Irlanda, chissà mai perché!

Il tempo è splendido, l'albergo è un sogno (mi sono preso la libertà di rubare dalla mia stanza alcune cose per te che dovrebbero essere accluse al pacchetto: una cuffia da doccia e un gel da bagno direttamente dalle Hawaii! Spero che la cuffia ti vada bene). Anche i ristoranti sono fantastici.

Probabilmente sarai felice che non siamo venuti perché adesso finalmente avrai un po' di pace per studiare. Spero che Kevin ti lasci tranquilla e la smetta di seccarti a proposito di vostra madre. Io credo che lei abbia tutte le ragioni.

Con tanto affetto,
Alex, Josh, Theo (e, scusa se mi permetto, Bethany)

Rosie,

saluti da Cipro.

Il tempo è buono. L'albergo è buono. Il cibo è buono. La spiaggia è buona.

Spero ti stia godendo la tua estate di silenzio e studio. (Se

Steph e il resto della truppa non invadono la tua casa. A proposito: dobbiamo parlare dell'idea della mamma di spargere le ceneri di papà.)

Kevin

Saluti da Euro Disney!

Ciao, sorellina, ci stiamo divertendo un sacco. Mi sento come se avessi dieci anni! Ieri sera abbiamo incontrato Mickey Mouse e abbiamo dovuto fare tutti una foto assieme a lui (come vedi io sembro un tantino emozionata nel trovarmi accanto a una celebrità. Pierre era un po' preoccupato per me). I bambini sono al settimo cielo. Ci sono talmente tante cose da vedere per loro che credo si sentano girare la testa! E ci sono così tante cose da fare che abbiamo deciso di fermarci ancora per qualche giorno, quindi purtroppo non verremo a Dublino per il fine settimana.

Spero che gli studi procedano bene e che ti stia godendo la tua tranquillità. Non permettere più a quel Rupert che abita lì accanto di trascinarti alla National Concert Hall. Digli che devi studiare.

Tanti baci,
Stephanie, Pierre, Jean-Louis e Sophia

Ciao Rosie!

Poco fa ti ho chiamata ma non c'eri e allora ho pensato di lasciarti questo biglietto. Parto con il coro: canteremo per il popolo del Kazakistan. Facciamo un tour nel Paese e non vedo l'ora di cominciare.

Chiudo il negozio, e sarai felice di sapere che, mentre sono via, non ci saranno più rumori molesti né dal negozio né da casa mia. Potrai finalmente studiare. Ti ho lasciato le chiavi di casa per ogni evenienza. Buona fortuna, goditi la pace e il silenzio. Ci vedremo al mio ritorno. Forse, nel frattempo, avrai chiesto di uscire al tipo dell'Internet caffè. Credo che tu gli piaccia. Non fa che chiedermi di te.

Rupert

Rosie Dunne,

c'è un conto in sospeso di 6.20 euro dall'ultima volta che sei stata qui e sei andata su Internet. Ti prego di provvedere immediatamente al pagamento o saremo costretti ad adire le vie legali.

Ross (dell'Internet caffè)

Benvenuto nella chat room dei Dublinesi Divorziati Felici e Contenti.

Al momento nessuno è in rete.

Fiorellino entra in rete.

Fiorellino: Dove diavolo *siete* tutti quanti?

45

✉ **C'è posta per te da: Toby**

Toby: Scommetto che hai mangiato di nuovo un panino con insalata per pranzo.
Katie: Come fai a saperlo?
Toby: Vedo la lattuga che si è di nuovo attaccata all'apparecchio. Mi sorprende che tu non abbia cominciato a mangiare roba tritata o magari qualcosa da succhiare con una cannuccia. I cibi solidi dovrebbero essere off-limits per te.
Katie: La settimana prossima a quest'ora non potrai più prendermi in giro. Siamo finalmente alla fine di un'era: mi tolgono l'apparecchio. Dopo tre anni e mezzo dietro le sbarre, i miei denti, i miei denti ormai *diritti* posso aggiungere, saranno liberi.
Toby: Meno male. Non vedo l'ora di vedere come faranno a togliertelo. *Ho bisogno* di vedere come faranno.
Katie: Non è necessario che tu sappia tutto prima di studiarlo al college, Toby. In genere l'idea è di impararlo una volta che sarai là.
Toby: Be', non sono stato ancora ammesso, no? Potrei far fiasco agli esami e non ottenere abbastanza punti per seguire il corso.
Katie: Ce la farai, Toby.
Toby: Vedremo. Non hai ancora deciso quale corso seguire? Sarà meglio che ti sbrighi perché dobbiamo riempire i moduli per l'iscrizione.
Katie: Che stress! Come diavolo si aspettano che a sedici anni (diciassette nel tuo caso) decidiamo cosa vogliamo fare per il resto della vita? Tutto quello che voglio fare in questo mo-

mento è liberarmi della scuola, non mettermi a pensare di entrare in un'altra. Sei fortunato ad aver sempre saputo quello che vuoi fare.

Toby: Soltanto grazie a te e ai tuoi denti storti. Comunque, tu sai cosa vuoi fare da molto più tempo di me: la DJ.

Katie: Però questo non lo posso studiare al college, non ti pare?

Toby: E chi l'ha detto che devi per forza andare al college?

Katie: Tutti. Il consulente per l'orientamento professionale. Mia madre. Mio padre. Tutti i professori. Dio, Rupert... e persino Sanjay mi ha detto che devo andare al college e che si prenderà lui cura della mamma.

Toby: Be', io non darei retta a Sanjay perché lui ha ben altri (preoccupanti) motivi. Non darei nemmeno retta al consulente perché il suo lavoro consiste nel prenderti per mezz'ora alla settimana per spiegarti per filo e per segno i corsi universitari. Credi che gliene freghi qualcosa di quello che fai? A chi importa di quello che pensa Rupert? Tuo padre è solo d'accordo con tua madre e tua madre dice soltanto che dovresti andare al college perché pensa che tu lo voglia. E lascia perdere Dio: come ripete sempre tua madre, lui se la ride di queste cose.

Katie: Ma la mamma ha lavorato duro per riuscire finalmente a studiare quello che vuole ed è stata una vera lotta per lei. Le sarebbe tanto piaciuto avere un'opportunità del genere alla mia età, e in un certo senso io le ho messo i bastoni fra le ruote. Adesso tocca a me, e io non ho nessuno che mi intralcia. Credo che la mamma pensi che dovrei saltare per la gioia, eppure io la sento più come una condanna. Mio padre ha detto che potrei andare di nuovo da lui in estate e lavorare nel suo locale per qualche sera la settimana. E le altre sere Sugar mi insegnerebbe il mestiere. Lui dice che se davvero voglio fare la DJ è bene che cominci a prenderlo seriamente.

Toby: Ha ragione.

Katie: Sembra che non sentirai molto la mia mancanza.

Toby: Certo che non la sentirò. Se tu non vai, sarò costretto a sentire le tue recriminazioni per il resto dei miei giorni. Dammi retta, se tua madre sapesse che vuoi davvero fare la DJ, sarebbe lei a dirti di darti da fare.

Katie: Non ho mai considerato la cosa da questo punto di vista. Chi avrebbe mai pensato che saremmo arrivati vivi fino all'ultimo anno di scuola, Toby? Dopo tanti e tanti giorni di carcere, finalmente non dovrò più mettermi quella cravatta. Quanto a te, mio caro Toby, hai appena cominciato a metterla, la cravatta.

Toby: Niente più due ore di lezione di informatica il lunedì mattina, e ti assicuro che se vado al college non mi metterò la cravatta.

Katie: Quindi, pantaloni di velluto marrone e capelli lunghi, e potrai ascoltare Bob Dylan tutto il giorno mentre te ne stai spaparanzato a dormire su un prato. Sto cominciando a pensare che due ore di informatica il lunedì mattina sarebbero uno scherzo in confronto alla prospettiva di andarsene via dalla mamma e dalla nonna. Oddio, e John?

Toby: John ha le gambe. Sarà capace di arrivare fino a un aeroplano, sedersi, volare fino a Ibiza o dovunque sarai, scendere dall'aereo e venire da te. Ho notato che non hai nemmeno nominato me. La tua vita sarà tanto facile senza di me?

Katie: Certo che lo sarà. No, sul serio, non c'è una facoltà di Odontoiatria a Ibiza?

Toby: Non nei posti dove vai tu, a meno che per odontoiatria tu non intenda anche l'estrarre denti alla gente con un pugno.

Katie: Be', allora credo che Ibiza sia soltanto per me e per mio padre.

A Katie e Rosie

Buona fortuna a tutte e due per gli esami. Pregherò per le mie ragazze.

Baci,
mamma/nonna

A Rosie e Katie

Buona fortuna!

Baci,
Steph, Pierre, JeAN-LOuiS e Sophia

A Rosie e Katie

Alla mia migliore amica e alla mia figlioccia, buona fortuna per i vostri esami. Andranno benissimo, come sempre. Fatemi sapere come è andato il primo.

Baci,
Alex

A Rosie

Dopo questi esami puoi ricominciare a uscire? Stai diventando una vera barba, e una barba intelligente per di più, il che è anche peggio. La qualità della conversazione tra Teddy e Gary si sta abbassando di settimana in settimana, e l'altro giorno sono stata costretta ad ascoltare per ore una "discussione" per stabilire se la Aston Martin DB7 offrisse le stesse prestazioni della Ferrari 575. Oh, sì! Alla mia famiglia piace arrivare al nocciolo della questione e approfondire i problemi veramente importanti della vita.

So che sono stata io a incoraggiarti a prendere il diploma, ma se ti va buca agli esami e devi ripetere l'anno, ti comunico in via ufficiale che sono decisa a trovarmi un'altra amica. Una che non sia tanto ambiziosa.

Perciò non impegnarti più di tanto. Buona fortuna!

Ruby

Per la mamma

Si comincia. Fra quindici giorni saremo tutte e due libere.
In bocca al lupo.

Katie

Per Katie

In bocca al lupo, tesoro. Grazie per essere stata la mia compagna di studi. Comunque vada, sono fiera di te.

Baci,
mamma

Esito degli esami: Rosie Dunne
Studente numero: 4553901-L
Corso: Diploma in Economia Aziendale Alberghiera
Riconosciuto dall'Istituto Irlandese Alberghiero
& dall'Associazione Irlandese Gestori di Catering

Materia	Voto
Contabilità	B
Pratica del Computer e Riepilogo dei Dati	B
Economia	B
Aspetti Etici e Legali dell'Ospitalità	B
Gestione Finanziaria e Marketing	B
Gestione Risorse Umane	A
Sviluppo Aziendale	A
Lingue (Irlandese)	A
Industria Turistica e Alberghiera	A

I diplomati sono abilitati a frequentare un periodo di praticantato nell'industria alberghiera.

SÌ! SÌ! SÌ! SÌ! ALEX CE L'HO FATTA! FINALMENTE CE L'HO FATTA!!!

ROSIE, SONO FELICE X TE! CONGRATULAZIONI!

Da: Rosie
A: Ruby
Oggetto: Festeggiamo!

Adesso sì che possiamo uscire! A proposito, visto che verrà anche Katie, mettiti le scarpe da ballo (però nel tuo caso non lo dico letteralmente. Nessuno vuole vedere in un nightclub quelle tue spaventose scarpe per ballare la salsa.) Gli esami le sono andati bene ed è stata accettata da alcune facoltà di Economia, ma seguirà il suo chiodo fisso di cercare di diventare una DJ. Toby ha ottenuto una votazione sufficiente per entrare alla facoltà di Odontoiatria al Trinity College, il che è un'ottima notizia, e così tutti sono felici, felici, felici, e questa è la cosa più importante.

Sai che quando avevo diciotto anni ho perso l'occasione di andare a Boston e ho pensato che la mia vita fosse finita. Mentre i miei amici andavano alle feste e studiavano, io cambiavo pannolini. Credevo che il mio sogno fosse perduto per sempre. Non avrei mai pensato che avrei condiviso questo momento specialissimo con mia figlia adolescente.

Tutto accade per una ragione precisa. Soltanto, mi sentirò molto triste nel vedere andare via la mia bambina. Il giorno per il quale mi preparavo da tempo alla fine è arrivato: Katie spiccherà il volo e se ne andrà, e io dovrò fare lo stesso. Credo che fra poco avrò raggranellato abbastanza quattrini da poter comperare quel famoso biglietto del treno per andarmene via da qui.

Rosie Dunne sale sul treno, esce lentamente dalla stazione e se ne va. *Finalmente*.

Cara Rosie,

a nome di tutti i colleghi della scuola elementare St Patrick, mi congratulo con te per avere così brillantemente superato gli esami. Hai provato a te stessa di essere una persona di valore e devi andarne fiera.

Ora mantengo la mia promessa e sono felice di informarti che la tua collaborazione non è più necessaria. Il tuo contratto di lavoro presso la nostra scuola non sarà rinnovato, il prossimo agosto.

Ci dispiace che tu te ne vada, ma devi farlo. Il mio pensionamento è stato ritardato di un anno, ma ne è valsa la pena se mi ha dato la possibilità di assistere al tuo successo. Rosie Dunne, tu hai rappresentato il progetto più lungo di tutta la mia vita, sei la mia allieva più vecchia, quella che più a lungo ha lavorato con me, e per quanto difficile possa essere stato l'inizio e ancora più difficile il seguito, sono davvero felice che alla fine tu ce l'abbia fatta.

Il tuo duro lavoro e la tua dedizione sono un vero esempio per noi tutti e ti auguro ogni bene per il futuro. Spero che ti terrai in contatto e sarei davvero contenta se tu venissi alla festa per il mio pensionamento, per la quale fra breve riceverai l'invito. Ti prego di voler estendere l'invito anche ad Alex Stewart.

Dopo che per anni non ho fatto altro che cercare di separarvi, sarebbe bello vedervi di nuovo insieme. Spero tanto che Alex verrà.

Ancora tante congratulazioni. Fatti sentire.

Julie (Nasona Alito Pesante) Casey

Katie,

la mia bambina se ne va! Sono tanto fiera di te, tesoro. Hai davvero del coraggio a portare avanti questo tuo progetto. Assicurati che tuo padre non dimentichi di procurarti cibo e vestiario.

Mi mancherai tantissimo. È stato tanto bello averti qui con me, ma spero che sarai contenta se verrò a trovarti spesso!

Se hai bisogno di me, non devi fare altro che chiamarmi e io verrò da te immediatamente.

Tanti baci, mamma

Caro Brian,

ti assumi una grossa responsabilità. Ti prego, abbi cura di Katie e non lasciare che combini guai. Sai bene come sono i maschi di diciotto anni, tu stesso eri così. Fai il possibile per tenerla lontana da loro. Lei è lì per imparare, non per andare alle feste e fare bambini.

Fammi sapere tutto quello che le succede. Anche le stupidaggini che lei ha paura di dirmi. Una madre deve sapere. Ti prego di tenerla d'occhio e di essere sempre presente per lei. Appena senti che c'è qualcosa che non va e di cui lei non ti vuole parlare, fammelo sapere e io troverò il sistema per scoprirlo.

E un'ultima cosa: grazie davvero per aiutare la mia bambina, la nostra bambina, a realizzare il suo sogno.

Cari saluti, Rosie

Gentile Rosie Dunne,

congratulazioni per aver portato a termine il corso in Economia Aziendale Alberghiera.

Siamo lieti di informarla che il suo periodo di praticantato avrà inizio il primo agosto p.v. La destinazione di ogni diplomato è stata scelta a caso, senza alcuna discriminazione né pregiudizio. Una volta stabilite le rispettive destinazioni, i diplomati non possono in alcun modo richiedere una collocazione alternativa.

Le è stato assegnato l'incarico di vicedirettore con contratto di dodici mesi presso il Grand Tower Hotel a Dublino, in centro città. Lei comincerà lunedì 1 agosto, alle ore 9.00. Per ulteriori informazioni concernenti il suo impiego la preghiamo di contattare Cronin Ui Cheallaigh, direttore e proprietario del Grand Tower Hotel. Il numero telefonico e l'indirizzo dell'albergo e altri dettagli sono indicati in calce.

Buona fortuna per il suo nuovo incarico che ci auguriamo possa essere il primo di futuri successi.

Cordialmente,
Keith Richards
Direttore del corso di Economia Alberghiera,
Corsi serali presso la scuola elementare St Patrick

Alex: Accidenti, Rosie. Il Grand Tower Hotel? Sembra fantastico.

Rosie: Ooh, lo so! È quello che ho pensato anch'io! Però non lo conosco, e tu?

Alex: Stai chiedendo alla persona sbagliata, Rosie. Ogni volta che torno a Dublino vedo nuovi edifici, palazzi per uffici o quartieri residenziali spuntati dove prima non c'era niente. Ormai non riconosco più la città. Dovresti andare a dare un'occhiata.

Rosie: No! Non posso farlo! Cosa succederebbe se mi beccassero a ficcare il naso nei paraggi e poi il giorno dopo mi presentassi come niente fosse sostenendo di essere il vicedirettore? Penserebbero che sono una fanatica.

Alex: Una fanatica? Non direi. Piuttosto, interessata e impaziente.

Rosie: Nessuno ha simpatia per i secchioni, Alex. Ma, cambiando discorso, sai che l'altra sera, dopo che abbiamo chiacchierato al telefono, ho fatto caso che stai perdendo l'accento?

Alex: Sono qui da vent'anni. Ho vissuto più qui che in Irlanda. I miei bambini sono americani. Devo tenermi al passo con la lingua, o "lingo" (per dirla in irlandese, in tuo onore!). Lo credo bene che sto perdendo il mio accento.

Rosie: Veramente, non è tanto il fatto che stai perdendo l'accento, quanto che ne stai prendendo un altro. Ma, vent'anni... com'è possibile?

Alex: Lo so, il tempo vola quando ci si diverte.

Rosie: Se definisci gli ultimi vent'anni un divertimento, allora non voglio sapere quanto vola il tempo quando ti diverti davvero.

Alex: Comunque, non sono stati poi tanto brutti per te, o mi sbaglio?

Rosie: Dipende cosa intendi per "brutto".

Alex: E dai...

Rosie: No, non sono stati tanto brutti, però non mi lamenterei se diventassero un po' meglio.

Alex: Be', questo è ovvio... Il lavoro deve essere elettrizzante per te.

Rosie: Oh, sì! Mi sento come un bambino alla vigilia di Natale! Non mi sentivo così da troppo tempo. So che l'impiego è temporaneo e che sto soltanto facendo tirocinio, ma ho aspettato tanto un'opportunità del genere.

Alex: L'hai aspettata troppo a lungo. Io più di tutti so quanto l'hai desiderata. Odiavo quando mi facevi giocare all'albergo.

Rosie: Ah ah, mi ricordo. Io facevo sempre l'albergatrice e tu dovevi fare il cliente.

Alex: Odiavo fare il cliente perché tu non mi lasciavi mai in pace. Continuavi a sprimacciarmi il cuscino e a farmi stendere i piedi sullo sgabello "per il benessere del cliente".

Rosie: Mio Dio, non me lo ricordavo nemmeno più! Volevo cercare di essere come il ragazzo di *Fantasilandia* che si prendeva talmente cura dei suoi ospiti da servirsi della magia per soddisfare i loro sogni.

Alex: Ma costringermi ad andare a letto alle due del pomeriggio e rincalzarmi le coperte tanto strette da impedirmi quasi di respirare non lo chiamerei un servizio per il benessere e la realizzazione dei sogni del cliente! Non so che tipo di gestore avessi intenzione di essere allora, ma se ti comporti così con i tuoi veri clienti, temo che la tua carriera durerà poco.

Rosie: Be', comunque era molto meglio che giocare all'ospedale: tu mi facevi lo sgambetto e io finivo lunga distesa per terra e poi mi curavi. Mia madre e mio padre continuavano a domandarsi come mai ero sempre piena di tagli e ammaccature.

Alex: Ah, sì! Divertente, vero?

Rosie: Diciamo che hai un'idea piuttosto distorta di cosa sia il divertimento. Per esempio riguardo agli ultimi vent'anni.

Alex: Ovviamente non è stato *tutto soltanto* divertimento sia per me sia per te.

Rosie: Direi di no...

Alex: Alberghi e ospedali. Sembra alludere a una sorta di film pornografico.

Rosie: Ti piacerebbe, eh?

Alex: Certo che mi piacerebbe! Ho un figlio di tre anni a cui piace dormire nel lettone tra me e Beth.

Rosie: Be', io potrei andarmene in convento e non credo che mi peserebbe minimamente.

Alex: Oh, non sono d'accordo!

Rosie: No, sul serio, Alex. Dopo gli uomini con cui sono stata, la castità sarebbe un *regalo*.

Alex: Ma io non alludevo alla castità: sarebbe il voto del silenzio che ti ucciderebbe.

Rosie: Ah ah. Credimi: ci sono certi tipi di silenzio che ti fanno sentire al settimo cielo. E con questo, ti lascio.

Rosie si disconnette.

Alex: Conosco quel silenzio.

46

Ciao, mamma!

Soltanto due parole per augurarti buona fortuna (non che tu ne abbia bisogno) per il tuo primo giorno di lavoro, domani. Sono certa che farai faville! In bocca al lupo!

Baci, Katie

✉ **C'è posta per te da: Ruby**

Ruby: E allora, signora vicedirettrice, come va il lavoro?

Rosie: Molto, molto len-ta-men-te.

Ruby: E perché?

Rosie: Sei pronta per una bella tirata? Altrimenti ti offro la possibilità di sganciarti finché sei in tempo.

Ruby: Che tu ci creda o no, ho iniziato questa conversazione preparata a tutto. Su avanti, spara.

Rosie: E va bene. Allora, sono arrivata con un certo anticipo nell'albergo e mi sono messa a camminare su e giù per tre quarti d'ora cercando di trovare il bellissimo e *Grand* Tower Hotel. Ho domandato ai negozianti e ai proprietari di chioschi e bancarelle, ma nessuno aveva idea di dove si trovasse. Ero ormai sull'orlo delle lacrime e nel panico perché il mio primo giorno di lavoro sarei arrivata in ritardo, così ho telefonato al direttore del corso, accusandolo di avermi dato l'indirizzo sbagliato. Lui non faceva altro che ripetermi sempre lo stesso indirizzo, al che io ribattevo che non era possibile perché l'edificio in questione era abbandonato.
Alla fine il direttore ha detto che avrebbe chiamato il proprietario per ricontrollare, e così mi sono seduta sui gradini

polverosi dell'edificio abbandonato (e mi sono sporcata il vestito nuovo), sforzandomi di non piangere al pensiero del ritardo e della cattiva impressione che avrei fatto. Improvvisamente la porta alle mie spalle si è spalancata con un forte cigolio simile in tutto e per tutto a una scoreggia, ed è comparso uno strano *coso* che si è messo a fissarmi. Poi il coso ha cominciato a parlare con un forte accento dublinese, presentandosi come Cronin Ui Cheallaigh, proprietario del Grand Tower, e ha insistito perché lo chiamassi Beanie.*

In un primo momento sono rimasta sconcertata da quel soprannome, ma nel corso della giornata mi è risultato chiaro. Non erano stati i cardini del portone d'ingresso a emettere quelle sonore scoregge, era stato il didietro di Beanie.

Mi ha portata all'interno dello stabile, vecchio e umido, e mi ha fatto visitare le poche camere al pianterreno. Poi mi ha chiesto se avevo domande da fargli e io, naturalmente, gli ho domandato perché mi trovavo lì e quando avrei visto l'albergo. Al che lui ha risposto con orgoglio: "Ma è questo qui l'albergo! Carino, vero?" Dopo di che mi ha chiesto se, in base alla mia prima impressione, avessi qualche idea per apportare migliorie, al che io ho suggerito di esporre sulla facciata il nome dell'albergo perché gli eventuali clienti fossero in grado di riconoscerlo (anche se il non farlo poteva essere una manovra di marketing altrettanto abile). Ho pure suggerito di spargere la voce presso tutti i commercianti della zona affinché collaborassero a pubblicizzare il Grand Tower (o quanto meno contribuissero a dare indicazioni ai turisti disorientati).

Lui ha studiato attentamente il mio viso per cercare di capire se fossi attendibile, il che, fra parentesi, era ben lungi dall'essere vero. Comunque al momento sto aspettando che arrivi l'insegna per la facciata dell'albergo. Mi ha dato una targhetta con il mio nome e ha insistito perché la mettessi. Secondo lui dovevo portarla perché, se i clienti avessero avuto delle lamentele, avrebbero saputo a chi attribuire la responsabilità. Un vero ottimista, come vedi. Il problema con la

* In inglese, "fagiolino". [*N.d.T.*]

targhetta (oltre al fatto di doverla portare) era che a quanto pare lui aveva capito male il mio nome al telefono.
Per tutta la settimana ho girato per l'albergo come "Rosie Bumme"*. E pare che Beanie abbia trovato la cosa esilarante. Però, dopo aver finito di sganasciarsi dal ridere, mi è sembrato un pochino contrariato. Già questo ti può far capire il suo livello di maturità e la serietà con cui prende il lavoro e la gestione in generale del suo cosiddetto albergo.
Come abbia potuto rimanere aperto finora, per me è un vero mistero. È uno di quei bellissimi edifici che a suo tempo deve essere stato grandioso ma che è stato lasciato andare in rovina. I mattoni rossi della facciata sono diventati marrone scuro per lo sporco che li ricopre. Ha quattro piani, e ho scoperto che nel seminterrato c'è un locale per la lap-dance, anche questo di proprietà di Beanie. Quando si entra si viene accolti da un minuscolo banco della reception in legno di mogano scuro (lo stesso legno di tutto l'edificio), dietro il quale c'è un disordinato ammasso di cappelli, ombrelli e cappotti appartenuti a precedenti ospiti dell'albergo e che ora stanno lì a raccogliere polvere. Le pareti sono rivestite di legno fino a metà altezza, il che non è male, mentre il resto, che una volta era probabilmente tinteggiato in verde oliva, adesso è piuttosto di un verde muffo e scolorito. Piccole lanterne adornano le pareti e praticamente non emanano luce. L'ambiente somiglia tale e quale a una caverna. La moquette è stata probabilmente posata negli anni Settanta: è sudicia, puzza ed è costellata di bruciature di sigarette, macchie scure di cicche appiccicate e altre chiazze delle quali non voglio approfondire l'origine.
Un lungo corridoio conduce alla vasta zona del bar con la stessa moquette sporca e puzzolente, il legno scuro alle pareti, sgabelli e sedie rivestiti di tessuto a disegnini; e quando il sole filtra attraverso le minuscole finestre dalla vernice scrostata, non si vedono altro che dense volute di fumo che volteggiano nell'aria, probabilmente lasciate lì dal vecchio signore che sedeva nel locale a fumare la sua pipa due secoli fa.

* Gioco di parole fra *bum* (*bumme*) che significa "sedere" e il cognome della protagonista, Dunne. [*N.d.T.*]

La sala da pranzo ha venti tavoli e un menù limitato. C'è la stessa moquette, qui con l'aggiunta di macchie di cibo. Ci sono tende di velluto marrone e tendine di tulle; i tavoli sono coperti da tovaglie di pizzo un tempo bianche e ora gialle. Le posate sono arrugginite e sporche di cibo. I vetri sono opachi, le pareti bianche sono l'unica cosa che illumina un po' l'ambiente. Per quanto si alzi il riscaldamento, si sente sempre un gran freddo.
Ma peggio di tutto è l'*odore*! È come se qualcuno fosse morto e il cadavere fosse stato lasciato lì. E da allora quell'odore è stato assorbito dai mobili, dalle pareti e dai miei vestiti. Ci sono sessanta camere, venti per ogni piano. Beanie ha orgogliosamente dichiarato che metà sono camere con bagno. Immagina un po' che piacere mi ha fatto sentire che soltanto *alcune* camere avevano il bagno! Due splendide signore, Betty e Joyce, avranno cent'anni o giù di lì, fanno pulizia nelle camere tre volte la settimana, il che francamente mi sembra disgustoso. E, vista la lentezza con cui si muovono, sarei sorpresa di sapere che riescono a pulire ogni volta ciascuna stanza.
Stavo anche cominciando a chiedermi che tipo di clienti un albergo del genere potrebbe attrarre, ma tutto mi è apparso chiaro quando una sera mi è toccato l'ultimo turno. Quando ha chiuso il locale di lap-dance nel seminterrato, la festa è continuata di sopra. E questo mi ha offerto un motivo in più per assumere altre cameriere.
Un cliente potrebbe trovare un cioccolatino sul cuscino solo se l'ospite precedente ce lo avesse sputato sopra. E indosserebbe la cuffia da bagno solo per proteggersi la testa dall'acqua giallastra che esce dalle tubature (per quanto quest'acqua sia probabilmente sicura, io rimango fedele a quella in bottiglia).
La settimana scorsa una stazione radio ha telefonato per chiedere se il Grand Tower volesse partecipare a un concorso che stanno organizzando: dovevano essere alla disperazione per chiamare noi, o magari erano stati ingannati dal nome ridondante. Non sono riuscita a trovare una scusa valida per dire di no. Gli ascoltatori dovevano scrivere all'emittente,

Alex: Oh, capisco. E tu non riesci a dormire?

Rosie: Sei matto? Certo che non riesco a dormire. L'ho accompagnata a comprarsi il vestito, l'ho aiutata a truccarsi e a pettinarsi, le ho fatto delle fotografie tanto era in fibrillazione per la sua serata speciale. La sera in cui vedrà degli amici che probabilmente non rivedrà per anni, o addirittura mai più, nonostante le reciproche promesse di tenersi in contatto. È stato come portare indietro l'orologio di vent'anni, quando eravamo io e la mamma.
Mi rendo conto che lei non è me, che è una persona autonoma che ragiona con la propria testa, ma non ho potuto evitare di vedere me stessa che uscivo dalla porta. Sotto braccio a un uomo in smoking, elettrizzata per la festa che mi aspettava, elettrizzata per il futuro che avevo davanti. Elettrizzata, elettrizzata, elettrizzata. Ero talmente giovane. Certo, allora non ci pensavo. Mi frullavano per la testa almeno un milione di progetti. Sapevo quello che volevo fare. Avevo pianificato il mio immediato futuro. Però, quello che non sapevo era che nel giro di poche ore tutti i bei progetti sarebbero saltati. La signorina So-tutto-io non sapeva un bel niente, allora. Spero soltanto che stanotte Katie ritorni a casa all'ora fissata.

Alex: È una ragazza con la testa a posto, Rosie, e se l'hai educata come penso, non credo che tu abbia niente di cui preoccuparti.

Rosie: Non posso prendere in giro me stessa. Sta con il suo ragazzo da più di tre anni, ormai, perciò non credo proprio che abbiano passato tutto questo tempo mano nella mano. Però, almeno per stasera, la sera che ha cambiato la mia vita, vorrei che tornasse presto.

Alex: Be', allora dovrò cercare di distrarti fino a che non torna a casa, che ne dici?

Rosie: Se non ti dispiace.

Alex: E allora, hai sistemato la nostra camera per quando arriveremo? Voglio sperare che la direttrice dell'albergo farà del suo meglio.

Rosie: Be', io sono soltanto la vicedirettrice, ricordalo, e l'albergo non è esattamente...

Alex: Non è esattamente cosa?

Rosie: Elegante come quelli che sei abituato a frequentare durante i tuoi viaggi.

Alex: Questo qui sarà superspeciale perché lo dirige la mia migliore amica.

Rosie: Non vorrei che mi si attribuissero meriti che non ho...

Alex: Oh, non essere sciocca. Tu non ti attribuisci mai abbastanza merito per quello che fai.

Rosie: No, *davvero*, Alex. Non voglio prendermi la responsabilità per questo albergo, *per nessuna ragione*. Lo sai, sono lì soltanto da pochi mesi. Non ho ancora avuto modo di imprimervi il mio stile. Io eseguo soltanto gli ordini...

Alex: Stupidaggini. Non vedo l'ora di vederlo. Non sarebbe divertente se qualcuno venisse intossicato al ristorante e io fossi il medico di servizio che salva la situazione? Ti ricordi che questo era uno dei nostri progetti quando eravamo bambini?

Rosie: Certo che lo ricordo! E non è una cosa tanto impossibile. Tu e Bethany non preferireste mangiare *fuori*? Ci sono dei bellissimi ristoranti che ancora non conosci a Dublino.

Alex: Sì, potremmo. Ho cercato l'albergo su Internet, ma non ho trovato niente.

Rosie: Be', certo, in questo periodo stiamo aggiornando il sito. Ti farò sapere quando potrai vederlo.

Alex: Fantastico. Sarà strano rivedere la signorina Nasona Alito Pesante Casey. Era ora che andasse in pensione. I bambini del mondo hanno bisogno di tirare un po' il fiato.

Rosie: Si chiama Julie, ricordatelo, e non chiamarla in quell'altro modo. E poi, è stata davvero buona con me in questi ultimi anni, perciò, ti prego, sii gentile con lei.

Alex: Lo sarò, lo sarò. Non preoccuparti. Sono già stato fuori casa prima d'ora: so benissimo come comportarmi in società.

Rosie: Ne sono sicura, caro il mio straordinario signor Chirurgo Mondano.

Alex: Ti prego, dimentica l'immagine che ti sei fatta di me, qualunque essa sia.

Rosie: Quale immagine? Di quando eri nudo? Non puoi chiedermi di dimenticarla.

Alex: Allora, qualunque sia il metro che adoperi per valutare questa immagine, moltiplica la misura per dieci.

Rosie: Gesù, venticinque centimetri, Alex?

Alex: Oh, piantala! E allora, come sta tua madre? Nessuna notizia dall'ospedale riguardo agli esami che ha fatto?

Rosie: Non ancora. Adesso è via con Stephanie, per prendersi una pausa, e quando ritornerà i risultati dovrebbero essere pronti. Sembra che non si riesca a capire che cosa abbia. Sono proprio preoccupata. L'altro giorno la guardavo ed era come se non la vedessi da anni. Senza che nemmeno me ne rendessi conto, la mia mamma è diventata vecchia.

Alex: Ma ha solamente sessantacinque anni. È ancora giovane.

Rosie: Lo so, ma nella mia testa avevo un'immagine di lei, e quell'immagine risaliva a tanti anni fa. In un certo qual modo, da quando ero giovane ho continuato a vederla così. Però, l'altro giorno, in quel letto d'ospedale, mi è sembrata vecchia. È stato un vero choc. Comunque, spero che scoprano in fretta che cos'ha e la rimettano in sesto. Non sta affatto bene.

Alex: Appena sai qualcosa, fammelo sapere.

Rosie: Certo. È dura dover andare fino a Galway nei giorni liberi. Per quanto voglia bene alla mamma, per me è una vera sfacchinata. Tra il lavoro e i viaggi per aiutarla, non ho avuto praticamente una sola giornata di riposo in queste ultime settimane e sono stanca da morire.

Alex: E Kevin dov'è? Non potrebbe dare una mano, una volta tanto?

Rosie: Ottima domanda. Veramente, a voler essere giusti con Kevin, si è appena comprato una casa per andarci a vivere con la sua ragazza, e adesso è in ballo con il trasloco. Se avesse più tempo, sono *quasi* sicura che mi darebbe una mano.

Alex: Kevin ha deciso di impegnarsi? È sconvolgente. Tu dovresti proprio parlargli di questa situazione, cercare di convincerlo a rendersi utile. Non possono pretendere che faccia tutto tu.

Rosie: Be', non è proprio che io faccia *tutto*. Per questa settimana è Steph a prendersi cura della mamma, e con due bambini non è certo uno scherzo nemmeno per lei. (*Prendersi cura* della mamma suona male, non ti pare?) E poi non mi pesa, perché voglio esserle vicino. È sola, e io so come ci si sente.

Alex: Il fatto che tu chieda aiuto a Kevin non significa affatto che tu non voglia bene ad Alice e non la voglia aiutare. Dovresti parlare con Kevin, anche se non dovrebbe essercene bisogno.

Rosie: Aspetterò fino a che non si sarà sistemato nella sua nuova casa e, quando sarà a posto, se ancora non si sarà dato una mossa, allora gli chiederò di incontrarci. Non è andato a trovare papà nemmeno la metà delle volte che avrebbe dovuto, e so che adesso se ne pente. Non ho mai capito completamente Kevin. Gli piace starsene per conto suo. Quando viveva in famiglia, andava e veniva e non raccontava mai a nessuno quello che faceva. Poi quando è morto papà ha improvvisamente pensato di poter prendere in mano le redini della famiglia. Adesso, con la mamma malata, ha fatto di nuovo marcia indietro. Steph e io abbiamo cercato di parlargli di questo in numerose occasioni, ma non c'è modo di comunicare con lui. È un egoista, tutto qui. Zitto un po': qua fuori si è fermata una macchina. Aspetta, corro alla finestra e guardo.

Alex: È Katie?

Rosie: No.

Alex: Ma vedrai che...

Rosie: Oh, grazie a Dio è qui. Sarà meglio che spenga il computer e mi ficchi a letto. Non voglio che pensi che la stavo aspettando alzata. Oh, grazie Signore per aver riportato a casa la mia bambina. 'notte, Alex.

Alex: 'notte, Rosie.

47

Carissima mamma,

è stato bello la settimana scorsa essere di nuovo a casa con te. Mi mancavano le nostre chiacchierate nel cuore della notte!

Ho buone notizie! Tony Spencer, un inglese proprietario del Club Insomnia in fondo alla strada, si trovava nel locale di papà, ieri sera, mentre stavo facendo il mio numero, ed è rimasto talmente colpito che mi ha chiesto se mi sarebbe piaciuto lavorare per lui! Non è fantastico? Oltretutto lui organizza manifestazioni estive per cui me ne andrò in giro per l'Europa durante l'estate suonando musica. Sono al settimo cielo!

Il Club Insomnia è un posto molto alla moda e resta aperto fino alle sei/sette del mattino. Io sarò alla consolle soltanto dalle dieci a mezzanotte, tanto per cominciare. Tony comunque paga molto bene e non appena mi arriverà il primo assegno come si deve ti manderò un po' di soldi a casa. Qui ho conosciuto dei ragazzi fantastici che come me hanno appena finito la scuola e che lavorano al bar. Io e altre tre ragazze, Jennifer, Lucy e Sara, stiamo pensando di prendere in affitto un appartamento insieme.

Non so quando arriverà John. Da quando ha cominciato il college, a settembre, è uscito tutte le sere e per tutta la notte con una compagnia di cui non avevo mai sentito parlare. Ogni tanto, così per caso, gli viene in mente di telefonarmi quando è fuori, e non riesco a sentire altro che schiamazzi di ubriachi in sottofondo. È strano come si sono messe le cose tra noi. Ci incontriamo solo di tanto in tanto dopo essere stati lontani per settimane. Non è più lo stesso e non mi piace. Pensavo che sarei stata con lui per sempre, ma di questo passo non riesco nemmeno a immaginare di stare con lui fino alla fine dell'estate.

Non ho più notizie di Toby da moltissimo tempo. Sicuramente è tutta colpa mia perché all'inizio, quando sono venuta qui, lui mi ha telefonato un sacco di volte, ma io non l'ho mai richiamato. E il tempo è volato. Mi riprometto sempre di chiamarlo, ma ormai sono passati mesi e mi sento un po' imbarazzata. L'ultima volta che l'ho sentito si stava divertendo un casino al college facendo amicizia con un sacco di denti, non c'è dubbio. Lo chiamerò domani, prometto che lo farò.

Spero che il tuo lavoro vada bene. Non posso credere che ti abbiano rinnovato il contratto. Credevo che tu odiassi quel posto. Fammi sapere come vanno le cose.

Alex mi ha scritto qualche tempo fa e mi ha raccontato quello che è successo quando lui e Bethany sono venuti nel tuo albergo, in occasione della festa per il pensionamento della signorina Nasona Alito Pesante Casey. Da morire dal ridere! Ma non lo sapevi che ci sarebbe stata la festa di Natale al club di lap-dance? Non credo che Alex sia stato infastidito dalla vista di Mary Clauses che ballava nel bar con indosso un ridottissimo costume bianco e rosso. Comunque è incredibile che Bethany si sia rifiutata di fermarsi lì a dormire. Quella donna non ha proprio il minimo senso dell'umorismo. Non capisco cosa Alex trovi in lei. L'ho incontrata soltanto qualche volta, ma è talmente tesa e ansiosa, e lui così tranquillo e rilassato, che non ce li vedo insieme ancora per molto. Non posso credere che Alex abbia dovuto soccorrere uno dei clienti del ristorante: era stato intossicato? Che razza di cibo servite? Meno male che c'era lui!

Adesso è meglio che vada a programmare i brani da mettere stasera. Papà mi ha concesso uno spazio di due ore per prepararmi all'Insomnia. Lisa sta cercando di convincermi a suonare pezzi degli anni Ottanta così potrebbe fare il suo numero di flash-dance. Niente serpenti, ma qualcosa di ancora peggio: spalle imbottite e permanente.

Quando la nonna starà meglio, tu e lei dovreste venire qui per qualche settimana. Ci sono tantissimi angolini molto rilassanti con deliziose spiaggette e un panorama incantevole. Non ci sono soltanto pub e locali. Pensaci. Forse un cambiamento farebbe bene alla nonna.

Mi manchi tantissimo, ma ogni volta che mi sento sola, guardo le fotografie di te e Alex nel mio medaglione. Siete tutti e due vicino al mio cuore. Sempre.

Baci,
Katie

✉ **C'è posta per te da: Ruby**

Ruby: Sono stata scaricata.
Rosie: *Cosa?* Da Teddy?
Ruby: Non dire stupidaggini, quell'uomo non sa neanche come mettere fuori i sacchi della spazzatura, figuriamoci scaricare me. No, il colpevole è il mio adorato figlio. Mi ha comunicato che i miei servigi come partner di ballo non sono più richiesti e mi ha barattato con una partner più giovane.
Rosie: Oh, no, Ruby, mi dispiace tanto. E chi sarebbe?
Ruby: A dire la verità, fingo di essere arrabbiata ma non è così. No, è una bugia. In un primo momento me la sono presa così tanto che mi sono mangiata un'intera torta al cioccolato. Per combinazione la torta preferita di Gary che avevo comprato per lui. Dopo averne mangiata metà, mi è un po' passata, e mentre trangugiavo l'ultima cucchiaiata ho cominciato a considerare la cosa più razionalmente (vedi, è questo l'effetto che mi fa). E così ho ideato un piano: avrei invitato quell'altra a cena e l'avrei avvelenata. Dovevo scoprire chi era e perché diavolo Gary mi aveva lasciata per lei. Ed è saltato fuori che ha suppergiù ventotto anni, è spagnola e insegna spagnolo a scuola (è lì, dove lavora come responsabile della sorveglianza, che Gary l'ha conosciuta), è snella, carina ed è veramente una bella persona.
Rosie: Insomma è tutto quello che tu di solito odi, giusto?
Ruby: Di solito sì. Ma questa volta è diverso perché lei e il mio Gary si sono innamorati.
Rosie: Ooh!
Ruby: Sì, lo so. Non è fantastico? E così non ho avuto alcun problema a farmi da parte e ad appendere al chiodo le

mie scarpe da ballo. Per la verità, stavo già pensando di dividermi da Gary. Ormai sono vicina ai cinquanta, ho bisogno di ballare con qualcuno della mia età che non sia tanto energico da lanciarmi dall'altra parte della stanza. Non sono più fatta per certe cose. Sono felice che Gary abbia trovato finalmente qualcuno. Magari Maria riuscirà a farlo sgombrare da casa mia per andare a vivere con lei.

Rosie: E questo ti dispiacerebbe?

Ruby: Mi dispiacerebbe quanto trovare un milione di euro sotto il letto. Quel ragazzo deve capire che ormai è un uomo adulto e che è ora che se ne vada. Non posso preparargli da mangiare e lavargli la biancheria per sempre. Ma adesso basta parlare di me, come sta tua madre?

Rosie: Non tanto bene. Sembra che poco per volta deperisca sempre di più. L'artrite è decisamente peggiorata, tanto che adesso si muove zoppicando. Non era tanto un problema quando lei e papà viaggiavano perché allora il clima era mite. Adesso, però, non credo che il Connemara con i suoi rigidi inverni sia il posto più adatto. Ma lei non vuol saperne di venire via. Sono proprio preoccupata. Continua a entrare e a uscire dall'ospedale per infezioni e problemi a parti del corpo di cui ignoravo perfino l'esistenza. È come se, da quando papà è morto, il suo corpo si sia dato per vinto.

Ruby: È una donna forte, Rosie. Si rimetterà in sesto.

Rosie: Speriamo.

Ruby: Come vanno le cose all'Albergo delle Meraviglie?

Rosie: Ah! Be', non dovrò sopportare quel posto ancora per molto, perché me ne vado alla fine del mese.

Ruby: Lo dici ogni mese e non lo fai mai. Tanto vale che aspetti che scada il contratto per andartene. In ogni caso, a meno che tu non cerchi davvero un altro impiego, saresti a spasso.

Rosie: Tra lavorare a tutte le ore e andare avanti e indietro dalla mamma, non ho proprio il tempo di fare altro. Per esempio, quando è stata l'ultima volta che ci siamo viste?

Ruby: Ieri.

Rosie: Be', a parte quando sei passata in macchina vicino alla fermata dell'autobus, strombazzando e facendo ciao con la manina. Oh, grazie per aver accelerato mentre passavi su quella pozzanghera e avermi inzuppata dalla testa ai piedi.

Ruby: Mi pareva che avessi bisogno di una doccia.

Rosie: Sei proprio una stronza. Comunque, sarà almeno un mese che non passo una serata come si deve. È assurdo. Praticamente non ho una vita mia. Vorrei tanto andare a trovare Katie, e Alex mi ha invitata un sacco di volte, ma non posso fare né una cosa né l'altra per via della mamma... Non me la prendo con lei, naturalmente.

Ruby: Quando tua madre starà meglio, sarà tutto molto più facile.

Rosie: Non credo che si riprenderà, Ruby. Lei *non* vuole stare meglio. Sta semplicemente aspettando. Adesso come adesso è inchiodata alla sedia a rotelle, e ha soltanto sessantasei anni.

Ruby: Fatti aiutare da quel fannullone di Kevin.

Rosie: E che cosa potrebbe fare Kevin? Non saprebbe nemmeno da dove cominciare, e poi so che la mamma si sente più a suo agio se sono io ad aiutarla. A ogni modo, dobbiamo tirare avanti.

A Josh

Tanti auguri per il tuo decimo compleanno!

Bacioni,
Rosie

A Rosie

Grazie tante per il regalo e per il biglietto. È bellissimo. Dovunque sia Katie, dille che la saluto. Mi manda sempre delle cartoline da Paesi diversi e sembra molto felice. Il suo è proprio un lavoro fantastico! Non sento più parlare del suo vecchio amico Toby. Credo si siano persi di vista. Grazie ancora per il regalo. Potrò comperarmi un nuovo gioco per il computer.

A presto,
Josh

Per la mamma

Ciao! Sono ad Amsterdam. Ho conosciuto un ragazzo fantastico che per vivere raccoglie fragole. Non parla inglese ma ci troviamo molto bene insieme. Qui tutto è fantastico. Ho un sacco di ingaggi, e tutti in locali carini!

Baci, Katie

A Rosie

Tanti auguri per i tuoi trentotto anni!

Paura, eh, di essere così vicina ai quaranta? Fatti una bevuta per me.

Baci, Alex

Rosie,

se credi che trentotto anni siano tanti, prova a pensare come ci si deve sentire a essere vicina ai cinquanta. Aaaah! Faremo una gran festa. E siamo invitate soltanto tu e io.

Ancora buon compleanno,
Ruby

Ciao, mamma!

Sono ad Andorra. Ho conosciuto un ragazzo fantastico, che è poi il mio maestro di sci, e che mi sta insegnando come fare a non rompermi il collo. Non dice una parola di inglese ma ci troviamo molto bene insieme. Qui tutto è fantastico. Qualche volta tu e io dovremmo andare a sciare. Ti piacerebbe da matti! Il festival invernale sta andando benissimo e io ho dei piccoli numeri da fare. Sarò a casa per Natale, così potremo rimetterci in pari con tutti i pettegolezzi! Non vedo l'ora di rivederti!

Baci, Katie

Ciao, mamma!

Vuoi venire a stare da me per Natale? Katie verrà a casa e potremo stare tutte e tre insieme. Sarebbe bellissimo, tu puoi dormire in camera di Katie e lei sul divano. Sono elettrizzata al solo pensiero. Beanie mi ha lasciato libero il giorno di Natale, perciò, ti prego, di' di sì!

Rosie

Rosie,

sarò felice di venire, tesoro. Grazie per l'invito. Non vedo l'ora di rivedere la piccola Katie. Non più tanto piccola, suppongo!

Baci, mamma

Da: Katie
A: mamma
Oggetto: Ritorno a casa

Grazie infinite per il pranzo di Natale. È stato favoloso, come sempre. Che bello per noi tre essere di nuovo insieme... Soltanto noi ragazze!

La nonna è molto cambiata dall'ultima volta che l'ho vista e tu mi sembri stanca. Stavo pensando di venire a casa per qualche settimana per aiutarti. Magari potrei trovare un ingaggio dalle parti di Dublino per un po'. Voglio aiutarti. (Così magari potrei rivedere quel ragazzo che avevo conosciuto mentre ero lì!)

Fammi sapere.

Da: Rosie
A: Katie
Oggetto: Re: Ritorno a casa

Non ritornare a casa! È un ordine! Qui va tutto alla perfezione. Anche tu devi vivere la tua vita, quindi continua pure con i tuoi viaggi, dacci dentro con il lavoro e divertiti! Non preoccuparti per la nonna e per me. Noi stiamo benissimo!

Il mio lavoro mi piace molto e non mi pesa l'orario. E poi mi piace poter andare via ogni settimana a respirare l'aria frizzante del Connemara. Però ho un favore da chiederti. A me e a

Ruby piacerebbe tanto venire lì per una settimana in febbraio, se questo non intralcia i tuoi programmi. Ruby ha detto che vuole andare a una di quelle feste in cui stanno tutti immersi nella schiuma, e vincere una gara di "magliette bagnate" prima di compiere cinquant'anni!

Fammi sapere quale settimana ti andrebbe meglio.

Da: Rosie
A: Steph
Oggetto: Mamma

Ho un favore da chiederti. Credi che potresti prendere con te la mamma per qualche giorno in febbraio? Mi dispiace, so che anche tu hai un sacco di cose da fare, ma Beanie mi ha finalmente concesso una settimana di ferie e io vorrei tanto andare da Katie per vedere come vive in questo periodo. Vorrei conoscere i suoi amici e vedere dove lavora; sai, quelle cose noiose che fanno le mamme.

Se non ti è possibile, lo capirò. Magari potrei fare pressione su Kevin perché, tanto per cambiare, si preoccupi di qualcun altro oltre se stesso.

Tanti baci a tutti.

Da: Steph
A: Rosie
Oggetto: Re: Mamma

Ma certo che prenderò mamma con me! Anzi, farò di meglio e porterò tutta la famiglia nel Connemara per una settimana. Pierre mi ha trascinata dai suoi per il pranzo di Natale e quindi credo di poter dire a buon diritto che adesso tocca a me!

Tu hai bisogno di una pausa, Rosie. Mi spiace tanto che tocchi sempre a te fare tutto quanto. Certe volte avrei voglia di andare da Kevin e mollargli un bel calcio. Ho intenzione di fargli un bel discorsetto quando sarò lì, e magari chissà che non gli venga la voglia di vedere i suoi nipoti, una volta tanto.

Divertiti con Katie. È incredibile quanto sia cresciuta e quanto ti assomigli! Quando è stata da noi qualche mese fa, mi sembrava di parlare con te. Goditi la settimana con Ruby. In ogni caso, io ho proprio bisogno di passare un po' di tempo con la mamma.

Da: Alex
A: Katie
Oggetto: Sorpresa per i quarant'anni

Non so in quale parte del mondo ti trovi in questo momento, ma spero che continui a controllare la tua posta elettronica! Visto che tua madre compie quarant'anni il mese prossimo e che tu stai per farne ventuno, pensavo che sarebbe una buona idea organizzare una doppia festa di compleanno. Che ne dici di arrivare a casa e fare una bella sorpresa alla mamma?

Invita tutti i tuoi amici, e vediamo di far venire anche gli amici di Rosie. Magari potremmo coinvolgere Ruby perché ci dia una mano. Credo che ne sarebbe entusiasta.

Fammi sapere se pensi che sia una buona idea.

Rosie: Fra qualche giorno avrò quarant'anni, Ruby. *Quaranta*. I fatidici "anta".
Ruby: E allora?
Rosie: E allora sono *vecchia*.
Ruby: Quindi secondo te io cosa sarei, *antica*?
Rosie: Oh, scusa, ma hai capito quello che voglio dire. Non è che siamo proprio delle ventenni, non ti pare?
Ruby: No, e ringrazio Dio perché in quel caso mi toccherebbe ricominciare daccapo con un matrimonio di merda e un divorzio. Saremmo costrette ad andare a cercarci un lavoro, ci sentiremmo incerte circa il nostro futuro, ci dovremmo preoccupare di uscire con i ragazzi, di avere un aspetto decente, di quale macchina guidare e di quale musica ascoltare in macchina, di cosa metterci, se andare in certi locali oppure no, e bla bla bla. Che cosa c'è di bello nell'avere vent'an-

ni? Io li chiamo gli anni del materialismo. Gli anni in cui siamo distratti da tante fesserie. Poi, quando arriviamo a trent'anni, ci risvegliamo e cerchiamo di rimediare alle stupidaggini dei vent'anni. Ma i tuoi quaranta?

Rosie: Hmm, bella domanda. E i cinquanta a cosa servono?

Ruby: A rimettere a posto quello che hai incasinato nei quaranta.

Rosie: Fantastico. Non vedo l'ora di arrivarci.

Ruby: Oh, non preoccuparti, Rosie. Non hai bisogno di farla tanto lunga perché la terra ha fatto un altro giro intorno al sole. Ormai dovremmo semplicemente darlo per scontato. E allora, che cosa vuoi fare per il tuo compleanno?

Rosie: Niente?

Ruby: Ottimo piano. Perché venerdì sera non andiamo a sbronzarci nel mio locale?

Rosie: Mi sembra una bellissima idea.

Ruby: Però, aspetta un momento... È anche il compleanno del fratello di Teddy, e abbiamo organizzato una festa al Berkeley Court Hotel.

Rosie: Oh, che lusso! Adoro quell'albergo!

Ruby: Lo so. Credo che il festeggiato sia ancora nei guai. Francamente, non ti pare che dovrebbe immaginarselo che la polizia tiene d'occhio uno che è appena uscito di prigione? Certa gente non impara proprio mai.

Rosie: Allora preferisci che ci vediamo sabato sera?

Ruby: No! Che ne dici di venirmi a prendere all'albergo, così poi andiamo al pub insieme?

Rosie: D'accordo, ma non voglio che mi lasci da sola con il fratello di Teddy. L'ultima volta ha cercato di infilarmi la mano sotto la gonna.

Ruby: Vedi, Rosie, era uscito di prigione da pochi giorni. Puoi capire come si doveva sentire.

Rosie: Vabbè, lasciamo perdere. Allora, a che ora devo venirti a prendere?

Ruby: Alle otto.

Rosie: Stai scherzando? A che ora inizia la festa?

Ruby: Alle 7.30.

Rosie: Ruby! Dovresti fermarti un po' di più! Non posso certo venire a prenderti dopo mezz'ora; penserebbero tutti che sono una gran maleducata! Verrò alle nove e mezzo. Così avrai due ore per stare lì con loro.

Ruby: No! Devi venire alle otto!

Rosie: Perché?

Ruby: Be', tanto per cominciare la festa si terrà nella suite all'attico del Berkeley Court Hotel.

Rosie: Oh, mio Dio! Perché non me l'hai detto prima? Sarò lì alle sette e mezzo.

Ruby: No! Non puoi!

Rosie: Ma che cosa ti prende? Perché non posso?

Ruby: Perché tu non sei invitata e quelli penserebbero che hai una bella faccia tosta a presentarti lì in quel modo. Se arrivi alle otto, puoi dare un'occhiata in giro e poi andartene.

Rosie: Ma io voglio fermarmi all'attico. Hai idea di quello che significa per me?

Ruby: Certo... Però mi spiace tanto ma non puoi rimanere. In ogni caso, una volta conosciuto il resto della famiglia di Teddy, vorrai andartene subito.

Rosie: E va bene, ma spero ti renda conto che mi stai spezzando il cuore. E checché tu ne dica, qualunque oggetto dei bagni che non sia inchiodato al muro andrà a finire nella mia borsa. Anzi, penso che mi porterò la videocamera.

Ruby: Rosie, è una festa di compleanno. Sono sicura che un sacco di gente avrà la videocamera.

Rosie: Sì, lo so, ma farò anche delle fotografie per Katie. Le piacerebbe tanto vedere com'è la suite. Speravo che potesse venire ma non le sarà possibile. Il suo ventunesimo compleanno sarà qualche settimana dopo il mio e mi sarebbe tanto piaciuto festeggiarlo insieme... Purtroppo non sarà così. La mamma andrà a stare ancora per un po' da Stephanie, e così anche lei non ci sarà. In un primo momento sono rimasta un po' delusa, ma ultimamente è stata così poco bene che non ho voluto fare storie. Semplicemente sono felice che abbia espresso il desiderio di andare da qualche parte, anche se nel periodo del mio compleanno. E così ancora una volta saremo soltanto tu e io, però almeno quest'anno potrò dare uno sguardo alla suite dell'attico. Ruberò qualche idea per il mio albergo. Che meraviglia!

Ruby: Non vedo l'ora di vedere la tua faccia, Rosie. Ci vediamo alle otto, stanza 440.

Suite dell'Attico
440

SORPRESA, ROSIE!
BUON COMPLEANNO, ROSIE E KATIE!!

Tanti auguri per i tuoi quarant'anni, tesoro!

Il fine settimana della tua festa di compleanno è stato fantastico. Ti abbiamo proprio fatto una bella sorpresa, vero? Mi è tanto dispiaciuto doverti mentire dicendo che andavo a stare da Stephanie, ma valeva la pena farlo per vedere la tua faccia (e le tue lacrime). È stato Alex a organizzare tutto. È proprio un uomo adorabile, Rosie. Peccato, però, per quella moglie! Sai, quando eravate bambini ho sempre pensato che tu e lui vi sareste messi insieme. Che sciocchezza, vero?

A ogni modo, grazie, grazie, grazie perché sei una figlia meravigliosa e per tutto l'aiuto che mi hai dato in questi ultimi anni. Tuo padre sarebbe orgoglioso di te. Farò in modo di raccontargli tutto quando lo vedrò.

Sei una splendida giovane donna, Rosie Dunne. Tuo padre e io abbiamo fatto un buon lavoro!

Con tutto il mio amore, mamma

48

Tanti auguri per i tuoi settant'anni, mamma!

Sei arrivata a un grande traguardo e sembri più bella che mai! Ti porteremo a casa dall'ospedale il più presto possibile; nel frattempo ecco qui un po' d'uva per darti l'impressione di essere *veramente* malata!

Ti voglio tanto bene sempre e per sempre, mamma.

Rosie

CIAO, KEV, SONO STEPH. TI MANDO UN TELEGRAMMA PERCHÉ NON RIESCO A PARLARTI AL TELEFONO. DOVRESTI PROPRIO VENIRE NEL CONNEMARA, ADESSO. CI SIAMO.

CIAO, TESORO. CHIAMA TUO PADRE PRIMA CHE PUOI. TI HA PRENOTATO UN VOLO X DOMANI. SCUSA SE TI AVVERTO ALL'ULTIMO MOMENTO MA LA NONNA HA CHIESTO DI TE. KEV TI VERRÀ A PRENDERE ALL'AEROPORTO E TI PORTERÀ QUI. A DOMANI. BACI, MAMMA.

Dunne (nata O'Sullivan) (Connemara, Contea di Galway già Dundrum, Dublino 10) – Alice, devota moglie di Dennis e madre amorevole di Stephanie, Rosie e Kevin; sarà rimpianta dai nipoti Katie, Jean-Louis e Sophia, dal genero Pierre, dal fratello Patrick e dalla cognata Sandra. Oggi alle 16.45 il trasferimento dalla impresa di pompe funebri Stafford alla Chiesa di Oughterard, Connemara. Riposi in pace.
"Ar dheis lamh De go raibh a anam uasal."

ULTIME VOLONTÀ DI ALICE DUNNE
10 settembre 2000

CON IL PRESENTE ATTO SI ANNULLANO tutte le precedenti disposizioni testamentarie di Alice Dunne.

Se mio marito mi sopravvive di trenta giorni, LASCIO a lui ogni mia proprietà e lo nomino mio esecutore. Se mio marito non mi sopravvive, siano osservate le seguenti disposizioni:

1. NOMINO Rosie Dunne (in seguito chiamata "mio affidatario") mio esecutore e affidatario ai sensi della Legge sulla Proprietà Immobiliare, la Legge sul Trasferimento di Proprietà e l'articolo 57 della Legge sulle Successioni.
2. LASCIO al mio affidatario tutti i miei beni mobili e immobili con l'incarico di vendere gli stessi (con facoltà di posporre la vendita in toto o in parte per tutto il tempo che sarà ritenuto opportuno) o di trattenere gli stessi o i proventi della vendita con i seguenti obblighi...

✉ C'è posta per te da: Steph

Steph: Come va la mia sorellina?
Rosie: Oh, ciao, Steph! Mah... non so. C'è uno strano silenzio intorno a me in questi giorni. Mi sono ridotta ad accendere la televisione o la radio, tanto per riempire un po' il vuoto. Katie ha dovuto ritornare al suo lavoro; la gente ha smesso di telefonare per fare le condoglianze. È ritornata la calma e mi è rimasto solo questo silenzio.
Non so più che cosa fare nelle mie giornate libere, tanto ero abituata a saltare sul pullman per andare dalla mamma. Adesso la mia vita è cambiata. Prima, anche quando lei era a letto e sembrava tanto fragile e priva di forze, riusciva ugualmente a farmi sentire al sicuro. Le madri sono fatte anche per questo, non credi? La sola loro presenza ti conforta. E anche se ho finito per farle io da madre negli ultimi giorni, lei continuava a prendersi cura di me. Mi manca.

Steph: Anche a me, e nei momenti più strani. Soltanto quando ritorni alla vita di tutti i giorni te ne rendi conto. Devo continuamente rammentare a me stessa che quando suona il telefono non è lei a chiamare. Oppure quando ho un momento di tranquillità, prendo il telefono per chiamarla e poi mi ricordo che lei non c'è più. È una sensazione talmente strana...

Rosie: Kevin è ancora arrabbiato con me.

Steph: Lascialo perdere... È arrabbiato con il mondo intero.

Rosie: Però forse ha ragione, Steph. La mamma mi ha messo in una posizione imbarazzante lasciandomi la casa. Forse dovrei venderla e dividere il ricavato in tre parti. Sarebbe più giusto.

Steph: Rosie Dunne, tu non venderai quella casa per me e per Kevin. La mamma l'ha lasciata a te per una ragione ben precisa. Kevin e io siamo a posto finanziariamente; abbiamo una casa tutti e due. Non abbiamo bisogno della casa nel Connemara. La mamma lo sapeva, così l'ha lasciata a te. Tu lavori molto più duramente di noi due messi insieme e nonostante questo non riesci a venir via da quell'appartamento. Ovviamente non te l'ho detto, ma la mamma ne aveva parlato con me e io ero stata d'accordo. Questa è la soluzione migliore. Non dare retta a Kevin.

Rosie: Non lo so, Steph; non mi sento a mio agio...

Steph: Rosie, credimi, se io avessi problemi di soldi, te lo direi e potremmo trovare insieme una soluzione. Ma non ne ho. E nemmeno Kevin. Non è che noi due siamo stati dimenticati nel testamento. Noi siamo a posto, sul serio. La casa nel Connemara appartiene a te. Fanne quello che vuoi.

Rosie: Grazie, Steph.

Steph: Figurati. E allora, che cosa farai laggiù, Rosie? Non mi piace che tu te ne stia tutta sola. Vuoi venire qui da me per un po'?

Rosie: No, grazie, Steph. Devo darmi da fare. Voglio buttarmi anima e corpo in questo lavoro e fare di quell'albergo il migliore del mondo.

Grand Tower Hotel
Tower Road
Dublino 1

Egregio signor Cronin Ui Cheallaigh,
a seguito dell'ispezione recentemente effettuata al Grand Tower Hotel, nel corso della quale è emerso un rischio imminente ed effettivo per la vita, la salute e la sicurezza degli occupanti il suo esercizio, la informiamo che è stata emessa un'ordinanza di sospensione dell'attività.

Nel corso dell'ispezione, il Dipartimento per il Controllo Edilizio ha rilevato più di cento violazioni al codice, fra cui la totale assenza di rilevatori di fumo, la mancanza di un'assicurazione contro possibili infiltrazioni o dispersioni d'acqua e l'illuminazione insufficiente.

È stata inoltre segnalata una totale inosservanza delle più elementari norme igieniche nei bagni e la presenza di roditori nelle cucine.

In base alla documentazione in nostro possesso, nel corso degli anni le è stato più volte intimato di provvedere alla manutenzione dello stabile e di effettuare le necessarie migliorie atte a consentire al suo esercizio di conformarsi alle sue precipue prerogative. Tali intimazioni sono state ignorate, e non abbiamo quindi altra scelta se non chiudere l'albergo.

Il locale al seminterrato può restare aperto.

La preghiamo di mettersi in contatto con i nostri uffici non appena riceverà questa comunicazione. A tergo troverà i dettagli sulla legge per la tutela della salute.

Cordiali saluti,
Adam Delaney
Ministero dei Lavori Pubblici

Da: Katie
A: mamma
Oggetto: Il tuo lavoro

Ho sentito che hai perso il lavoro e mi spiace tanto. So che lo odiavi, comunque non è mai simpatico essere costretti ad andarsene se non siamo stati noi a prendere la decisione. Non sono riuscita a chiamarti: o sei stata tutto il giorno al telefono, oppure l'hai staccato. Comunque sia, ho pensato di mandarti una e-mail. Mi sono completamente dimenticata di dirti che quando siamo ritornate a Dublino dopo il funerale Comesichiama è passato da casa per vederti.

Non ho voluto chiamarti perché eri già abbastanza sconvolta, e così ho preso io il messaggio. Ha lasciato delle lettere indirizzate a te che erano state recapitate a casa sua e che, a sentir lui, avrebbero in qualche modo potuto esserti di conforto, adesso che tua madre e tuo padre se ne sono andati. Ha detto che capisce come ti puoi sentire perché sua madre è morta l'anno scorso, e che non voleva più essere la causa della tua solitudine.

Sembrava sincero ma, trattandosi di lui, chi può dirlo? È stato strano rivederlo dopo tanti anni. È proprio invecchiato. Comunque, spero che il contenuto di queste lettere non sia troppo importante, ma fammelo sapere in ogni caso. Ho lasciato le due buste nell'ultimo cassetto dell'armadietto in salotto.

Reginald e Miranda Williams
sono lieti di invitare **Rosie Dunne** al matrimonio
della loro figlia
Bethany
con
Alex Stewart
presso la
Memorial Church della Harvard University
il 28 dicembre alle ore 14.00.
Seguirà un ricevimento al
Boston Harbor Hotel
RSVP Miranda Williams

Rosie,

domani torno a Boston, ma prima di partire volevo scriverti questa lettera. Tutti i pensieri e i sentimenti che mi ribollivano dentro traboccano finalmente dalla penna; ti lascio queste poche righe perché tu non abbia la sensazione che io ti voglia in qualche modo fare pressione. Mi rendo conto che avrai bisogno di tempo per valutare quello che sto per dirti.

So bene che cosa ti sta succedendo, Rosie. Tu sei la mia più cara amica e io vedo chiaramente la tristezza nei tuoi occhi. So che Greg non è via per lavoro, questo fine settimana. Tu non sei mai riuscita a mentirmi; sei negata. I tuoi occhi ti tradiscono sempre. Non fingere che tutto vada benissimo, perché io *vedo* che non è così. Vedo che Greg è un egoista che non ha la minima idea della fortuna che ha, e questo mi fa star male.

È l'uomo più fortunato al mondo ad avere te, Rosie, ma non ti merita e *tu* meriti molto di più. Ti meriti qualcuno che ti ami con tutto il cuore, qualcuno che pensi a te costantemente, qualcuno che passi ogni minuto di ogni giorno a domandarsi che cosa stai facendo, dove sei, con chi sei, se stai bene. Hai bisogno di qualcuno che ti possa aiutare a realizzare i tuoi sogni e che sia in grado di proteggerti dalle tue paure. Hai bisogno di qualcuno che ti tratti con rispetto, che ami tutto di te, *soprattutto* i tuoi difetti. Dovresti avere accanto qualcuno che ti possa rendere felice, davvero felice, *spensieratamente* felice. Qualcuno che avrebbe dovuto cogliere l'occasione di stare con te tanti anni fa invece di lasciarsi prendere dal panico e sentirsi troppo spaventato per tentare.

Io non ho più paura, Rosie. Non ho paura di tentare. Ora sono certo di sapere che cosa ho provato al tuo matrimonio: gelosia. Mi sono sentito il cuore andare in pezzi nel vedere la donna che amo voltarmi le spalle e avviarsi lungo la navata al fianco di un altro uomo, un uomo con il quale lei contava di trascorrere il resto della vita. Per me è stata come una sentenza di condanna a vita: gli anni mi si stendevano davanti e io non ero riuscito a dirti i miei sentimenti o a stringerti tra le braccia come avrei desiderato.

Per ben due volte siamo stati l'uno accanto all'altra sull'altare, Rosie. *Per ben due volte*. E per ben due volte abbiamo sbagliato. Avevo bisogno che tu fossi presente il giorno del mio matrimonio, ma ero troppo stupido per capire che avevo bisogno che tu fossi la *ragione* del mio matrimonio.

Non avrei mai dovuto permettere che le tue labbra si staccassero dalle mie, tanti anni fa a Boston. Non avrei mai dovuto allontanarmi. Non avrei dovuto lasciarmi prendere dal panico. Non avrei dovuto sprecare tutti questi anni senza di te. Dammi la possibilità di recuperare il tempo perduto. Ti amo, Rosie, e voglio stare con te, con Katie e con Josh. Per sempre.

Ti prego, pensaci. Non perdere tempo con Greg. Ora tocca a noi. Smettiamola di avere paura e cogliamo questa occasione. Ti prometto che ti renderò felice.

Con tutto il mio amore,
Alex

49

Da: Ruby
A: Rosie
Oggetto: Va tutto bene?

Non ho più tue notizie da quasi due settimane: è il periodo più lungo che abbiamo passato senza sentirci. Va tutto bene? Sono passata da casa tua, ma Rupert mi ha detto che eri andata a Galway. Hai fatto le valigie e te ne sei andata senza nemmeno salutarmi: deve essere successo qualcosa. Da quanto tempo stavi progettando di fermarti laggiù e perché non l'hai detto a nessuno?

Il telefono di tua madre è ovviamente stato staccato e così non sapevo in quale altro modo raggiungerti. Capisco che tu abbia bisogno di restare un po' da sola. Perdere i genitori è veramente doloroso. Per quanto avessi di che lamentarmi di loro, è stato comunque duro sopportare la loro perdita. Sì, lo so, io scherzo sempre, però puoi contare su di me, Rosie, se hai bisogno di qualcuno con cui parlare, di una spalla su cui piangere e persino di qualcuno da strapazzare.

Vorrei dirti che mi dispiace che tu abbia perso il lavoro, invece non mi dispiace affatto. Non eri proprio fatta per quell'albergo; avevi grandi sogni che si stendevano ben oltre quelle mura sgretolate. Adesso il mondo è – ancora una volta – nelle tue mani.

Ti prego, fammi sapere che stai bene oppure verrò io stessa a controllare, e questa non è una minaccia, è una promessa.

Benvenuti nella chat room dei Dublinesi Divorziati Felici e Contenti.

In questo momento tre persone stanno chattando.

Cuore Solitario: Ieri il tizio del mio gruppo di lettura mi ha invitata fuori. Usciamo insieme. Questo fine settimana. Soltanto io e lui. Però io non so...
Fiore Selvatico: Tu non sai cosa?
Cuore Solitario: Be', ecco, non so se dovrei ricominciare ad accettare appuntamenti. Voglio dire, non so se sono pronta, così presto dopo Tommy e tutto quanto...
Fiore Selvatico: *Così presto?* Nel caso non l'avessi notato, sono passati *dieci anni* da quando Tommy ti ha lasciata.
Cuore Solitario: Oh, non sembra che siano passati dieci anni.
Fiore Selvatico: Be', se tu l'avessi piantata di piangere e lamentarti di quanto eri sola, avresti potuto pensare alla tua vita in modo razionale. Con quale tizio del gruppo di lettura uscirai?
Cuore Solitario: Con *l'unico* tizio del gruppo di lettura.
Fiore Selvatico: Scommetto che adesso le altre signore si ritireranno tutte in buon ordine. Ma la domanda più importante per te è: ha un passato criminale?
Cuore Solitario: No, ho controllato.
Fiore Selvatico: Oddio, ma stavo scherzando! Comunque almeno così sei sicura che la tua televisione non prenderà il volo mentre vai in bagno.
Cuore Solitario: Un lusso che la maggior parte delle donne non apprezza.

Sicura entra in rete.

Fiore Selvatico: Sembra proprio perfetto per te. Non vedo perché non dovresti uscire con lui. Buona fortuna per il tuo appuntamento.
Sicura: Cuore Solitario, hai un *appuntamento*?
Cuore Solitario: Lo dici come se fosse una malattia.
Fiore Selvatico: Be', credo che potrebbe diventarlo.
Sicura: No, è che sono scioccata! In senso buono! Congratulazioni!

Cuore Solitario: Grazie! Ehi, ma hai cambiato nome!
Sicura: Lo so. Mi hanno concesso l'annullamento. Ve l'avevo detto che la chiesa aveva buon senso. Sono stati d'accordo sul fatto che Leonard è un vero stronzo.
Fiore Selvatico: Sicura! Certo che è una bella novità sentirti dire cose del genere! Non sono sicura che la chiesa pensi proprio *quello*, comunque è un buon inizio...
Fiorellino: Congratulazioni, Sicura!
Sicura: Grazie, ragazze! È un po' che non ti sentivamo, Fiorellino. Dov'eri finita?
Fiorellino: In queste ultime settimane sono stata nella casa del Connemara. Avevo un sacco di cose a cui pensare.
Fiore Selvatico: Va tutto bene?
Fiorellino: Non proprio.
Sicura: Ce ne vuoi parlare? Magari ti possiamo dare una mano.
Fiorellino: Ecco, mia madre è morta, ho perso il lavoro e ho paura persino di pronunciare le parole "e qualcos'altro", in caso questo "qualcos'altro" si avveri e mi faccia venire un esaurimento nervoso. Perché, se si avvera, dichiarerebbe ufficialmente gli ultimi anni della mia vita del tutto inutili, una totale perdita di tempo.
Cuore Solitario: Ma noi siamo tutte vere esperte in materia. Tu ormai sai che quello che ci diciamo in questa chat room rimane tra noi; magari possiamo aiutarti a fare luce sul tuo problema.
Fiorellino: Grazie. Be', ecco qua... Ho ritrovato una lettera che è stata scritta subito dopo il mio trentesimo compleanno. Una lettera che era indirizzata a me ma che non è mai arrivata nelle mie mani. Era di Alex.
Cuore Solitario: Ooh, e che cosa ti diceva nella lettera?
Fiorellino: È proprio qui il problema. Diceva che era innamorato di me.
Fiore Selvatico: Caspita!
Sicura: Oh, mio Dio!
Cuore Solitario: No! Ma dove l'hai trovata la lettera?
Fiorellino: Comesichiama me l'ha restituita. "Non voleva più essere la causa della mia solitudine", ha detto.
Cuore Solitario: E l'ha tenuta per tutti questi anni?

Fiorellino: Non ho idea del perché l'abbia tenuta per tutti questi anni. Ancora non l'ho capito. Veramente, non ho mai capito niente di lui mentre eravamo sposati. Adesso non so proprio che cosa pensare, sono letteralmente sotto choc.

Fiore Selvatico: Ma hai parlato con Alex?

Fiorellino: Come faccio a parlare con lui, Fiore Selvatico? Sapendo quello che so, come posso anche solo *pensare* a lui?

Fiore Selvatico: Non mi sembra poi molto difficile. Ti ha semplicemente detto che ti ama!

Fiorellino: No, lui mi ha detto più di *dieci* anni fa che era innamorato di me. *Prima* di sposarsi, *prima* di avere Theo. Proprio non ci riuscirei a parlargli. Lui continua a scrivermi e a telefonarmi, ma al solo pensiero dell'opportunità che ho perduto mi sento un tale nodo allo stomaco che non riesco a rispondere ai suoi messaggi.

Cuore Solitario: Ma tu devi dirglielo che lo sai!

Fiorellino: Stavo per farlo. Mi sentivo un po' impaurita e nello stesso tempo euforica. Stavo per telefonargli per dirglielo, tanto per tastare il terreno e vedere come reagiva, per poi affrontare l'argomento un po' più approfonditamente. Ma quel mattino ho trovato nella cassetta della posta il consueto biglietto di auguri per Natale. Sul frontespizio c'era la fotografia di sua moglie e dei due figli, tutti con indosso coloratissimi maglioni natalizi: Theo senza i due denti davanti, Josh con un sorriso raggiante, tale e quale a suo padre, e Bethany mano nella mano con Alex. E non ho potuto dirglielo. E comunque, che importanza potrebbe avere per lui, ormai? È sposato. È felice. Con me ha chiuso. E se anche non fosse così, non potrei pretendere che lui salti fuori da quella perfetta fotografia natalizia soltanto per me. La possibilità di un futuro insieme per me e Alex si è completamente sbiadita, proprio come le nostre vecchie fotografie nel medaglione di Katie.

Sicura: Da' retta a me, Fiorellino, fai bene a lasciare in pace quella famiglia.

Fiore Selvatico: Ma lei lo ama! E lui ama lei! E ora come ora tutti non fanno che lavorare di aerografo sulle loro fotografie.

Sicura: Quanti anni hai adesso, Fiorellino, quarantadue?

Fiorellino: Sì.

Sicura: Bene. Lui ha scritto quella lettera dodici anni fa, prima di sposarsi. Non è giusto risollevare la questione adesso. Dicendoglielo, Fiorellino potrebbe spezzare troppo piccoli cuori.

Fiore Selvatico: Oh, non darle retta. Salta sul primo aereo e va' da Alex per dirgli che sei innamorata di lui.

Fiorellino: E se poi lui non prova più le stesse cose per me? In tutti questi anni non ho mai notato in lui il benché minimo indizio di un sentimento d'amore nei miei confronti.

Sicura: Perché lui è *sposato*. È una brava persona, Fiorellino. Si attiene alle regole.

Fiore Selvatico: Oh, le regole sono fatte per essere infrante!

Sicura: Non quando si feriscono altre persone, Fiore Selvatico.

Fiore Selvatico: Non lasciarti mettere sotto i piedi, Fiorellino. Si tratta della tua vita. Se vuoi qualcosa, devi andare a prendertela tu, perché nessuno te la servirà su un piatto d'argento. Le brave ragazze arrivano sempre seconde.

Sicura: Le brave ragazze hanno una coscienza e in questo modo possono vivere serene. E comunque, non abbiamo nemmeno preso in considerazione il fatto che col tempo i sentimenti di Alex per Fiorellino possono essersi attenuati.

Fiore Selvatico: Oh, e perché non l'aiutiamo a tagliarsi le vene, Sicura?

Fiorellino: Ha ragione, Fiore Selvatico. Devo considerare la cosa da tutti i punti di vista prima di buttarmi in questo casino. Dio, mi sento male. E ditemi un po': che cosa succederebbe se dicessi ad Alex che ho ricevuto la sua lettera e i suoi sentimenti fossero cambiati? Che cosa farei in quel caso? Le cose fra noi non potrebbero mai più tornare come prima e io perderei il mio migliore amico, e questo non potrei proprio sopportarlo.

Fiore Selvatico: D'accordo, ma supponi che, nel momento in cui gli dici quello che provi, lui ti abbracci appassionatamente: allora tu ti sentiresti sollevata perché finalmente conosceresti i suoi veri sentimenti e voi due potreste vivere per sempre felici.

Sicura: Oh, ma certo, tra un rovinoso divorzio, le lotte in tribunale per la custodia dei figli, una ex moglie con il cuore spezzato e...

Fiore Selvatico: Sì, e chi più ne ha più ne metta!

Sicura: Se riesci a vivere in pace con te stessa comportandoti così, allora vai avanti a qualunque costo; quanto a me, non potrei farlo.

Fiore Selvatico: Ma non può far finta che non sia successo niente!

Sicura: La tua amicizia con Alex rimarrà intatta, e la sua felicità non verrà intaccata, proprio come è accaduto quando Alex non ha ottenuto alcuna risposta da parte tua, tanti anni fa. Lui è andato avanti come sempre, come se non fosse accaduto niente.

Fiorellino: Perché è andato avanti come se niente fosse? Ricordo che mi aveva chiesto di una lettera, e che io gli avevo risposto di non averla ricevuta. Perché non me l'ha detto a voce, allora?

Fiore Selvatico: Forse ha avuto paura.

Sicura: Oppure ha visto che eri innamorata di tuo marito.

Fiorellino: È tutto così confuso. Cuore Solitario, tu non hai detto una parola. Che cosa ne pensi?

Cuore Solitario: Be', io più di tutte so cosa significa sentirsi sola, e certe volte pensavo che avrei fatto qualunque cosa pur di trovare l'amore, però Sicura ci ha dato un altro punto di vista. Sapendo il dolore che ha provato, io non cercherei la mia felicità a spese di altri. Andrei avanti come al solito, come se non fosse successo niente.

Fiore Selvatico: Voi tre siete incredibili. Imparate un po' a vivere! Fai agli altri quello che gli altri hanno fatto a te. Tutte voi siete state buggerate dagli altri.

Fiorellino: Sì, certamente, ma per quanto Bethany non mi piaccia neanche un po', lei non ha mai fatto niente per ferirmi.

Fiore Selvatico: Tranne sposare Alex.

Fiorellino: Ma Alex non è mia proprietà.

Fiore Selvatico: Potrebbe esserlo.

Fiorellino: Non si può essere proprietari di qualcuno. Comunque, quanto alla domanda se sia il caso che io stia con lui oppure no, la risposta è no. Non adesso. Magari in un altro momento.

PadreMichael entra in rete.

Fiore Selvatico: Non dirmi che stai affrontando un divorzio anche tu, Padre.
Sicura: Non fare la scema, Fiore Selvatico, cerca di avere un po' di rispetto. Lui è qui per la cerimonia.
Fiore Selvatico: Lo so benissimo. Cercavo soltanto di alleggerire un tantino l'atmosfera.
PadreMichael: E allora, i cari sposini sono arrivati?
Sicura: No, ma è tradizione che la sposa arrivi in ritardo.
PadreMichael: Va bene, ma lo sposo è qui?

SingleSam entra in rete.

Fiore Selvatico: Eccolo qui. Ehi, salve, SingleSam. Credo che questa sia la prima volta in assoluto che sia lo sposo sia la sposa dovranno cambiare il proprio nome.
SingleSam: Ciao a tutti.
Fiorellino: Dov'è la sposa?
SingleSam: È qui al computer accanto a me. Ha qualche problema con la sua password per entrare in rete.
Sicura: Condannata fin dall'inizio.

Divorziata_1 entra in rete.

Fiore Selvatico: Evviva! Ecco qui la sposa tutta vestita di...?
SingleSam: Nero.
Fiore Selvatico: Incantevole!
Fiorellino: Ha ragione a vestirsi di nero.
Divorziata_1: Cosa c'è che non va con voi piagnone, oggi?
Cuore Solitario: Ha trovato una lettera di Alex scritta dodici anni fa in cui lui le dichiarava il suo amore, e non sa che cosa fare.
Divorziata_1: Dammi retta, mettici una pietra sopra. Lui è sposato. E adesso vediamo di concentrarci su di me, una volta tanto.

Conluihochiuso entra in rete.

PadreMichael: Bene, cominciamo. Oggi siamo qui riuniti in rete per prendere parte al matrimonio di SingleSam (d'ora in poi "Sam") e Divorziata_1 (d'ora in poi "Sposata_1").

Conluihochiuso: CHE COSA? COSA DIAVOLO STA SUCCEDENDO QUI? STATE CELEBRANDO UNA CERIMONIA NUZIALE IN UNA CHAT ROOM DI GENTE DIVORZIATA??

Fiore Selvatico: Ollallà, a quanto pare abbiamo un ospite indesiderato. Scusa, possiamo vedere il tuo invito?

Divorziata_1: Ah ah.

Conluihochiuso: LO TROVATE TANTO DIVERTENTE? MI FATE PROPRIO VOMITARE: VENIRE QUI E CERCARE DI SCONVOLGERE LE ALTRE CHE SONO GIÀ PROFONDAMENTE ADDOLORATE.

Fiorellino: Certo che siamo addolorate. Ma vuoi, per favore, piantarla di gridare?

Cuore Solitario: Vedi, Conluihochiuso, è qui che SingleSam e Divorziata_1 si sono conosciuti.

Conluihochiuso: OH, ADESSO LE HO PROPRIO VISTE TUTTE!

Fiorellino: Shh!!

Conluihochiuso: Scusate. Vi dispiace se resto qui?

Divorziata_1: Figurati, aggregati pure; basta che non ti aggreghi anche quando io e lui ce ne andremo in camera.

PadreMichael: Scusate, dovremmo andare avanti con la cerimonia; non vorrei far tardi per quella delle due. Per prima cosa devo chiedere: c'è qualcuno che abbia dei validi motivi per opporsi a questo matrimonio?

Cuore Solitario: Sì.

Sicura: Ho più di un valido motivo.

Fiorellino: Diavolo, certo che ne ho.

Conluihochiuso: NON FARLO!

PadreMichael: Be', ho paura che questo mi metta in una situazione veramente imbarazzante.

Divorziata_1: Padre, siamo in una chat room di divorziati: è logico che tutte quante siano contrarie al matrimonio. Possiamo andare avanti?

PadreMichael: Ma certo. Vuoi tu Sam prendere Penelope come tua legittima moglie?

SingleSam: Sì.

PadreMichael: Vuoi tu Penelope prendere Sam come tuo legittimo marito?

Divorziata_1: Sì. (Ebbene sì, mi chiamo Penelope.)
PadreMichael: Mi avete appena inviato per e-mail la vostra solenne promessa, quindi per i poteri conferitimi in rete, io ora vi dichiaro marito e moglie. Puoi baciare la sposa. Adesso, se i testimoni vogliono cliccare sull'icona a destra dello schermo, apriranno una scheda in cui dovranno scrivere il proprio nome, indirizzo e numero telefonico. Una volta compilata la scheda, inviatemela. Ora devo andare. Congratulazioni a tutti e due.

PadreMichael si disconnette.

Fiore Selvatico: Congratulazioni, Sam e Penelope!
Divorziata_1: Grazie, ragazze, per essere qui.
Conluihochiuso: Pazzi furiosi.

Conluihochiuso si disconnette.

Fiore Selvatico: Ah, chiamatemi Jane. Bene, cari piccioncini, me ne vado. Godetevi la vostra luna di miele, e spero di non rivedervi mai più qui. Cuore Solitario, buona fortuna per il tuo appuntamento. Sicura, goditi questo nuovo inizio per la tua vita e, Fiorellino, o dovrei chiamarti Rosie Dunne, che cosa hai intenzione di fare?

Ruby: Cosa vuol dire che te ne vai nella contea di Galway?
Rosie: Quello che ho detto. Me ne vado una volta per tutte da quell'orribile appartamento di Dublino e mi trasferisco nel Connemara per sempre.
Ruby: Ma *perché*?
Rosie: Ruby, non c'è niente che mi trattenga a Dublino. A parte te, naturalmente. Ho fatto una sfilza di lavori insoddisfacenti uno peggio dell'altro, non ho nessuno in questa città e proprio qui mi si è spezzato il cuore per ben due volte, non ho il becco d'un quattrino e non ho un uomo. Non vedo una sola ragione per restare.
Ruby: Be', perdonami per essere proprio io a comunicarti que-

sta triste notizia, ma nemmeno a Galway hai famiglia, né un uomo, né un lavoro.

Rosie: Magari non avrò niente di tutto questo, ma almeno ho una *casa*.

Ruby: Sei diventata matta, Rosie?

Rosie: Probabilmente! Pensaci un momento: ho una casa grande e moderna con ben quattro camere da letto proprio sulla costa del Connemara.

Ruby: Appunto! Che cosa hai intenzione di fare tutta sola, senza un impiego, in una casa con quattro camere da letto in cima a una scogliera nel Connemara?

Rosie: Potresti arrivarci benissimo.

Ruby: Be', pensavo che ti volessi suicidare. Spero di sbagliarmi.

Rosie: No, stupida! Ho intenzione di aprire un bed and breakfast! So che ho sempre detto che odiavo i bed and breakfast, ma sto progettando di trasformare la casa in una specie di minialbergo. E sarò una direttrice/proprietaria fantastica!

Ruby: Caspita.

Rosie: Cosa ne pensi?

Ruby: Penso che... caspita. Per la verità, non riesco a trovare niente di sarcastico da dire. Penso che sia un'idea straordinaria. Sei sicura di volerlo fare?

Rosie: Ruby, in vita mia non sono mai stata tanto sicura! Ho fatto le mie indagini. Con l'eredità di mamma e papà posso pagare l'assicurazione. Ho chiesto a tutti i bed and breakfast dei dintorni e la zona pullula di turisti. È un po' dura in novembre e dicembre, ma di solito si riesce a incassare abbastanza negli altri mesi dell'anno da non risentirne.
La zona è stupenda: la costa è sensazionale molto frastagliata, le torbiere emanano un intrigante senso di mistero, le onde si abbattono fragorosamente sulla scogliera; adoro al posto. È soltanto natura con tutti i suoi elementi al meglio: chi non vorrebbe venire qui? Chi non vorrebbe vivere qui?

Ruby: Be', *io* non vorrei, comunque capisco quello che vuoi dire, Rosie. Mi congratulo, piccolo genio. Spero che qualunque sia il motivo che ti ha spinta a fare fagotto, non ti perseguiti mai più.

Rosie Dunne sarà lieta di ospitarvi alla Casa del Fiorellino. È una costruzione moderna con quattro camere da letto approvata dal Failte Bord, il Ministero del Turismo irlandese. Sono tutte stanze con bagno, con riscaldamento centralizzato e telefono. Sono disponibili camere matrimoniali, camere a due letti e singole.

La Casa del Fiorellino è il posto ideale per esplorare il Connemara, fare piacevoli passeggiate in collina o lungo le interminabili spiagge sabbiose e pescare nel Lough Corrib, il più grande bacino d'acqua naturale d'Irlanda, uno dei luoghi preferiti dagli amanti della pesca al salmone e alla trota bruna. Lungo la costa è possibile fare immersioni subacquee, andare a vela e praticare windsurf.

Il Parco Nazionale del Connemara è una riserva naturale su un territorio di 2000 ettari di proprietà dello Stato, con montagne, torbiere, praterie e un'incredibile varietà di piante e specie animali. Si possono ammirare i resti di antichi insediamenti, fra i quali tombe megalitiche risalenti al II millennio a.C. Vi sono molti campi da golf, con colline rocciose e piccole insenature lungo la costa che costituiscono una vera sfida per i golfisti più esperti. Passeggiate a piedi, a cavallo e in bicicletta consentono di esplorare a fondo la zona, e anche l'alpinismo è molto praticato.

La sala della televisione è arredata in modo confortevole, con caminetto, giochi da tavolo e una biblioteca ben fornita che offre agli ospiti un po' di relax dopo le molteplici attività della giornata. La tradizionale colazione irlandese è servita nella sala da pranzo e nella serra dalle quali si può godere uno splendido panorama delle montagne e dell'Oceano Atlantico.

La tariffa è di 35 euro a notte per persona.

Per le prenotazioni contattare Rosie Dunne.

Da: Katie
A: mamma
Oggetto: Wow!

Wow, mamma, è fantastico! Le fotografie sono bellissime. Hai fatto uno splendido lavoro con la casa. Finalmente sei direttrice e proprietaria della Casa del Fiorellino! Verrò la prossima settimana per aiutarti con gli ultimi preparativi e potremo anche andare a fare spese per arricchire la tua "nuova casa". Il nonno e la nonna sarebbero tanto orgogliosi dell'uso che hai deciso di farne. Dicevano sempre che il fatto che ci vivessero solamente due persone era un grande spreco di spazio.

Ben fatto! Ci vediamo la settimana prossima.

Cara Rosie,

volevo soltanto sapere se va tutto bene tra noi. Negli ultimi tempi mi sei sembrata un po'... strana al telefono. Ho fatto qualcosa che ti ha dato fastidio? Non mi sembra di aver detto niente che possa averti irritata ma in caso contrario dimmelo. A quanto pare in questi giorni non devo fare il minimo sforzo per riuscire a contrariare le donne della mia vita.

Bethany attacca a litigare con me se mi azzardo anche solo a guardarla. Nel caso, senza volerlo, avessi fatto lo stesso anche con te, Rosie, ti prego, fammelo sapere.

Bethany sta diventando matta a organizzare la festa per il decimo compleanno di Theo, la settimana prossima. Ha invitato più amici suoi che di Theo, e Josh continua a rubarmi la macchina per andarsene in giro tutta la notte con la sua nuova ragazza. È una ragazza molto dolce ma non capisco proprio che cosa ci trovi in mio figlio, questo è poco ma sicuro. È completamente pazzo furioso. A quanto pare non riesco a fargli mettere la testa a posto e a farlo studiare (in questo momento mi sembra di sentire mio padre). Il prossimo settembre dovrebbe andare al college, ma considerando il fatto che non si è ancora iscritto a nessuna facoltà e che non ha la minima idea di quello che vuole combinare tranne guidare la mia auto, suppongo che si prenderà un anno di tempo per decidere quali studi intraprendere.

Theo pensa che Josh non sia normale. Ha paura di lui. E così noi speriamo che Theo sia il figlio di cui possiamo parlare tranquillamente e che possiamo riconoscere come tale. Naturalmente sto scherzando.

In ospedale va tutto bene. È sempre il solito tran tran, ma la mia vita è enormemente più facile, adesso che Reginald Williams è andato in pensione. Ora posso respirare senza essere costretto a giustificarmi. Lavorare con il suocero è consigliabile tanto quanto vivere con sua figlia. Sto sempre scherzando, *ovviamente.*

Be', quasi, comunque sarà meglio non approfondire l'argomento.

Adesso devo andare, ma volevo assicurarmi che andasse tutto bene tra noi. L'opuscolo pubblicitario per il tuo bed & breakfast è bellissimo! Ti faccio tutti i miei auguri, Rosie! Tu ti meriti il meglio.

Baci,
Alex

Da: Rosie
A: Alex
Oggetto: Scuse

Ti chiedo scusa se ti sono sembrata un po' polemica al telefono. Ero solo un po' distratta da alcune cosucce che sono saltate fuori dal mio passato e delle quali sono sempre stata completamente all'oscuro. Mi hanno tormentata per un po', ma adesso ho risolto tutto e sono a posto.

Sono pronta a partire e a dedicare i prossimi dieci anni della mia vita ai miei sogni di grandezza e felicità. Naturalmente sarai il benvenuto qui da me in qualunque momento deciderai di venire.

Da: Alex
A: Rosie
Oggetto: Grazie

Ti ringrazio di cuore per la tua generosa offerta, Rosie. Farò in modo di prenderti in parola non appena mia moglie non mi guarda.

Da: Rosie
A: Alex
Oggetto: Flirt

Senti un po'! Non starai mica flirtando con me, Alex Stewart!

Da: Alex
A: Rosie
Oggetto: Re: Flirt

Credo proprio di sì, Rosie Dunne. Chiamami fra dieci anni quando i tuoi sogni di grandezza avranno raggiunto il culmine.

Parte Quinta

50

C'è posta per te da: Katie

Katie: Buon compleanno, mamma! Come ci si sente ad avere cinquant'anni?
Rosie: Bollenti.
Katie: Hai avuto un'altra vampata?
Rosie: Sì. Come ci si sente ad avere quasi trentun anni? Nessun accenno da parte della mia unica figlia a sistemarsi, trovare un lavoro decente e darmi dei nipotini?
Katie: Hmm... Non credo, anche se questa mattina sulla spiaggia c'era un bambino che faceva castelli di sabbia, e per la prima volta ho pensato che era carino. È possibile che mi converta al modo di pensare del resto del mondo.
Rosie: Sembra promettente. Pensavo che i miei sogni dovessero svanire, ma mi hai dato qualche speranza. Forse adesso posso cominciare a dire alla gente che ho davvero una figlia.
Katie: Molto divertente. Come va il bed & breakfast?
Rosie: Alla grande, ringraziando Dio. Stavo appunto aggiornando il sito quando mi hai chiamata. La Casa del Fiorellino adesso ha *sette* camere con bagno.
Katie: Lo so. La casa è super. Lo sapevo che ci riuscivi.
Rosie: Lo sapevi che ci *sarei riuscita*.
Katie: Scusa, noi DJ non abbiamo bisogno di badare alla grammatica. OH, MIO DIO! Stavo quasi per dimenticarmi! Mi sembra incredibile non avertelo detto subito. Non indovinerai mai chi ho incontrato nel locale ieri sera!
Rosie: Be', se non lo indovinerò mai, non mi ci metto nemmeno.
Katie: Toby Flynn!!
Rosie: Mai sentito nominare. È una tua vecchia fiamma?

Katie: Mamma! Toby Flynn! *Toby!*

Rosie: Non vedo proprio come continuare a ripetermi questo nome possa essermi d'aiuto.

Katie: Il mio migliore amico dei tempi della scuola! *Toby!*

Rosie: Oh, mio Dio! Toby! Amore! E come sta?

Katie: Sta bene. Fa il dentista a Dublino, proprio come desiderava, e adesso è qui a Ibiza per una vacanza di due settimane. È stato così strano rivederlo dopo dieci anni, comunque non è affatto cambiato!

Rosie: Oh, ma è fantastico. Salutamelo!

Katie: Certo. Mi ha detto un sacco di cose carine su di te. Ci rivediamo proprio stasera. Andiamo fuori a mangiare.

Rosie: Cos'è, c'è del tenero?

Katie: No! Non potrei avere una storia con Toby. Stiamo parlando di Toby! Vogliamo soltanto fare una rimpatriata.

Rosie: Se lo dici tu.

Katie: Ti giuro, mamma! Non potrei mai avere una storia con Toby; lui è sempre stato il mio migliore amico. Sarebbe una cosa troppo strana.

Rosie: Non ci trovo niente di male nell'avere una storia con il proprio migliore amico.

Katie: Mamma, sarebbe come se tu avessi una storia con Alex.

Rosie: Be', io lo troverei perfettamente normale.

Katie: Mamma!

Rosie: Cosa? Non ci vedo proprio niente di strano. A ogni modo, hai parlato con Alex ultimamente?

Katie: Sì, proprio ieri. È ancora ai ferri corti. Bethany lo sta mettendo in croce. Francamente, penso che siano due stupidi ad aspettare che Theo se ne vada al college.

Rosie: Be', tanto per cominciare, sono stati due stupidi a sposarsi. D'altra parte sai bene come è fatto Theo, Katie: è debole e insicuro. Se i suoi genitori si dividessero, sarebbe una vera tragedia per quel bambino. Comunque fra un po', quando sarà a Parigi alla scuola d'arte, dovrà affrontare la cosa, e non riesco davvero a capire perché loro pensino che così per lui sarà meglio.

Katie: Prima si dividono, meglio sarà per tutti. Sono proprio una coppia male assortita, io l'avevo detto fin dal principio.

Josh dice che non vede l'ora che Alex e lei si separino. Non può sopportarla.

Rosie: Eppure, sono rimasti insieme molto più a lungo di quanto ci si potesse aspettare. Salutami anche Josh.

Katie: Senz'altro. Ora è meglio che vada a raccontare ad Alex di Toby. Non ci crederà mai! Non lavorare troppo il giorno del tuo compleanno, mamma!

C'è posta per te da: Katie

Katie: Ciao, Alex.

Alex: Ciao, mia bellissima figlioccia. Come stai e che cosa vuoi?

Katie: Sto bene e non voglio niente!

Alex: Voi donne volete sempre qualcosa.

Katie: Non è vero, e lo sai!

Alex: Come sta mio figlio? Spero si dia da fare laggiù.

Katie: Diciamo che è ancora vivo.

Alex: Bene. Digli di telefonarmi un po' più spesso. Mi fa piacere avere notizie da te, ma sarebbe bello anche sentire le novità direttamente da lui.

Katie: Glielo dirò. Comunque, ti scrivo per questo: non indovinerai mai chi ho incontrato ieri sera.

Alex: Se non lo indovinerò mai, non mi ci metto nemmeno.

Katie: La stessa cosa che ha detto la mamma! Insomma, ho incontrato Toby Flynn!!!

Alex: È l'ex ragazzo di qualche vip? Dammi un indizio.

Katie: Alex! Scusa se te lo dico, ma tu e la mamma con l'età state perdendo la memoria. Toby è il mio migliore amico dei tempi della scuola!

Alex: Ah, quel Toby! Wow, un fantasma che ritorna dal passato! Come sta?

Katie: Sta bene. Fa il dentista a Dublino ed è qui a Ibiza per qualche settimana di vacanza. Mi ha chiesto di te.

Alex: Fantastico. Be', se lo vedi ancora salutarlo da parte mia. Era un bravo ragazzo.

Katie: Lo farò. In realtà lo vedo questa sera; usciamo insieme a cena.

Alex: C'è del tenero?
Katie: Insomma! Che cosa avete tu e la mamma? Lui è sempre stato il mio migliore amico. Non potrei avere una storia con lui.
Alex: Oh, non dire sciocchezze. Non ci trovo niente di male nell'avere una storia con il proprio migliore amico.
Katie: È esattamente quello che ha detto la mamma!
Alex: Davvero?
Katie: Sì, e allora ho cercato di farle considerare la cosa da un altro punto di vista, facendole osservare che sarebbe come se *lei* avesse una storia con *te*.
Alex: E lei che cosa ha risposto?
Katie: Direi che non ha fatto una piega. Quindi sappi, caro Alex, che quando finalmente riuscirai a portar fuori da quella casa il tuo abulico didietro, ci sarà almeno una donna disposta a prenderti con sé. Ah ah.
Alex: Capisco...
Katie: Gesù, Alex, tirati su! Bene, adesso devo andare a prepararmi per la cena.

C'è posta per te da: Rosie

Rosie: Ciao, vecchia signora, che cosa stai facendo?
Ruby: Sono seduta sulla sedia a dondolo a lavorare a maglia... Cos'altro? No, Gary, Maria e i bambini se ne sono appena andati e io sono stanca morta. Non ce la faccio più a corrergli dietro come prima.
Rosie: E vorresti farlo?
Ruby: No, e i muscoli doloranti sono un'ottima scusa per non giocare a nascondino. E tu che fai?
Rosie: Mi concedo una pausa. Fino a poco fa ho levato la polvere che hanno lasciato i muratori. Ma io mi domando: non hanno mai sentito parlare degli aspirapolvere?
Ruby: No, e nemmeno io: è una nuova invenzione? Com'è venuta la nuova ala?
Rosie: Oh, è fantastica! Adesso riuscirò finalmente ad avere un po' di privacy. Ho una zona della casa tutta mia, e gli ospiti

la loro. Ho arredato una stanza proprio come piace a te, ed è qui che ti aspetta. Fammi sapere quando verrai. Questa sera esco con Sean.

Ruby: Di nuovo? Be', sta proprio diventando un'abitudine.

Rosie: È adorabile, e mi fa tanto piacere la sua compagnia. Anche se la casa è sempre piena di gente, mi sento comunque sola, quindi è bello poter uscire ogni tanto con lui.

Ruby: Capisco quello che vuoi dire. Sembra proprio una persona per bene.

Rosie: Lo è.

Ruby: Ho sentito dire che il matrimonio di Alex è finito.

Rosie: Ruby, il suo matrimonio non è mai nemmeno cominciato, figuriamoci se poteva finire. Purtroppo per lui.

Ruby: E tu come ti senti?

Rosie: Triste per lui. Felice per lui.

Ruby: Adesso puoi dirmela, la verità. Come ti senti *veramente*?

Da: Katie
A: Rosie
Oggetto: Oh, mamma

Oh, mamma. Oh, mio Dio, mamma!

Mi è successa una cosa pazzesca.

Non mi sono mai sentita così... *strana* in tutta la mia vita.

Ieri sera è stata la sera più incredibile. Mi sono vista con Toby e siamo andati a cena al ristorante di Raul nella città vecchia. Per arrivare fin là siamo dovuti salire su per una ripida collina tutta sassi, passando davanti alle donne del luogo vestite di nero dalla testa ai piedi che stavano sulla soglia di casa sedute sulle loro seggiole a godersi il tepore e la pace della sera.

Nel ristorante c'erano pochi tavoli e noi eravamo gli unici turisti. Ero un po' imbarazzata perché mi sentivo un'intrusa, ma loro erano molto gentili e l'atmosfera veramente piacevole. Purtroppo, il mio lavoro non mi consente di frequentare molto spesso quella parte dell'isola.

È stato il direttore dell'albergo di Toby a consigliargli il ristorante: davvero un'ottima scelta perché il locale è in cima alla collina che domina l'isola da un lato e il mare dall'altro. L'aria era tiepida, le stelle splendevano, in un angolo un uomo suonava il violino. Sembrava la scena di un film, soltanto era molto meglio perché era reale e stava succedendo a me.

Abbiamo chiacchierato per ore e ore anche dopo cena e alla fine, alle due del mattino, ci hanno pregato di andarcene. Credo di non aver mai riso tanto in vita mia. Abbiamo continuato a chiacchierare passeggiando lungo la spiaggia e l'atmosfera era semplicemente magica! Abbiamo parlato dei vecchi tempi e ci siamo raccontati le novità.

Mamma, non so se sia stato il vino oppure il caldo, il cibo o semplicemente i miei ormoni, comunque ieri sera dentro di me si agitavano forze misteriose. Toby mi ha toccato il braccio e io mi sono sentita... *fremere* tutta dalla testa ai piedi. Ho quasi trentun anni e non ho mai provato niente di simile. E poi c'era quel silenzio. Quel silenzio così insolito. Ci guardavamo come se ci vedessimo per la prima volta. Era come se il mondo si fosse fermato solo per noi. Un silenzio singolare e magico.

Poi lui mi ha *baciata*. *Toby* mi ha baciata. Ed è stato il bacio più bello che abbia ricevuto in trent'anni. E quando le nostre labbra si sono staccate, ho aperto lentamente gli occhi e l'ho visto che mi fissava, e sembrava che stesse per dire qualcosa. E, con il suo solito fare, mi ha detto: "Scommetto che stasera hai mangiato i peperoni".

Che imbarazzo.

Immediatamente ho portato le mani alla bocca, ricordando come mi prendeva sempre in giro per i pezzetti di cibo che mi rimanevano attaccati all'apparecchio. Ma lui mi ha preso le mani e me le ha allontanate delicatamente dalla bocca, e mi ha detto: "No, questa volta posso sentirne il sapore".

A momenti mi cedevano le gambe. Mi sembrava talmente strano che fosse Toby quello che stavo baciando, ma nello stesso tempo mi sembrava del tutto naturale, e credo sia proprio questa la cosa veramente strana, non so se mi capisci.

Oggi abbiamo passato tutta la giornata insieme, e ho lo stomaco sottosopra al pensiero di rivederlo questa sera. Il cuore mi martella talmente forte che praticamente sento il medaglione battere contro lo sterno. Adesso capisco quello che le mie amiche intendevano quando cercavano di descrivere che cosa si prova. È talmente bello da essere indescrivibile. Papà non ha fatto altro che sfottermi perché per tutto il giorno sono andata in giro con un'espressione da ebete sulla faccia.

Toby mi ha chiesto di ritornare a Dublino, mamma! Non per vivere con lui, naturalmente, ma solo per essere più vicini. E credo che lo farò. Perché diavolo non dovrei? Getterò al vento ogni prudenza e farò un salto nel buio, e vedremo dove atterro. Perché se non do retta adesso ai miei sentimenti, chissà come potrei ritrovarmi fra vent'anni.

Ti sembra una follia? Davvero incredibili queste ultime ventiquattr'ore!

Da: Rosie
A: Katie
Oggetto: Sì!

Oh, non è per niente una follia, Katie! Non è decisamente una follia! Sii felice, ama. Goditi ogni singolo secondo di questo amore.

Da: Katie
A: Alex
Oggetto: Innamorata!

E così la mamma aveva ragione, Alex! Ci si *può* innamorare del proprio migliore amico! Ho fatto i bagagli e me ne torno a casa a Dublino con il cuore colmo d'amore e di speranza e la testa piena di sogni!

La mamma mi ha raccontato del silenzio che ha sperimentato anni fa. E ha continuato a ripetermi che, quando anch'io avessi vissuto la stessa esperienza con qualcuno, quel qualcuno sarebbe stato quello giusto per me. Stavo cominciando a pensare che stesse raccontando storie, invece non era così! Quel magico silenzio esiste davvero!

C'è posta per te da: Alex

Alex: Phil, anche lei aveva sentito il silenzio.
Phil: Chi, cosa, dove, quando?
Alex: Rosie. Aveva anche lei sentito quel silenzio, tanti anni fa.
Phil: Ah, l'inquietante storia del silenzio è tornata a perseguitarci, non è così? Erano anni che non ne parlavi.
Alex: Phil, lo sapevo che non era la mia immaginazione!
Phil: Va bene, e allora che ci fai qui a parlarne con me? Spegni il computer, razza di stupido, e attaccati al telefono. Oppure prendi in mano la penna.

Alex si disconnette.

Mia cara Rosie,

senza che tu nemmeno lo sapessi, avevo già fatto un tentativo anni e anni fa. Tu non hai mai ricevuto quella lettera e ne sono felice perché i miei sentimenti da allora sono enormemente cambiati. Si sono andati rafforzando ogni giorno.

Arrivo al punto perché se non mi decido a dirtelo ora, ho paura che non te lo dirò mai più. E io *ho bisogno* di dirlo.

Oggi ti amo più che mai; domani ti amerò anche di più. *Ho bisogno* di te più che mai; *ti voglio* più che mai. Sono un uomo di cinquant'anni che viene a te, come un adolescente innamorato, per chiederti di darmi un'occasione e di ricambiare il mio amore.

Rosie Dunne, ti amo con tutto il cuore. Ti ho sempre amata, anche quando avevo sette anni e ho mentito sul fatto di essermi addormentato la vigilia di Natale; quando avevo dieci anni e non ti ho invitata alla festa per il mio compleanno; quando avevo diciotto anni e ho dovuto trasferirmi in America; persino il giorno dei miei matrimoni, il giorno del tuo matrimonio, ai battesimi, ai compleanni e quando litigavamo. Ti ho amata in ogni momento. Fa' di me l'uomo più felice del mondo e dimmi di sì.

Ti prego, rispondimi.

Con amore, Alex

EPILOGO

Rosie lesse la lettera per la milionesima volta, la piegò in quattro e la rimise nella busta. Il suo sguardo vagava sulla raccolta di lettere, cartoline di auguri, stampati di e-mail e di chat room, fax e bigliettini scribacchiati ai tempi della scuola. Ce n'erano a centinaia sparpagliati sul pavimento, e ciascuno raccontava la propria storia di trionfi o tristezze; ogni pezzo di carta rappresentava una fase della sua vita.

Li aveva conservati tutti.

Sedeva sul tappetino di pelle di montone di fronte al camino, nella sua camera nel Connemara, e continuava a osservare la moltitudine di parole che aveva davanti. Tutta una vita per iscritto. Aveva trascorso l'intera nottata a leggere e rileggere quei fogli: la schiena le doleva e le bruciavano gli occhi. Bruciavano per la stanchezza e per il pianto.

Nel corso di quelle lunghe ore, le persone che aveva tanto amato erano tornate a vivere nella sua mente con vivida chiarezza, mentre leggeva le loro paure, le emozioni, i pensieri che un tempo erano stati così reali, ma che ormai non facevano più parte della sua vita. Amici che erano venuti e se n'erano andati, colleghi di lavoro, compagni di scuola, innamorati e famigliari. Quella notte, Rosie aveva rivissuto la sua esistenza.

Senza che nemmeno se ne rendesse conto, il sole era sorto e i gabbiani avevano preso a danzare nel cielo lanciando grida concitate, mentre le loro prede venivano scagliate tutt'attorno dal mare adirato. Le onde s'infrangevano contro gli scogli, minacciando di sopravanzarli. Fuori dalla finestra, grigie nuvole simili ad anelli di fumo indugiavano ancora nel cielo malgrado l'acquazzone del primo mattino.

Sopra il villaggio ancora immerso nel sonno si intravedevano le delicate sfumature dell'arcobaleno da poco comparso, si snodavano attraverso il cielo prossimo al risveglio e andavano a cadere nel campo antistante la Casa del Fiorellino. Una vibrante immagine di rosso vivo, bianco latte, albicocca, verde avocado, gelsomino, rosa pallido e blu notte sullo sfondo del cielo grigio. Tanto vicino che Rosie avrebbe voluto allungare la mano per toccarla.

Dal tavolo dell'ingresso, giù a pianterreno, giunse un energico scampanellio. Con uno scatto d'impazienza Rosie guardò l'orologio: le 6.15.

Era arrivato un ospite.

Si alzò molto lentamente, tutta dolorante per le tante ore trascorse accovacciata nella stessa posizione. Si tenne aggrappata alla colonna del baldacchino del letto e si tirò in piedi, raddrizzando lentamente la schiena.

Il campanello squillò di nuovo.

Le ginocchia le cedettero.

"Ahi, arrivo!" gridò, cercando di dissimulare l'irritazione nel tono della voce.

Era stata proprio una stupida a rimanere alzata tutta la notte a leggere le lettere. Quella sarebbe stata una giornata impegnativa e non poteva permettersi il lusso di essere stanca. Aveva cinque ospiti che se ne andavano e quattro che sarebbero arrivati poco dopo. Bisognava rassettare le camere, cambiare le lenzuola e rifare i letti e lei non aveva nemmeno cominciato a preparare la colazione.

Avanzò in punta di piedi tra i fogli sparsi sul tappeto, cercando di non calpestare quei reperti tanto preziosi che aveva conservato per tutta la vita.

Il campanello squillò di nuovo.

Alzò gli occhi al cielo e imprecò sottovoce. Non era proprio dell'umore adatto per sopportare ospiti impazienti. Non dopo una notte trascorsa senza chiudere occhio.

"Un momento!" gridò allegramente, reggendosi al corrimano e affrettandosi giù per le scale. Urtò una valigia con la punta del piede. Si sentì cadere in avanti, poi una mano le afferrò saldamente il braccio per sorreggerla.

"Mi spiace tanto", disse una voce, e Rosie alzò di scatto la testa. Guardò l'uomo che le stava davanti, alto all'incirca un metro e ottanta, i capelli scuri leggermente ingrigiti alle tempie. Aveva la pelle spenta, e rughe attorno agli occhi e alla bocca. Gli occhi apparivano stanchi, come del resto accadrebbe a chiunque avesse guidato per quattro ore per arrivare fin nel Connemara dopo un volo di cinque ore. Eppure quegli occhi scintillavano e lentamente cominciarono a inumidirsi.

Anche Rosie sentì gli occhi velarsi di lacrime. La stretta sul suo braccio si fece più forte.

Era lui. Finalmente era lui. L'uomo che aveva scritto l'ultima lettera che lei aveva letto quella mattina, nella quale la scongiurava di dargli una risposta.

Dopo averla ricevuta, Rosie non ci aveva messo molto a rispondere. Ora, mentre il magico silenzio li avvolgeva una volta ancora, dopo cinquant'anni, tutto quello che riuscirono a fare era guardarsi. E sorridere.

Ringraziamenti

Ci sono molte persone speciali che hanno dato un forte contributo perché tutto questo fosse possibile per me. Ringrazio enormemente i miei redattori Lynne Drew e Maxine Hitchcock. E Amanda, Jane, Kelly, Fiona, Moira, Damon, Tony, Andrea, Lee e il resto del fantastico team di HarperCollins per il duro lavoro, il costante supporto e per la fiducia.

Grazie a: Marianne Gunn O'Connor, super agente e amica. Mamma, papà, Georgina, Nicky e Keano per il vostro amore, il sostegno, i consigli, le risate e l'amicizia. Voi siete tutto per me. David, per avermi accompagnata in ogni singola tappa di questo incredibile viaggio. Tutto questo lo condivido con te. Dopo l'anno che ho trascorso, tutti coloro che mi sono vicini meritano un ringraziamento più grande che mai. Sono fortunata ad avere un gruppo di sostenitori così affezionati, quindi un grazie speciale a: le fate buone Sarah e Lisa, Olive e Robert, Enda e Sarah, Rita e Mark, Colm e Angelina (ABCD), Dominic e Catherine, Raphael, Ibar, Ciaran e Carmel, Ronan e Jennifer, Eileen e Noel, Maurice e Moira, Kathleen e Donie, Noel e Helen (e alle famiglie di tutti loro!). Ringrazio Susana, Paula e SJ per aver impedito che impazzissi (o per lo meno, per averci provato), Adrienne e Roel, Ryano e Sniff – non ce l'avrei fatta senza di voi –, Neil e Breda e i Keoghan, Jimmy e Rose, Lucy, Elaine e Joe, Gail, Eadaoin e Margaret. Un grande grazie a Thrity, Gerald e Clodagh, Daithi e Brenda, Shane e Gillian, Mark e Gillian, Yvonne, Nikki e Adam, Leah BH, Paul ed Helen, Drew Reed, Gary Kavanagh (non ci sei neanche in questo libro!), Pat Lynch, Sean Egan, Madeleine Jordan, Michael Ryan, Sarah Webster e la sua buona amica Sorella Mary Joseph, Lindy Clarke e la Squadra Cinese di Scacchi e un grazie enorme a Doo Services.

Mille grazie alla super subagente Vicki Satlow.

Ai miei specialissimi nonni Olive, Raphael, Julia e Con, che stanno sicuramente premendo dei tasti magici lassù, e grazie a Dio che li sta aiutando. A tutti coloro che hanno amato i miei libri. Mi avete regalato il sorriso e un nodo in gola per l'emozione, quindi vi ringrazio di cuore.

E infine grazie a te, Rosie Dunne, per avermi tormentata di notte, ogni singola notte, finché la tua storia non è stata raccontata.

Finito di stampare nel novembre 2014 presso
Grafica Veneta, via Malcanton, 2 - Trebaseleghe (PD)
Printed in Italy

ISBN 978-88-17-03382-4